조정래 장편소설

정글만리

2

조정래
장편소설

2

정글만리

해냄

조정래 장편소설

정글만리 ❷

| 차례 |

※ 일러두기: 본문 중 외국어의 한글 표기는 외래어표기법에 따르는 것을 원칙으로 하였으나, 일부 어휘의 경우 어감상 예외로 하였음을 알려드립니다.

우정의 비즈니스

전대광은 무심히 비행기 창밖을 내다보고 있다가 깜짝 놀랐다.

'아니, 저게 뭐냐!'

눈 아래 펼쳐지기 시작한 지형은 생전 처음 보는 것이었다. 수없이 많은 협곡들이 가지에서 다시 가지를 뻗어나가는 사이사이로 수많은 산들이 솟아 있었다. 그런데 그 산들은 꼭대기가 솟은 보통 산과 달랐다. 보통 산들의 중턱을 옆으로 싹둑 잘라낸 것 같은 모양을 하고 있었다. 그 단면들은 비슷비슷한 생김의 커다란 타원형을 이루고 있었다. 그런데 그 넓은 타원의 평면들은 사람의 손길로 잘 정돈된 표를 드러내고 있었다. 거리가 멀고 먼데도 그것이 농토라는 것을 쉽게 알아볼 수 있었다.

'아하, 저게 바로 황토 고원이로구나!'

이런 깨달음을 불러일으키는 하나의 장면이 전대광의 뇌리에 선명히 떠올라 있었다. 미국의 그랜드캐니언이었다.

그러나 눈 아래 펼쳐지고 있는 희한한 풍광은 그랜드캐니언과 형성된 과정이 같을 뿐 형태며 용도는 전혀 딴판이었다. 그랜드캐니언은 전체가 암반으로 이루어진 수직 절벽들이 연출해 내는 웅대하고 장엄한 풍광일 뿐이었다. 그런데 황토 고원은 그야말로 황토로 이루어진 사선 절벽들이 장대하면서도 신비스럽게 그 위에 생명의 터전을 마련해 주고 있었다.

저 황토 고원은 헤아릴 수 없이 길고 긴 세월 동안 황토가 빗물과 눈발에 씻기고 씻기고 또 씻겨나가 저런 형상이 된 것이었다. 물길을 따라 지질이 연한 부분들이 씻겨나가고, 황토색을 품은 그 물줄기들이 모이고 또 모여 강을 이루고, 그 강들은 다시 모여 더 큰 강을 이루고, 그 큰 강들은 다시 또 어디로 모였는가……!

'아아, 황하는 그래서 황하였다!'

황하가 흘러 흘러 마지막 안식을 취했던 바다마저 황해였던 그 시원(始原) 위를 지금 비행기는 날아가고 있었다.

비행기가 시속 700킬로 이상으로 날아가고 있는데도 황토 고원은 끝없이 펼쳐지고 있었다. 전대광은 왼쪽으로 돌리고 있는 목이 아프도록 그 고원을 내려다보고 있었다. 그러나 그는 자연이 연출해 낸 마술적 풍광에 취해 있는 것이 아니었다. 그의 눈길은 고원 위에 일구어진 농토에 박혀 있었다. 끝없이 펼쳐진 타원형의 고지들은 빠짐없이 인간의 손길로 다듬어져 있었다.

저 사선 절벽들의 높이는 얼마일까. 언제부터 저 높은 땅을 오르내리며 농사를 지었던 것일까. 철 따라 씨앗과 농기구를 져 올리고, 타작한 곡식을 져 내리면서 얼마나 고달팠을까. 고달프지 않은 인생이 없다 했지만, 사람이 산다는 것은 무엇인가…….

전대광은 황토 고원이 시야에서 사라질 때까지 슬픈 감정이 서린 숙연함에 젖어 있었다. 이번 출장에서 황토 고원을 보게 된 것은 뜻밖의 수확이었다. 그랜드캐니언을 보았을 때와는 전혀 다른 감정이었다.

어디 저 황토 고원을 오르내려야 하는 농부만 고달프랴. 지금 시안으로 향하고 있는 나의 삶은 무엇인가. 상사원의 삶이란 어쩌면 농부의 삶보다 더 허망한 것인지 모른다. 농부는 땅을 자본으로 자연의 혜택을 받아 수확물을 거두지만 상사원은 무엇인가. 종이쪽에 그림을 그렸을 뿐인 돈이라는 허상에 교환가치라는 절대권력의 왕관을 씌운 그 거한 존재를 쫓아다니는 불나방 떼 아닌가. 자본주의—돈을 신으로 모신 이념이다. 그건 솔직담백하고 단순명료하면서도 잔인무도하고 인정사정이 없다. 신의 권능을 가진 그 물건을 서로 많이 가지려고 총소리 나지 않게 벌이는 전쟁의 최전선에서 싸우는 용병이 상사원이었다. 그렇게 싸워서 얻는 것이 무엇인가……. 얻는 것이 무엇인가……. 그 물음 앞에서 자꾸만 커지는 것이 회의고 서글픔이었다. 돈에 원수 갚고 죽는 사람 없더라고 평생 돈을 쫓아 좌충우돌 헐레벌떡 뛰어다닌 상사원들의 삶이란 결국 하잘것없는 퇴직금에 목매단 초라한 노년이 있을 뿐이었다. 그건 피할 도리가 없는 서러움이고 허망함이었다. 오십 고개 넘기면서부터 얼음 덮인 비탈길에서 미끄러지듯 밀려나는 선배들의 축 처진 뒷모습은 결코 남의 일이 아니었다.

"어서 오세요, 전 부장님."

김현곤이 전대광을 먼저 알아보았다.

"아이구 김 부장님, 반갑습니다."

전대광은 김현곤을 얼싸안을 듯이 반가워했다.

"먼 길 수고하셨습니다." 김현곤이 걸음을 떼어놓으며 말했고, "에이, 지금이 10년 전도 아니고 아주 편안하게 금방 와버렸어요. 비행기가 다 새것이니 어디든 빨리 가고 편하고 그렇지요. 과연 중국 국력 실감 납니다." 전대광이 공항을 휘휘 둘러보며 유쾌하게 말했다.

"예, 여기도 10년 전에는 비행기가 안 좋았겠지요?"

"당연하지요. 아 글쎄 15년 전에만 해도 북경에서 연변까지 쏘련제 프로펠러 비행기가 떴는데, 시간이 4시간이나 걸리는 것은 말할 것도 없고, 프로펠러 소리가 어찌나 요란하던지 옆 사람과 말을 할 수가 없었다는 거예요."

"그런데 전부 제트기로 바뀌었으니 중국 경제가 정말 엄청나게 막강해진 거지요."

"말도 말아요. 작년에 후진타오가 프랑스에 가서 폼 잡는 거 봐요. 미국에 뒤이어 EU 경제도 어려워지고 있는 판에 여객기 100대를 주문해 버리잖아요. 10대라도 고마울 텐데 100대라니, 프랑스가 너무 좋아 기절할 판이고, 독일은 부러워 침만 질질 흘릴 처지고. 하여튼 중국놈들 만리장성 쌓는 폼이나, 자금성 지어대는 폼이나, 그 폼이 그대로 살아 있다니까요."

전대광의 달변에는 신명이 오르고 있었다.

"그래요, 땅 넓고 사람 많아서 이 사람들만 잡을 수 있는 폼이 따로 있어요. 스스로 대국이라고 뻐기는 것이 꼭 자만이나 과장은 아니지요."

김현곤이 고개를 끄덕였다.

"그럼요, 중국만의 파워가 있지요. 프랑스에서 여객기 100대를 주문하자 그걸 바다 건너에서 바라본 미국 심사가 어땠겠어요. 프랑스의 바람둥이 대통령 사르코지가, 이 정도 외교술이면 내 연임은 따놓은 당상이지 하며 쾌재를 부르고 있을 때 미국의 오바마 대통령께오서는, 어 나도 재선 닥쳐오는데 날 물 멕이자는 거야 뭐야 하며 얼마나 몸 달고 배신감 느꼈겠어요. 그런데 시침 뚝 따고 있던 후진타오는 미국에 가서 어땠어요. 프랑스보다 따블로 200대를 주문해 버리잖아요. 중국놈들 폼 잡는 게 이런 식이에요. 왕초를 해먹으려면 이런 나라에서 해야 해요."

"예, 그 일 보면서 이것저것 심정이 복잡했어요."

김현곤이 고개를 주억거리며 씁쓰레하게 웃었다.

"우리 같은 나라에서는 그저 부러워하기만 하다가 끝날 일이죠. 중국 이거 가만히 생각할수록 복잡하고, 골치 아픈 나라예요. 근데, 시안 생활은 어때요?"

전대광이 화제를 바꾸었다.

"예, 괜찮아요. 잘 온 것 같아요."

"아니, 날 봐서 괜히 인사말 하는 것 아니구요?"

전대광이 김현곤의 속마음을 캐내려는 듯 똑바로 쳐다보았다.

"아니에요. 우선 시안이라는 역사 깊은 도시가 더없이 좋고, 회사일도 걱정했던 것보다 잘 풀려나가고 있어요."

"그게 정말이라면 그보다 더 큰 다행은 없어요. 이제 와서 말인데 김 부장님 떠나신 다음에 내가 얼마나 마음이 안 좋았는지 몰라요. 내 잘못으로 괜한 사람 천당에서 지옥으로 보냈구나 하는 생각에 김 부장님 얼굴이 아무 때나 불쑥불쑥 떠오르는 게, 참 죽을 맛이었어요."

"차암……, 그리 신경 쓰신 줄 알았더라면 진작 괜찮다는 소식을 드렸어야 하는데……."

김현곤은 가슴이 뭉클해지고 목이 메는 것 같아 말끝을 얼버무렸다. 사업적 업무 관계를 놓고 그렇게 마음 써주는 일은 지극히 드물었던 것이다.

"김 부장님이 먼저 오라고 하지 않았더라도 난 이번에 꼭 한번 올 작정을 하고 있었어요."

"여러 가지 일 많은데 어떻게 지사장님이 출장을 허락하셨군요."

"원래 우리들 일이 전화로 되는 게 아닌 데다가, 지난번 일로 지사장님도 김 부장님한테 미안해하고 있었으니까요."

"그렇게 마음을 써주시니 참으로 고맙습니다." 김현곤은 고개를 약간 숙여 예의를 표하고는, "근데 전 부장님이 시안이 초행이시라니 좀 이상해요. 이 보물상자 2천 년 고도를." 그는 정다운 눈길로 전대광을 쳐다보았다.

"그러게 말이에요. 그저 일거리 쫓아, 돈냄새 쫓아 똑같은

데만 뻔질나게 쏘다녔지 이런 유서 깊은 곳은 잠시나마 돌아볼 틈이 없었으니, 그게 우리 상사원들의 불쌍한 인생살이 아니던가요." 전대광이 과장되게 어깨를 축 늘어뜨리며 한숨을 푹 쉬었고, "그게 원래 그런 것 아닙니까. 남산 송신탑 꼭대기에서 서울 야경 구경하고, 한강 유람선 타는 사람들은 시골에서 서울 구경 온 사람들이고, 정작 서울 사람들은 그런 것 못해보잖아요. 여기서도 마찬가지죠 뭐. 관광객들은 짧은 기간 안에 명소만 골라서 다 구경하고, 주재원들은 10년 넘게 살아도 매양 일 따라 뺑뺑이만 돌며 사는 가련한 인생들 아닌가요." 김현곤이 스산한 웃음을 지었다.

시내로 들어선 그들은 점심때라서 식당을 먼저 찾아들어갔다.

"여긴 우리나라 사람이 아주 적어서 한식당이 마땅찮아요."

중국음식점으로 들어가며 김현곤이 말했다.

"얼마나 되는데요?"

"한인회에 알아보니까 200명이 미처 못 돼요."

"하! 완전 불모지로군요. 서부 내륙이란 말이 실감 나네요."

"예, 그 사람들은 그야말로 개척민들이죠. 기회를 찾아 남보다 먼저 고생길에 나선 거니까 그만큼 얻는 것도 많겠죠."

"예, 당연히 그래야지요."

"술 한잔 하시겠어요?"

김현곤이 메뉴판을 넘기며 물었다.

"아니오, 낮에는. 술은 이따 저녁에 하고, 지금은 업무 얘기부터 합시다. 음식도 간단히 시키세요."

"그러지요."

김현곤이 음식을 시키는 동안 전대광은 담배를 피워 물었다.

메뉴판을 치운 김현곤은 찻잔을 들며 전대광에게 눈길을 돌렸다. 그게 신호이기라도 한 것처럼 전대광이 입을 열었다.

"예, 이번 건이 다름이 아니라 지난번 것을 완전히 회복하게 되는 프로젝틉니다. 그게 뭔고 하니 이번에 상하이에 초대형 종합병원이 들어서게 됩니다. 인민 건강을 위해 서양의학을 본격화하자는 계획인 거지요. 그 공사에 우리가 철강을 지난번과 똑같은 양으로 납품하기로 했어요."

"10만 톤이나요?"

김현곤은 마음이 급해서 묻지 않을 수가 없었다.

"예, 10만 톤!"

전대광이 짱짱한 목소리로 대답했다.

"병원이 얼마나 크기에……."

"중국 스케일에 맞게 2천 병상짜립니다. 그렇지만 서울 인구보다 2배나 많고, 유입 인구까지 치면 3배에 이를 형편에 2천 병상짜리는 오히려 소규모지요. 서울 비례로 따지자면 그 5배가 되게 지어야지요. 인구에 비해 중국의 현대 의료시설은 너무 빈약해요."

"그래도 10만 톤이나……."

"아니오, 그게 절반으로 잘린 거예요. 우리 꽌시가 지난번에 놓친 것을 설욕하기 위해서 20만 톤을 다 먹으려고 단단히 작정을 하고 나섰는데, 중국 철강 회사들이 좀 많습니까. 파워게임이 치열했는데, 어쩔 수 없이 반을 떼어주는 것으로 낙착이 된 거지요. 그래서 김 부장님과 함께 팀워크를 맞추는 게 도리라고 모두 의견 일치를 본 겁니다."

"……."

김현곤은 얼른 찻잔을 입으로 가져갔다. 가슴이 울컥하며 눈물이 솟구쳤던 것이다. 곧 울음까지 터질 것만 같아 그는 차를 한입 가득 머금었다. 그리고 차를 삼키며 울음을 억눌렀다. 그런데 울음과 찻물이 충돌을 일으키며 목이 찢어지는 것처럼 아팠다. 그는 억지로 찻물을 삼켰다. 그런데 울음은 자꾸만 치받쳐 오르고 있었다. 의지는 감정을 이겨내지 못하고 있었다. 이처럼 가슴이 마구 떨리는 고마움을, 걷잡을 수 없도록 울음이 터지려고 하는 고마움을 느껴본 적이 없었다. 헤어지면 그만이고, 멀어지면 잊어버리는 게 세상인심이었다. 더구나 상거래는 그 맺고 끊음이 칼질하고 가위질하듯이 분명하고 냉정했다. 지나간 일은 과거사일 뿐이고, 새 일은 새 사람과 속 편하게 하면 그만이었다. 그런데 전 부장은 굳이 몇천 리 길을 찾아온 것이었다.

고개를 숙인 김현곤의 상체는 미세하게, 빠른 파장으로 떨리고 있었다. 머리카락이 올올이 떨리고 있었고, 귀가 떨리고 있었고, 두 어깨가 떨리고 있었고, 찻잔을 움켜잡은 두 손이 떨리고 있었다.

그런 김현곤을 전대광은 흩어지는 담배연기 속으로 물끄러미 바라보고 있었다. 그는 김현곤의 고개를 숙인 얼굴에서 눈도 떨리고, 코도 떨리고, 입도 떨리고 있는 것을 여실히 보고 있었다. 그 전신의 떨림이 뜨거운 파장을 일으키며 그의 가슴으로 전해져 오고 있었다. 그건 천만 번의 감사하다는 말을 능가하고 있었고, 사나이 홀로 겪은 외로움과 고통이 얼마나 컸었던가를 깊이 느끼게 하고 있었다.

"김 부장님, 식사 왔습니다."

"저 화장실 좀……."

목멘 소리를 하며 김현곤이 몸을 일으켰다.

"예, 천천히 다녀오세요."

전대광은 새삼스럽게 여기 오길 잘했다고 생각하고 있었다. 김현곤이 고마워할 줄은 알았지만 그렇게까지 감동할 줄은 몰랐던 것이다. 그건 김현곤이란 인간에 대한 새로운 발견이기도 했다. 그는 자신의 감정을 감추거나 위장하지 않고 있는 그대로 보여주었던 것이다. 그 꾸밈이 없는 진실한 모습에서 새로운 인간적 신뢰가 깊어지고 있었다.

이런 경우에 거의 대부분은 김현곤처럼 솔직하게 감정을 표현하지 않았다. 고마워하기는 하되 자기 자존심과 체면을 지키기 위해 감정 표현을 조절하거나 절제하는 것이 예사였다. 거기에는 상거래라는 거리감과 사무적 관계라는 간격이 놓여 있었다. 그런데 이제 김현곤과의 관계에서는 그런 것이 사라져버린 것 같은 느낌이 들었다.

"죄송합니다. 너무 갑자기 그런 말을 들어서 그만……."

김현곤이 계면쩍어하며 자리에 앉았다.

"혹시 이번에도 잘못되는 건 아닌가 하는 생각은 안 드세요?"

좀 어색스러운 분위기를 씻어버리기 위해서 전대광은 일부러 이렇게 말했다.

"그렇게 자신 없으면 이렇게 일부러 먼 길을 오셨겠어요."

김현곤이 씨익 웃으며 말했다.

"하아, 그 칭찬 한번 멋떨어집니다. 예, 이번에는 틀림없이 완벽합니다. 내 꽌시가 중국 고급관리답게 욕심이 아주 대단합니다."

전대광이 엄지와 검지 손가락으로 동그라미를 그려 보였다.

"예, 이 세상에 돈 싫어하는 인간은 단 하나도 없지만, 중국 관리들 노골적으로 돈 밝히는 것 보면 이해를 하다가도 이해가 안 될 때가 많아요."

김현곤이 고개를 저었다.

"이해를 하다가도 이해가 안 될 때가 많다. 그 말 아주 멋진데, 나도 전적으로 동감이에요. 어떻게 된 인간들이 죄의식이라고는 전혀 없이 당연히 받을 보너스 정도로 생각한다니까요."

"글쎄 말이에요, 어떤 관리가 하는 말이, 안 해먹으면 무능하게 취급당하니까 별수 없다나요. 그런 분위기를 미국의 어떤 기자가 '상호 존재의 조건'이라고 표현했더군요. '다 같이 때 묻자' 하는 공범의식인데, 어쨌거나 국민은 안중에 없이 공무원들이 그런 식으로 맘대로 해먹는 건 이 지구상에 중국밖에 없을 거예요."

"내가 더 희한하게 생각하는 건 서로 경쟁하듯이 얼나이를 줄줄이 거느리는 거예요. 공무원들이 첩질을 해도 아무 문제가 안 되는 것도 중국뿐일 겁니다. 난 다시 태어나면 중국 관리 할 작정입니다."

전대광은 음식을 씹으며 어깨가 들썩거리도록 키들키들 웃었다.

"전 부장님의 그 꽌시도 얼나이 있습니까?"

"당연하지요, 수컷인데."

"아니, 부인이 미녀라고 하지 않았습니까?"

"흐흐, 왜 이런 말 있잖아요. 아무리 똑똑한 년도 이쁜 년 못 당하고, 아무리 이쁜 년도 젊은 년 못 당한다고. 그 부인이 이쁘다 해도 양귀비 아닌 바에야 이 공식에 걸린 거지요. 아는 체는 전혀 안 하지만 한둘이 아닌 눈치예요. 그것들 앞에서 수컷 폼 화끈화끈하게 잡으려니까 돈은 계속 필요하구요. 그 덕에 우리 일도 자동적으로 풀려가고. 세상 요지경 속 아닙니까."

"그래요. 중국남자들 자동차 살 때, 애인한테 선물 사줄 때, 친구들한테 밥 살 때 돈 안 아끼고 팍팍 쓴다는데, 예쁜 얼나이들 여럿이면 돈줄도 여럿을 만들어놓고 있어야 되겠지요. 그런 게 언제까지 갈지 모르지만 좌우지간 멋지게 사는 인생들이죠."

김현곤이 고개를 저으며 쩝쩝 입맛을 다셨다.

"그런 세월이 아마 꽤 오래갈 겁니다. 관리들의 그런 행태를 인민들이 그저 그냥 봐 넘기잖아요. 그리고 몸 파는 것이 수치가 아닌 사회에서 젊은 여자들이 가장 편하게 돈 버는 게 그 길이고."

"인민들……, 참 묘해요. 분명히 있으면서 전혀 없는 것 같은 존재……, 알 듯 말 듯 하면서 영 아리송한 존재……, 그게 중국 인민들이에요. 관리들의 부정부패와 그런 타락을 다 알면서도 모르는 것같이 하고 있으니. 참 풀기 어려운 수수께끼예요."

"그거 한마디로 할 수 없는 문제지요. 박사 논문으로 쓰더라도 수십 편은 동원돼야 하지 않겠어요. 복잡하게 얽히고설킨 문제들이니까요."

식사를 다 끝낸 전대광이 담배를 빼 들었다.

"꼭 내일 오전에 돌아가셔야 합니까?"

김현곤이 젓가락을 놓으며 물었다.

"예, 급한 일들이 몇 가지 있어요."

"그럼 시안 구경할 시간은 오늘 오후 몇 시간밖에 없군요. 핵심적인 것으로 몇 군데 고르셔야겠어요."

김현곤이 주머니에서 지도를 꺼내 펼치려 했다.

"아, 철저하시군요. 그러니까 꼭 가이드 같아요." 전대광이 픽 웃고는, "제가 보면 뭘 아나요, 시간 낭비죠. 시안 터줏대감으로서 객한테 꼭 보여주고 싶은 걸 선택하세요" 하며 담뱃갑을 챙겨 넣었다.

"예, 그럼 세 군데로 하지요. 성벽, 섬서역사박물관, 진시황의 병마용. 그럼 술 마시기 좋은 저녁이 될 겁니다."

"예, 좋아요. 병마용은 사진으로만 더러 보았는데, 꼭 한번 보고 싶어요."

김현곤이 능숙한 솜씨로 차를 빼내 출발시키자 전대광이 입을 열었다.

"이번 일 잘 풀리면 다시 상하이로 복귀할 수도 있을 텐데."

"글쎄요……." 김현곤은 옆눈길로 전대광을 힐끔 쳐다보고는, "그거 쉽지 않겠지요, 조직의 인사 문젠데. 그리고 저도 그런 무리한 요구를 하고 싶은 마음이 별로 없어요. 여기도 생각보다 빨리 자리 잡혀가고 있으니까요. 시안이라는 유서 깊은 도시도 매력적이구요." 그는 아무 걱정하지 말라는 듯 전대광 쪽으로 얼굴을 완전히 돌리고 편안한 웃음을 웃었다.

"상하이가 사람들이 영리하고 약아서 영업하기 제일 어려운 도시라고 소문나 있지만 그래도 여기 시안에 비하면 경제 여건이 몇 배나 더 좋잖아요. 그런 데서 영업하다가 이런 데로 왔으니 내 참……."

전대광은 말꼬리를 흐리며 혀를 찼다.

"아무것도 신경 쓰지 마세요. 여기도 여건이 전혀 나쁘지 않아요. 서부대개발 바람으로 돈바람이 마구 불고 있거든요."

"저 매연이 바로 그 바람인 거죠?"

전대광이 차창 밖의 짙은 매연을 손가락질했다.

"빠르시군요. 저게 갈수록 심해지고 있는데, 얼마 전에 우리나라 관광객 한 분이 명언을 남기고 가셨어요."

"……?"

전대광이 김현곤에게 눈길을 돌렸다. "나이가 70이 다 된 분이었는데, 저 매연을 바라보며 하는 말이, 70~80년대에는 불볕 쏟아지는 열사의 땅 중동에서 돈 버느라고 헉헉대고, 이젠 저 지독한 매연 마셔가며 돈 버느라고 숨 막히고, 한국사람들 신세 참 딱하다며 한숨을 쉬는 거예요. 그 말을 들으니 기분이 참 묘했어요."

"예, 그 말이 참……, 우리들 신세라……."

전대광은 앞을 바라본 채 고개를 주억거리고 있었다.

"이곳 지방정부가 옆 도시 충칭(중경)에 지지 않으려고 외자 유치에 총력전을 펼치고 있어요. 저도 그 덕을 많이 본 셈인데, 최근에 우리나라 대기업이 엄청나게 파격적인 특혜를 받으며 만여 명이 일하는 초대형 전자공장을 세우기로 확정했어요."

"만 명……?"

전대광의 눈이 휘둥그레졌다.

"물론 우리나라 사람 만 명이 오는 건 아니죠. 우리나라에선 최고급 기술진을 비롯해서 파트별 관리직들이 얼마 올 것이고, 나머지는 전부 현지인들을 채용하겠지요. 시안 정부가 1차적으로 바라는 건 그 고용 창출이죠. 매달 외국기업에서 받아내는 고액의 인건비는 바로 경제발전의 원동력이니까요."

"그게 만 명 규모라면, 단순 제조업이 아니라 전자니까 전문 고급 기술진과 관리직이 움직여야 할 거고……, 그 가족들이 따라오게 되고, 그리고 그 협력업체들까지 자리 잡게 되면……, 대략 3천여 명의 교민사회가 형성되겠군요. 거기다

관광객까지…….”

전대광이 빠르게 계산해 내고 있었다.

“그뿐이 아닙니다. 며칠 전에 들은 소식인데 시안 정부가 우리나라의 어느 대학에 종합병원 건설을 적극 교섭하고 있다고 합니다. 대학병원 규모로 종합병원이 들어서면 또 우리나라 사람들이 많이 오게 되겠지요.”

“그렇지요, 고급 인력들이 대거 이동하는 거지요. 시안 정부가 머리 잘 쓰는 것 같은데요. 근데, 우리나라 관광객들은 얼마나 오지요?”

김현곤을 쳐다보는 전대광의 눈이 빛나고 있었다.

“예, 그건 잘 모르겠는데, 거의 날마다 여기저기서 마주치고 있어요. 그 수가 적지 않은 것 같고, 앞으로 갈수록 늘어나겠지요.”

“그렇겠지요. 우리나라 사람들이 가장 하고 싶어 하는 게 외국여행이니까요.” 전대광은 고개를 끄덕이고는, “그게 그리 되면 우리 교민사회가 급속히 팽창하게 되겠는데…….” 그는 무슨 생각을 하는지 혼자 중얼거리고 있었다.

“예, 성벽 다 왔습니다. 내리시지요.”

도시 중심에 버티고 있는 성벽은 검은색에 가까운 짙은 회색이었다. 그 색깔은 기울기 없이 직선으로 뻗어 올라간 드높은 성벽을 더욱 웅장하고 육중하게 보이게 했다. 그 직선의 성벽은 높기도 했지만 그 어디 틈 하나 없어서 적이 도저히 기어오를 도리가 없게 되어 있었다. 그건 자연석이 아니라 벽돌이었다.

"이게 도대체 몇 미터나 되는 겁니까?"

전대광이 고개를 젖혀 성벽을 올려다보며 물었다.

"12미터입니다."

"세상에……, 3~4미터만 돼도 올라가기 어려운데 12미터라니. 아예 사다리도 걸치지 못하게 해버렸군요."

"하여튼 중국사람들 뭐든 큰 것 좋아하는 것 못 말려요."

"예, 그게 수천 년에 걸쳐 이어져 내려오는 대국인의 자존심 같은 것으로 연결되어 있는 것 같아요."

김현곤이 성벽 계단을 밟으며 말했다.

"예, 우리하고는 많이 달라요. 궁궐도, 탑도, 사찰도…… 비교가 안 될 정도지요."

"그렇지요. 만리장성이며, 대운하며, 이화원이며, 진시황릉이며…… 그 규모의 어마어마함이란 참 기가 질리기도 하고, 어이가 없기도 하고……, 중국은 불가사의가 수없이 많은 나라예요."

"여기 오면서 다시 느낀 건데, 중국과 이렇게 인연이 맺어졌으니 중국의 명승지들을 다 돌아보고 싶은데, 그런 생각에 젖어 있는 내가 한심하기도 하고, 불쌍하기도 하고 그랬어요.

하찮은 월급쟁이 신세에 그런 황홀한 꿈을 꾸고 있으니 그게 어느 세월에 이루어지겠어요."

전대광이 스스로를 비웃는 듯한 코웃음을 흘렸다.

"아니지요. 꿈꾸는 자가 성취한다는 말이 있잖아요. 그리고 꿈꾸는 자는 꿈꾸지 않은 자보다 많이 이룬다는 말도 있구요. 구체적이진 않지만 저도 문득문득 그런 생각을 해요. 특히 천년고도 시안에 와서 그런 생각이 더 많아지구요."

김현곤의 말은 사뭇 진지했다.

"글쎄요, 중국사람들도 평생 기를 써도 이루지 못하는 일 세 가지가 있다잖아요. 땅이 넓어 샅샅이 다 돌아볼 수 없는 것, 사람이 많아 일일이 다 만나볼 수 없는 것, 음식 종류가 많아 하나하나 다 맛볼 수 없는 것. 그러니 우리야 뭐……."

전대광이 체념적으로 혀를 찼다.

"예, 다 올라왔습니다." 김현곤이 말했고, "아니……, 허어……." 전대광이 문득 놀라더니 입을 반쯤 벌린 채 멍하니 서 있었다.

"만리장성 위보다 넓지요?"

김현곤이 전대광의 놀람을 눈치채고 물었다.

"이 사람들 참……, 두 배는 더 넓은 것 같아요." 전대광은 일직선으로 뻗어나간 성벽의 좌우를 살피며 고개를 절레절레 젓고는, "이거 2차로보다 더 넓잖아요. 덤프트럭 두 대가 넉넉하게 비켜갈 수 있겠어요." 그는 계속 놀라움에 차 있었다.

"그러니까 이게 동서남북 사방으로 빙 둘러서 14킬로 정돕니다. 거기에 병사들이 빽빽하게 들어차면 몇 명이나 되겠어요?"

에라, 놀란 김에 한 번 더 놀래라 하는 투로 말하며 김현곤은 빙긋이 웃고 있었다.

"14킬로요? 30리가 넘는단 말이오?" 전대광은 김현곤의 기대에 어긋나지 않게 거듭 멍한 얼굴이 되며, "이 넓은 길 30리면……, 5천 명? 아니지…… 7천 명? 아니야, 30리가 넘는데……, 1만 명은 충분히 들어설 것 같소." 그는 얼굴까지 찡그려가며 숫자 맞추기에 열중하고 있었다.

"예, 그 정답은 바로 이겁니다. '그걸 누가 알겠습니까.'" 김현곤이 웃음을 터뜨렸고, "이런, 내가 순진하게 걸려들었군요. 맞아요, 그 일을 아무도 해보지 않았을 테니 그게 정답은 틀림없는 정답이지요." 전대광도 따라 웃었다.

"사람들이 여기 올라오는 목적이 대개 두 가지지요. 하나는 성벽의 규모를 보는 것이고, 또 하나는 시안 시내의 동서남북 풍경을 조망하는 거지요. 그런데 제가 즐기는 낭만은 따로 있어요. 여길 자전거를 타고 한 바퀴 도는 겁니다. 그 자전거 산책을 하면 온갖 시름이 다 풀리고, 2천 년 전 역사 속으로 여행을 하는 것 같은 환상에 사로잡혀요. 그래서 마음이 울적할 때면 여기 올라와 자전거를 타고는 하죠."

"아니, 지금 무슨 말을 하는 겁니까? 자전거를 타요, 여기서?"

전대광은 지금 무슨 헛소리하고 있느냐는 얼굴로 눈을 껌벅이고 있었다. "예에, 이 위에서 자전거를 탄다구요. 오늘도 시간 여유가 좀 있으면 기왕 올라온 김에 한 바퀴 돌았으면 운동도 되고, 구경도 하고 양수겸장일 텐데, 시간이 모자라 아쉽군요."

"아니, 어쩌자고 이 소중한 고적에서 자전거를 탄다는 거죠? 이게 도대체 말이 되나요?"

전대광은 언짢은 기색으로 말했다.

"이런 데가 중국이잖아요." 김현곤이 씨익 웃고는, "자아, 저리 가서 이 벽돌들 좀 살펴봅시다. 이 성을 쌓아 올린 이 벽돌들이 예삿것이 아니라 특수한 벽돌입니다. 그냥 찰흙이 아니라 찰흙 90프로에 옥가루 10프로를 섞어 1,500도 이상에서 구워낸 것이라 그 강도가 바위를 능가합니다. 이 벽돌들 색깔이 이렇게 흑회색인 것도 찰흙과 옥가루가 고열에서 화학변화를 일으키기 때문이지요. 그러니까 이 위로 탱크가 굴러가도 끄떡하지 않을 판에 까짓 자전거쯤이야 하는 게 중국 배포지요."

김현곤이 보통 빨간 벽돌의 네 배쯤 크기의 성벽 벽돌들을 손가락으로 톡톡 두들기며 설명했다.

"아니, 그 귀한 옥을 섞었다구요?"

전대광이 못 믿겠다는 얼굴로 고개를 갸웃했다.

"옥이 귀하고 비싼 건 힘든 가공 과정을 거치고, 섬세한 조각을 한 다음인 거지요. 그리고 저 티베트 쪽에서부터 1,800킬로 이상 뻗어 내리고 있는 친링산맥의 그 첩첩이 많은 산들이 다 옥산이랍니다."

"아이구, 김 부장님은 그만 여행사 차려도 되겠어요. 우리나라 관광객도 자꾸 늘어나는 판에." 전대광은 불쑥 말하고는, "자전거로 한 바퀴 도는 데 몇 시간이나 걸립니까?" 그는 좌우를 둘러보았다.

"몇 시간은요. 한 30~40분 정도지요."

"그럼 됐습니다, 탑시다. 나도 2천 년 역사 속을 여행하는 낭만을 즐기고, 추억도 간직하고 싶으니까요."

"예, 좋습니다. 시간이야 조정하고, 쓰기 나름이니까요. 자전거 빌리는 데는 저쪽입니다."

"하아, 하여튼 중국놈들 장삿속하고는……."

전대광이 쯧쯧쯧 혀를 찼다.

그때 저쪽에서 두 남녀가, '보세요, 자전거 타는 재미가 얼마나 신 나는지' 하듯이 자전거로 달려오고 있었다.

"헹, 이럴 줄 알았더라면 예쁜 아가씨를 하나 준비하는 건데." 전대광이 뚱하니 말했고, "하이고, 빈객 대접이 부실해 죄송하옵니다." 김현곤이 과장되게 허리를 굽혔다.

전대광은 김현곤의 속도에 맞추어 느긋하게 페달을 밟았다. 병든 안개처럼 불그죽죽한 매연이 자욱했지만 오랜 역사를 품은 도시의 풍경은 그래도 색다른 데가 있었다. 대로상에 7~8층 현대식 빌딩들이 줄지어 서 있으되 그 옥상들 처리가 시안다운 특색을 간직하고 있었다. 건물마다 제각기 개성을 지닌 중국 전통의 기와집으로 마무리되어 있었다. 서양의 기능성에 중국의 전통미가 조화를 이루어내는 신종 건축물들이었다.

"기분이 아주 상쾌해졌어요. 하마터면 이 좋은 추억을 놓칠 뻔했잖아요."

자전거를 반납한 전대광이 두 팔을 휘두르며 기분 좋아했다.

"예쁜 아가씨가 있었으면 더 좋았을 텐데." 김현곤이 능청스레 말했고, "크크크……, 그야 만고불변의 진리지요. 여행할 때는 특히 객창감이 일어나는 법이니까." 전대광이 능글맞게 대꾸하고는, "근데 말이지요, 왜 자꾸 진시황 생각이 나는 거지요? 양귀비와 거방지게 놀아난 당나라 현종도 있는데" 하며 고개를 갸웃했다.

"당연하지요. 시안을 시안답게 만든 최초의 인물이 진시황이니까요. 그리고 2,200여 년 만에 되살아나 잊혀진 시안을 세계적으로 유명한 도시로 만들었으니까요."

"2,200여 년 만에 되살아나……?"

"예, 병마용 말이지요. 그게 발견되어 세계 8대 불가사의가 되는 바람에 세계인들이 몰려들기 시작했으니까요."

"그건 그런데……, 진시황 그 사람 이해하기 복잡하고 좀 곤란한 사람 아니에요?"

성벽 계단을 내려가며 전대광이 얼굴을 찌푸렸다.

"그렇지요. 잘한 일도 많고, 잘못한 일도 많고, 역사학자들이 오래 뜯어먹기에 딱 알맞은 인물이죠."

"난 별로 정이 안 가는 인물인데, 이렇게 말하면 무식하단 소리 듣겠지만, 성군이냐 폭군이냐 했을 때 김 부장님은 어느 쪽인가요?"

"글쎄요, 그것처럼 어려운 질문은 없겠는데요. 나도 여기 온 다음부터 그 점을 비교해 보기 시작했는데 저울이 이쪽으로 기울었다, 저쪽으로 기울었다 하면서 좀체 결론이 안 나더군요. 전문적으로 전공하는 역사학자들도 그 문제로 계속 티격태격하고 있는 모양이구요."

"체, 죽기 싫어서 불로초 구하려고 사방팔방으로 신하들 보낸 걸 보면 오만 정이 다 떨어져요. 최초로 천하통일을 이룩했다는 사람이 생각은 어찌 그리 단순하고 유치한지 몰라요."

"동감이에요. 잠깐, 조심해서 길 좀 건너가셔야 되겠어요."

김현곤이 재빠르게 차도로 내려서며 전대광을 안내했다. 시안도 상하이나 베이징만큼 차도 많았고 교통질서도 무정부 상태였다.

길을 건넌 김현곤이 한 노점상 앞에서 걸음을 멈추었다.

"아까 말했지요. 이 지역에서 옥이 많이 난다고. 옥을 몸에 지니면 혈기가 승해지고, 행운이 깃든다고 합니다. 그건 그냥 미신이 아니고 옥에 든 어떤 광물질이 작용하는 것이 아닌가 합니다. 그래서 시안에 오신 기념으로 도장을 선물하고 싶습니다. 이 사람이 비록 노점상을 하지만 상점 차리고 있는 사람들 뺨치게 글씨가 좋습니다. 돌을 골라보시지요."

김현곤이 좌판에 깔린 수십 개의 옥을 가리켰다. 옥들은 크기도 모양도 색깔도 가지가지 다양했다.

"아닙니다, 아닙니다. 도장 쓸 일이 없는 인생인걸요."

전대광이 뒤로 물러서며 두 팔을 마구 저었다.

"예, 그럼 내가 고르겠습니다. 선물은 선물하는 자의 자유니까요."

김현곤은 서슴지 않고 사각진 새빨간 옥돌을 집어 들었다.

"아니라니까요, 정말." 전대광이 그걸 뺏으려 했고, "평생 부장만 해먹을 겁니까. 이 도장 써먹을 수 있게 어서 사장 되세요." 김현곤이 정색을 하고 말했다.

도장 새기는 시간은 미처 10분이 걸리지 않았다. 끼르르

륵……, 찌륵, 찌르르륵……, 치과에서 마구 이를 갈아대듯이 돌 가는 소리만 요란스럽게 퍼질 때는 저게 무슨 글씨가 될까 싶었었다. 그런데 종이에 찍힌 빨간 도장에는 '全大光' 석 자가 개성적인 글씨체로 선명하게 드러나 있었다.

"갑작스럽게……. 고마워요, 오래 간직할게요."

전대광이 약간 잠긴 듯한 목소리로 말했다. 그리고 그는 도장을 두 손으로 감싸 잡고 유심히 들여다보았다.

'내가 사장 되고 싶어 하는 걸 어떻게 알았지? 내 속 짚어 남의 속이라고 저 사람도 사장이 되고 싶은 것인가. 그렇지! 정치하는 자들이 모두 대통령 되는 게 꿈이듯이 비즈니스맨들의 공통된 꿈은 사장 되는 것 아니겠는가.'

박물관 초입은 바로 기념품 상점이었다. 박물관에 오는 모든 관람객들은 그 상점을 반드시 드나들게끔 만든 거였다.

"아이고, 이 야한 것하고는. 중국사람들, 안면 몰수하는 이런 배짱 상술은 세계에서 중국밖에 없을 거예요."

전대광이 떫은 입맛을 다셨다.

"그렇지요, 대개 관람이 끝나는 지점에 있지요. 근데 이 사람들 뭐라는지 아세요? 관람객들의 구매 편의를 최대한 고려해서 들고 나게 했다고 태연하게 말해요. 통행인들이 얽혀 두 배로 복잡한 건 싹 덮어버리고."

"늦게 배운 도둑질 밤새는 줄 모르더라고 자본주의 맛 늦게 본 것들이 돈맛에 더 환장을 하고 덤벼요."

"그렇지요. 억눌렸던 욕구가 풀린 반작용인 거지요."

"이런 꼴을 내려다보며 마오쩌둥이 뭐라고 할지 궁금해요."

"너 땜에 중국 다 망쳤다고 덩샤오핑의 조인트를 막 까는 게 아닌지 모르겠어요."

"그럼 그 오뚝이 영감이 당하고만 있겠어요. 중국이 G2가 된 게 누구 덕이냐. 미국과 맞장 뜨게 만든 게 누구 공이냐. 당신 식으로 했다면 중국도 이미 쏘련처럼 망해 없어졌다. 이렇게 대들면서 오히려 마오쩌둥 조인트를 막 까고 작살낼 것 같은데요."

"예, 그럴 수도 있겠어요."

김현곤이 크크크 입을 가리고 웃어댔다.

관람객 중에는 서양사람들이 꽤나 많았다. 그들은 시안의 3천 년 역사를 품고 있는 전시물들 앞에서 사뭇 진지했고 고요했다. 역사가 고작 200년밖에 안 된 미국인들이라면 3천 년 세월의 무게만으로도 주눅 들고 고요해질 수밖에 없을 거였다.

김현곤은 전대광과 몇 발짝 거리를 두었다. 서로의 감상을 편안케 하기 위해서였다. 김현곤은 박물관에 올 때마다 새로움을 느끼고 있었다. 전시물들이 많아 미처 보지 못하고 지나쳤던 것들이 새로 보이기도 했고, 눈 익은 전시물들을 다시 보면서 새로운 생각이 떠오르기도 했다.

전시실이 서너 번 바뀌고, 어느 지점에서 김현곤은 전대광 옆으로 다가갔다.

"이거 좀 유심히 보세요. 이게 진시황 할아버지 묘에서 출토된 거랍니다."

김현곤이 속삭이듯 말하며 유리전시관 속의 확대경을 가리켰다.

"진시황의 할아버지? 그럼 그게 2천 년을 훨씬 넘잖아요."

전대광이 몸을 낮추며 말했다.

"그렇지요. 진시황이 천하통일을 한 게 기원전 221년이니까, 할아버지라면 대강 2,300여 년 전이 되겠죠."

"이게 뭐죠? 확대를 했어도 워낙 작아서. 무슨 새 같은데."

"예, 딱따구리."

"딱따구리?"

전대광은 계속 확대경을 들여다본 채 말하고 있었다.

"딱따구리가 길조래요, 중국에선."

"아휴, 확대를 했어도 쌀알만 한데, 본래 크기는 얼마나 작을까요?"

"깨알만 해요."

"깨알! 거기다가 어떻게 저렇게 딱따구리 모양을 선명하게 새길 수가 있지요? 그때 벌써 확대경이 있었다는 것 아닌가요?"

"그렇지요. 확대경을 통해서 작업을 했겠지요."

"아아, 졌다. 완전 졌다."

전대광이 반복하는 '졌다'는 감탄 같기도 했고 탄식 같기도 했다. 확대경 속의 황금 딱따구리는 그 소리를 알아듣는지, 못 알아듣는지 2천 년이 넘는 침묵 속에 잠겨 있을 뿐이었다.

"베이징이나 상하이 같은 박물관보다 전시품들이 훨씬 더 다양하고 진귀한 것들이 많군요."

박물관을 나서며 전대광이 말했다.

"예, 그럴 수밖에 없죠. 시안은 역대 17개 왕조, 1,200여 년 동안의 수도였으니까요. 박물관이 이것 말고 서너 개가 더 있습니다."

"물론 그렇겠지요. 그런데 그 오랜 옛날에 그런 진귀한 물건들을 그렇게 솜씨 좋게 만들어냈다는 게 믿어지지 않고, 그저 놀랍기만 해요."

"그 솜씨 좋은 사람들이 '쟁이'라고 평생 천시당하며 산 사람들 아닙니까. 그 사람들은 살아서는 왕족이나 귀족들 호화롭게 살게 해주느라고 뼛골 빠지고, 죽어서는 또 자기들 알아주지도 않는 후손들까지 먹여 살리고 있지요. 참 기구한 운명을 타고난 사람들이지요."

김현곤은 차를 출발시켰다.

"그렇지요. 요즘 농민공들 신세나 마찬가지지요 뭐. 세상은 언제나 그 꼴이니까요."

전대광이 길게 한숨을 쉬었다.

차는 곧 시내를 벗어나 교외로 달리기 시작했다.

"저게 뭐지요? 사과 같지도 않고……."

전대광이 창밖을 내다본 채 말했다.

"아, 저것 석류예요. 나도 처음에 뭔가 했는데, 얼마 전부터 팔기 시작했어요."

"석류요? 근데 석류 장사가 왜 저렇게 많지요?"

전대광의 말마따나 석류 장사들은 길가에 줄지어 좌판을 벌여놓고 있었다. "예, 여기선 저걸 과일로 팔아요. 저기 길 양쪽을 좀 보세요. 저게 다 석류 과수원이에요."

"석류 과수원? 금시초문인데요. 우리나라에선 석류를 거의 안 먹잖아요."

"그렇지요. 근데 그거 왜 그러는지 모르겠어요. 비타민 같은 게 풍부하고, 몸에 아주 좋다던데요."

"그럼 저거 맛 좀 볼까요? 시안 온 기념으로."

전대광이 창문을 내리며 말했다.

"좋지요. 달콤한 게 먹을 만합니다. 신 것도 있는데, 신 건 전부 제약회사로 보낸다더군요. 무슨 약의 원료로."

김현곤이 차를 길가로 댔다.

두 사람은 선 자리에서 석류를 반 토막 내 먹기 시작했다.

"아, 맛있어요. 달콤하고 싱싱한 게."

전대광이 엄지손가락을 세워 보였다.

"많이 드세요. 남자 정력에도 이거라니까요."

김현곤도 엄지손가락을 세웠다.

"허, 오늘 밤에 난리 났네. 그렇잖아도 센 사람이 정력제까지 먹었으니."

"걱정 말아요. 여기 양귀비 동네니까."

두 사람은 쿡쿡거리고 웃었다.

병마용에는 그 유명세만큼 사람들이 들끓고 있었다. 특히 서양사람들이 많았다. 세계 8대 불가사의라는 자극적인 별칭이 발휘하는 흡입력이었다.

"병마용은 셋인데 1호갱이 가장 크고 보존 상태도 좋습니다."

김현곤은 전대광을 1호갱으로 안내했다. 아까 박물관과는 달리 소란스럽고 무질서했다. 사람이 많기 때문만이 아니었다. 건물 구조 탓이었다. 발굴된 1호갱은 동서가 230미터, 남북이 62미터인데, 그 거대한 공간에 건물을 철골조로 엮어 세운 것이었다. 그러니 그 가건물 같은 공간은 그지없이 휑뎅그렁했고, 전면과 좌우로 난 길로 수많은 사람들이 왁자지껄하게 뒤엉켜 오가고 있었다. 그리고 유네스코 세계문화유산으로 보호하느라고 병마용은 저 아래로, 저 멀리로 거리를 두고 보아야 했다. 그러니 병사들과 말이 실물 크기라는 실감도, 세밀하고 정교하게 조각되었다는 느낌도 받기가 어려웠다.

전대광은 피할 도리가 없는 소란 속에서 무수하게 도열해 있는 회색빛 병사들을 망연히 바라보고 있었다. 그 회색은 바로 성벽의 그 회색이었다. 그 많은 병사와 말들은 성벽의 벽돌 강도로 구워져 황제의 저승길에 동행하기 위해 땅에 묻힌 것이었다. 황토와 옥가루와 불의 조화로 탄생했기 때문에 그들은 땅속에 2천 년이 넘도록 묻혀 있다가도 어디 하나 변한 것 없이 본모습 그대로 밝은 세상에 다시 나타난 것이었다. 6천여 명의 병사와 400여 마리의 말과 100여 대의 전차를 실물 크기로 빚어낸 그들은 누구였을까. 그들은 단순히 도자기만을 만드는 도공이 아니었을 것이다. 그 많은 사람들의 얼굴 표정과 자세와 의상과 머리 모양을 다 다르게 빚어낼 수 있는 그들은 솜씨 뛰어난 조각가들이었을 것이다. 그러나 잔인한 신분제 사회 속에서 그들은 온갖 천대를 받고 멸시를 당하며 그 일을 해낸 것 아닌가. 영원히 살기를 바라며 별짓을 다 하다가 결국 죽음은 피할 수 없다는 사실 앞에서 저승길 혼자 가는 것을 무서워해 그 많은 것들을 만들게 했던 어리석은 황제. 그의 뼈는 티끌로도 남아 있지 않겠지만, 그의 호령으로 억지 일을 해야 했던 미천한 조각가들의 작품은 2천 년의 시간을 뛰어넘어 오롯이 살아 있었다.

그런데 일거에 세계 8대 불가사의로 인정할 정도로 전 세계를 놀라게 한 그 발굴 지역은 전체 진시황 무덤의 10퍼센트도 되지 않는다는 것이다. 그럼 다 발굴되면 어찌 될 것인가. 도대체 2,200여 년 전에 어떻게 그런 상상을 초월하는 대대적인 공사를 해낼 수 있었을까. 인구 겨우 2천여 만이었는데……. 진시황, 그는 도대체 어떤 존재였을까…….

"뭘 그리 생각하세요?"

김현곤이 물었다.

"예, 여기 오면 누구나 생각하게 될 진시황을 생각하고 있었어요."

전대광이 입술을 훔치며 쓰디쓰게 웃었다.

"예, 여기 끝나면 진시황 무덤이 남아 있습니다. 어떻게 하시겠어요, 보시겠어요?"

김현곤이 걸음을 옮기며 물었다.

"거기, 얼마 전부터 올라가는 걸 금했다면서요? 괜히 나무 무성한 야산 한 바퀴 도는 거라던데, 갈 필요 없지요."

"예, 잘 생각하셨어요. 중국사람들이라면 또 모르지만."

밖으로 나오자 전대광은 담배부터 꺼내 물었다.

"만리장성 쌓은 것도 별로 마음에 들지 않았지만, 오늘 이것 보니까 진시황 그 사람 정말 정떨어졌어요. 그리고 오늘 큰 수수께끼가 풀렸어요."

수수께끼가 풀려 시원하다는 듯 전대광은 담배연기를 진

하게 내뱉었다.

"큰 수수께끼……?"

김현곤이 전대광에게 눈길을 보내며 고개를 갸우뚱했다.

"김 부장님은 이미 답을 갖고 있는 문제인지도 몰라요. 진시황이 중국 역사에서 대단하게 떠받들려지는 건 주변 여섯 나라를 무찌르고 중국 천하를 최초로 통일하고 첫 황제가 되었기 때문이잖아요. 그런데 그 통일왕조가 겨우 15년 만에 망해버렸어요. 그 많은 중국 왕조들 중에서 최단명이었던 거지요. 진시황이 저지른 폭정들을 대충 알면서도 왜 그 짧은 15년 만에 나라를 망쳐먹었는지 이해가 잘 안 됐었어요. 그런데 여기 와서 보니 그 답이 보여요."

"다행이군요. 고적을 봐야 하는 목적을 이루게 돼서. 저도 여기 와서 그 시대를 생각해 보면 너무 절망적이고 숨이 막혀요. 통일제국을 세우자마자 진시황은 두 가지 대대적인 토목공사를 벌이지 않았습니까. 300만을 동원해 만리장성을 쌓기 시작했고, 70만을 동원해 자기 무덤을 조성하기 시작한 거지요. 그때 진나라 인구가 2천여만밖에 안 됐으니, 남자 천만에서 노인네와 아이들을 빼면 힘깨나 쓰는 장년층은 거의 다 강제노동에 끌려 나간 거지요. 그런데 주업이 농업이었던 그 시대에 왕족과 귀족들은 호의호식시켜야 하고, 강제노동하는 370만 명을 먹여 살려야 하고, 그 농사일을 누가 다 해낸 겁니까. 여자들이었던 거지요. 진나라 전체가 지옥이었던 겁니다."

김현곤이 한숨을 쉬었다.

"예, 바로 그거지요. 그리고 아방궁까지 지어댔으니 백성들은 생지옥에서 허덕거릴 수밖에 없었지요. 그런데 진시황은 탐욕만 많은 게 아니라 머리도 좋아서 그런 폭정에 저항하지 못하게 하려고 형벌 중에서 최고로 잔혹한 삼족을 멸하는 법을 최초로 시행했지요. 허나 그 무시무시한 형벌도 소용이 없었어요. 견디다 견디다 못한 백성들이 '너도 죽고 나도 죽자' 하고 들고일어나고 만 거예요. 백성들의 그 분노한 힘이 통일 왕조를 15년 만에 끝장내버린 거지요. 그것 참 통쾌해요."

"예에, 역사는 어느 나라 역사나 그런 통쾌한 대목이 있지요. 제 생각으로는, 진시황의 업적을 천하통일 외에도 문자 통일, 도량형 통일, 만리장성 등을 드는데, 제일 큰 업적은 폭정을 하면 백성들의 힘에 왕조는 반드시 망한다는 시범을 보인 거라고 생각해요."

"김 부장님, 보기와는 다르게 아주 세다니까요. 그런 독기 서린 새 학설을 내놓으시다니." 전대광은 과장되게 혀까지 내밀며 고개를 내두르고는, "그런 시범 아무리 잘 보이면 뭐합니까. 그 뒤로는 2천 년 동안 폭정을 일삼다가 백성들의 반란으로 무너진 왕조들이 줄줄이 이어졌는데."

"그렇지요. 충고처럼 부질없는 일도 없다는 말이 있잖아요.

'역사에서 배운다'는 말은 멋지기는 하지만 정작 배우는 사람은 아무도 없는 것 같아요."

"예, 정확한 지적이에요. 진시황과 똑같이 폭정을 일삼다가 나라 엎어먹은 게 수나라의 양제고, 나라 골병들게 만든 게 당나라의 현종이잖아요. 정치하는 자들이란 예나 지금이나 다 그게 그 꼴인 것 같애요."

"예, 그 세 사람을 중국 역사의 3대 폭군이라 할 수 있는데, 권력의 속성이라는 게 원래 그런 것 아니겠어요. 그게 인간이라는 존재의 한계이기도 하구요."

"글쎄요, 난 황제가 안 돼봐서 잘 모르겠는데, 수나라 양제가 수백만을 동원해 대운하를 뚫어놓고 거기다 배 수천 척을 띄워 주색에 취해 나라를 엎어먹은 것하며, 당나라 현종이 궁녀 만 명을 거느리다 못해 양귀비한테 빠져 타락을 일삼다가 농민반란을 당한 것하며, 도저히 이해할 수가 없어요."

"그러니까 그 세 분이 많고 많은 황제들 중에서 3대 폭군으로 뽑히시는 거지요. 악명도 명예라고, 그거 아무나 하는 것 아니라니까요."

"흐흐, 또 한 방 멕이시는군."

전대광이 새 담배를 꺼내며 고개를 끄덕였다.

"감 사세요, 감. 아주 달아요."

그때 조그만 계집애가 바구니를 내밀며 그들을 올려다보았다. 작은 비닐바구니에는 감들이 조로록 담겨 있었다.

“어떠세요?”

김현곤은 말은 그렇게 했지만 전대광을 쳐다보는 눈에는 ‘우리 먹어봅시다’ 하는 말을 담고 있었다. 그리고 바지 주머니에서 벌써 돈을 꺼내고 있었다.

“얼마?”

“15위안.”

소녀가 배시시 웃으며 대답했다.

“이걸 어디서 먹죠? 차로 갈까?”

바구니를 든 김현곤이 두리번거렸다.

“저기 벤치 좋잖아요. 풍경도 감상할 겸.”

전대광이 걸음을 옮겨놓고 있었다.

“감이 왜 이렇게 작지요? 꼭 탁구공만 한 게.”

전대광이 시답잖다는 투로 말했다. 크기만 탁구공만 한 게 아니었다. 모양도 동그란 게 영락없는 탁구공이었다.

“크기는 보잘것없는데, 이 하얗게 서린 분이 구미를 당기네요.”

작은 감들은 빨갛게 농익은 홍시였는데, 그 위에 하얀 분이 잠폭한 느낌으로 서려 있었다.

그들은 감을 하나씩 집어 들고 껍질을 벗기기 시작했다.

“어, 이거!”

감을 한입 베어 문 전대광이 곧 반색을 했다.

"어떤가요, 내 판단이."

감을 우물거리며 김현곤이 빙그레 웃고 있었다.

"보기하고는 다르게 아주 다디단 게 맛이 그만이에요. 이렇게 맛있는 감을 먹어본 기억이 없어요. 저기서 망친 기분 완전히 회복시키는데요."

"예, 많이 드세요."

그들은 한참동안 정신없이 감을 먹었다. 목이 마른 데다가 시장기가 돌기도 했던 것이다.

"허어, 나 일곱 개나 먹었어요." 전대광이 감꼭지를 세며 말했고, "예, 나도 비슷해요." 김현곤이 쓰레기를 모으며 대꾸했다.

"근데 이게 도대체 몇 개지요. 그렇게 배 터지게 먹고도 이렇게 많이 남았으니."

전대광이 바구니 속을 들여다보며 중얼거렸다.

"아마 서른 개인 것 같아요. 3층으로, 한 층에 열 개씩."

"하아, 요런 꿀맛의 감 서른 개가 고작 15위안, 우리 돈 2,700원이라니. 물가 오른다고 야단들이지만 한국에 비하면 중국은 여전히 사람이 살 만한 젖과 꿀이 흐르는 땅이라니까." 전대광은 기지개를 켜며 말했고, "한국 같았으면 못해도 만 원은 했겠지요." 김현곤이 말을 받았고, "에이, 간첩이시네.

2만 원이지요." 전대광이 퉁을 놓듯이 말했다.

"근데 이걸 어쩐다……?"

일회용 비닐바구니를 들고 일어나며 김현곤이 중얼거렸다.

"어쩌긴요. 이따가 저녁 먹고 나서 디저트로 먹어야죠."

버리는 것을 막겠다는 듯 전대광은 바구니를 빼앗아 들었다.

"아, 그거 좋은 생각이네요. 중국 식당은 대개 디저트를 안 주니까요."

그들은 주차장을 향해 걷기 시작했다. 병마용의 병사들을 축소시킨 모조품을 들고 행상들이 다투며 손님을 찾아다니고 있었다. 감 장수들도 오락가락 분주했다.

"저 병마용을 만들 때도 이런 감나무가 있었겠지요?"

전대광이 뚱하니 물었다.

"그야……, 예, 물론 있었겠지요. 그때는 지금보다 개발이라는 게 훨씬 덜 됐을 테니까요."

"그럼 이 소슬한 가을에 강제노동으로 지치고 배고픈 일꾼들에게 이 감은 얼마나 고마운 먹거리였을까요."

먼 하늘을 바라보며 전대광은 마치 연극배우가 독백하는 것처럼 중얼거리고 있었다.

그런 전대광을 김현곤은 옆눈길로 바라보고 있었다. 맛있는 감을 보고 그의 인정 많은 상상력은 2천 년 전으로 뻗어가고 있었다. 그의 그런 따스한 마음이 몇천 리 길을 멀다 하지 않고 자신을 찾아온 것임을 김현곤은 다시금 느끼고 있었다.

"시내 들어가서 식당 가는 길에 있는 대안탑을 잠깐 보시겠어요? 대안탑은 그 유명한 현장법사가 인도에서 가져온 불교 경전을 보관하려고 세운 탑입니다." 김현곤이 차를 출발시키면서 말했고, "예, 가능하면 많이 볼수록 좋지요. 난징(남경)이 옛 모습이 좀 많은 편이라 좋아했는데, 시안에 비하면 아무것도 아니로군요. 시안은 개발하기는 아까운 보물인데요." 전대광이 얼굴을 찡그리며 말했고, "예, 빨리 파악하셨군요. 여기에 이런 말이 있어요. '땅만 파면 보물, 입만 열면 3천 년 역사.' 그런데도 개발에는 혈안이 되어 있어요. 어느 나라나 공무원이란 것들은 바로 코앞밖에 못 보는 아둔한 집단이에요." 김현곤이 화가 난 투로 말했다.

"저게 67미터라구요……."

대안탑 입구의 안내판 앞에서 먼 눈길로 대안탑을 올려다보며 전대광이 중얼거렸다.

"벌써 1,500년 전에 세운 건데, 저건 탑이라기보다는 일종의 건물인 셈이지요."

"참, 말이 안 나오네요. 저렇게 거대한 탑에, 그렇게 깨알만 한 황금 딱따구리까지……, 극대에서 극소까지 이미 오래전에 다 해버렸군요. 결국 모든 문화유산이란 황제나 귀족들의 노고나 업적이 아니라 천대받으며 산 미천한 사람들의 피땀이에요. 그래서 문화유산은 더 소중한지도 모르지요." 전대광이 잔잔하게 말했고, "예, 나도 시안에 와서 그런 생각을 많이 하게 돼요." 김현곤이 나직하게 대꾸했다.

저녁 다음에 디저트로 실컷 먹었는데도 감은 또 대여섯 개나 남았다. 식당 종업원에게 주었지만 그다지 고마워하지 않았다.

"이제부터는 시안 가라오케 관광이 남았습니다."

김현곤이 가이드 흉내를 냈다.

"혹시 여기 싼페이 아니에요?"

"하하, 개발 더딘 내륙이라고 너무 무시하지 마세요. 그런 개발은 도시, 지방 없이 싹 평준화되는 게 화류계 바람 아니던가요? 기대하세요."

"예, 갑시다. 시안 아가씨들 만나러."

전대광이 힘차게 발을 내딛었다.

싼페이란 10여 년 전에 정한 술집의 세 가지 금지사항이었다. 바닥에 앉는 것은 좋으나 손님 옆에 붙어 앉아서는 안 된다. 술을 함께 마셔서는 안 된다. 노래를 같이 불러서는 안 된다.

그것이 법당이나 성당에서 지켜야 할 기도 질서 정하는 것도 아니고, 술집 밀실에서 애초에 지켜질 법이나 한 금지사항인가. 그건 호랑이 앞에 고깃덩어리 던져놓고 입 대지 말라는 것과 다를 바 없고, 청춘남녀를 알몸으로 독방에 넣어놓고 서로 접근하지 말라는 것과 뭐가 다르랴.

그러나 그 금지사항들은 '문제 삼지 않아 아무 문제가 없이' 수많은 술집들은 줄기차게 호황을 누리고 있었다.

내 사랑, 양아버지

"오늘 보고로 실내장식 준비까지 전부 완료되었습니다."

앤디 박이 허리를 펴며 손버릇처럼 머리를 뒤로 빗어 넘겼다.

"오우, 브라보!" 왕링링은 두 팔을 쭉 뻗어 올리며 유쾌하게 소리치고는, "역시 당신은 나에게 산소 같은 존재야" 하며 명랑한 소리로 웃었다. 서양인의 인상이 풍기는 얼굴에 어울리도록 서양식 자유로움이 몸에 잘 익어 있는 행동이었다.

"탄산가스가 아니라 다행이네요. 혹시 탄산가스 취급당할까 봐 조마조마했는데."

선하게 생긴 얼굴에 부드러운 웃음을 담으며 앤디 박은 엄살떠는 몸짓으로 말했다.

"조마조마한 건 나지요. 혹시 춘절을 넘기면 어쩌나 하고 말도 못하고 기다리는 심정을 이해할 수 있어요? 간섭하거나 독촉하는 식의 말은 단 한마디도 들으려고 하지 않는 자존심 높은 예술가라서."

왕링링은 눈을 잔뜩 흘기고 입술까지 삐쭉했다. 그 모습이 여성적 매력을 한껏 발산하고 있었다.

"예, 종교가 황제 위에 군림했던 중세 암흑시대에도 성직자들이 예술가들한테는 자존심 상하는 말은 한마디도 못했어요. 하물며 자유의 시대 현대에는 더 말할 게 없지요."

앤디 박은 한껏 뻐기듯이 말했다.

"잘 알아요. 신부들의 말이 조금만 신경에 거슬려도 붓을 딱 놓고 며칠씩이고 누워 있거나 술만 마셔댄 미켈란젤로의 그 독한 반항근성을. 당신 근성도 똑같기 때문에 답답하고 초조해도 단 한마디도 안 하고 기다리는 거잖아요."

"아, 그래서 우리 사이에 아무 탈이 없는 건 인내심 강한 회장님의 고매한 인품 덕이다 그런 말이로군요?"

"네에, 앤디 박은 눈치까지 빨라서 더 좋다니까요."

왕링링이 스스럼없이 까르르 웃었고, 앤디 박도 편안하게 따라 웃었다.

"이번 춘절 휴가도 한국행이죠?"

왕링링이 서류를 간추리며 물었다.

"물론이죠. 근데 한 가지 안 끝난 게 있습니다."

앤디 박이 거꾸로 잡은 볼펜 끝으로 책상을 똑똑 두들겼다.

왕링링이 자세를 바로잡으며 뭐냐고 눈으로 물었다.

"예, 리베이트 건입니다." 앤디 박이 건조한 목소리로 말했고, "예, 리베이트……." 왕링링도 사무적으로 받았다.

"4퍼센트로 정해졌습니다."

"4퍼센트로? 통상 3퍼센트 아닌가요."

"예, 그쪽에서 그렇게 제시했습니다."

"그런데요?"

"안 된다고 했습니다."

"앤디 박이요?"

"그쪽 경제가 아주 나쁘잖습니까. 그런 형편에 우리가 구매하는 것은 엄청난 매상이 됩니다. 그런 절호의 기회를 놓쳐서야 되겠습니까."

"어머나 세상에! 고도의 사업수완까지 발휘하셨다고요? 우리 예술가께서."

왕링링이 눈을 휘둥그렇게 떴다. 큰 눈이 한껏 더 커졌다.

"말 한마디로 1퍼센트를 더 받아냈으니, 돈 벌기 참 쉽더군요."

앤디 박이 씨익 웃었다.

"뭐랬는데요?"

왕링링이 앞으로 다가앉는 몸짓을 하며 앤디 박을 빤히 쳐다보았다.

"참 악취미군요. 그런 걸 다 알고 싶어 하고. 1퍼센트를 올려 받은 것은 의무 보고 사항이지만, 그건 의무 사항이 아니니까 말 안 하겠습니다."

앤디 박이 무뚝뚝하게 말했다.

"알았어요. 하도 신기해서 한 말이에요. 그런 거래는 전혀 못할 줄 알았는데." 왕링링은 만족스러운 웃음을 담은 얼굴로 고개를 좌우로 약간씩 흔드는 미국식 제스처를 하며, "그 1퍼센트는 굳이 보고하지 않아도 되잖아요?" 그녀는 또 앤디 박을 빤히 쳐다보았다.

"회장님은 그전에 했던 말을 또 하는군요. 내 대답은 그때와 마찬가집니다. 난 나를 속여 불편하게 살고 싶지 않고, 이 세상에 비밀은 없습니다. 그리고 내 월급은 그런 돈 탐내지 않아도 될 만큼 많고, 성공 보너스까지 나옵니다."

"아아, 앤디 박! 당신은 참 별난 사람이에요. 이런 약아빠진 세상에 살면서 어찌 그리 변하지 않는 거지요. 당신은 언제나 나에게 신선하고 상쾌한 공기예요. 당신은 사랑해도 좋을 만큼 멋진 남자예요. 당신을 믿고 존경해요."

왕링링이 사뿐 일어서며 손을 내밀었다.

"생큐!"

앤디 박이 그 손을 맞잡았다.

“가요, 저녁 예약시간 다 됐어요.”

그녀가 핸드백을 어깨에 걸었다.

“여기 부동산 거품은 어찌 되고 있습니까?”

앤디 박이 코트를 팔에 걸치며 물었다.

“역시 중국의 경제체력은 강해요. 미국의 금융위기, 유럽의 경제위기의 태풍이 연달아 몰아닥치는데도 끄떡없이 안정적 성장을 하고, 거품이 빠지며 부동산 붕괴사태가 벌어질 거라고 요란을 떨었던 전망이 다 헛소리가 돼버렸잖아요. 그동안 얼마나 속 타고 조마조마했는지 몰라요.”

왕링링은 엘리베이터 쪽으로 걸어가며 왼손으로 가슴을 눌렀다.

“난 경제 쪽은 백지지만 그 부정적 전망들이 빗나갈 거란 생각은 하고 있었어요.”

“그래요? 건축은 과학이기도 한데, 과학도로서 그냥 막연하게 그런 생각을 해본 것은 아니겠지요?”

왕링링이 앤디 박에게 눈길을 모았다.

“예, 분명한 과학적 근거를 가진 건 아니었고, 그렇다고 막연한 짐작도 아니었어요. 이런 말이 있지요. 평가란 그 사람이 처한 상황과 입장이라는 두 개의 안경알을 통해서 이루어질 수밖에 없다. 서양사람들의 중국 평가를 유심히 읽어보면 바로 그 두 가지 덫에 걸려 있고는 해요. 그래서 너무 일방적이기도 하고 너무 편파적이기도 하고 그래요. 그래서 객관성을 잃고 지나치게 부정적 평가를 내리게 되고, 따라서 예상이나 전망도 거의 다 빗나가고 말아요."

앤디 박은 세미나를 하는 것처럼 진지하게 말하고 있었다.

"예, 정확하게 핵심을 찔렀어요. 그건 두 가지 문제점이 함께 작용해서 빚어지는 결과예요. 그게 뭔지 앤디 박은 잘 알지요?"

"글쎄요, 그런 어려운 질문은 곤란한데요. 경제, 사회 분야의 식견이 미천하다는 걸 잘 아시잖아요."

"아니, 그건 학문적 식견이나 실력에 의해서가 아니라 동양인이면 본능적으로 체득하게 되는 문제예요."

왕링링은, 그럼 뭔지 아시겠지? 하는 눈길로 앤디 박을 쳐다보았다.

"동양인……? 그럼, 인종문제인가요?"

"역시 말이 통해요." 왕링링은 친근한 눈길을 보내고는, "첫째는 서양인들이 으레 갖는 동양인에 대한 우월감이 문제예요. 그리고 둘째는 중국을 미개국 정도로 얕잡아 보고 멸시하며 인정하고 싶어 하지 않는 거부감이 문제인 거예요. 이 두 가지가 앞을 가리고 있으니 중국의 실체가 객관적으로 제대로 보일 리가 있겠어요." 그녀는 루주 짙은 입술에 쓴웃음을 물었다.

그때 엘리베이터 문이 열렸다. 그들의 뒤에는 언제부터였는지 강철 덩어리 같은 인상의 두 사나이가 버티고 서 있었다. 그 뒤에 작은 가방을 든 사나이가 혼자 서 있었다. 검은 양복을 빼입은 두 사나이는 보디가드였고, 뒤의 사나이는 비서였다. 그 세 사람은 왕링링의 그림자였다. 그들은 중국이라는 땅에서 사업을 하는 여회장님의 필수품 중의 하나였다. 그러나 보디가드는 그들만이 아니었다. 차고에는 차를 지키면서 대기하고 있는 세 사람이 또 있었다. 그들 다섯 명은 언제나 왕링링의 차를 앞뒤에서 호위했다. 회장의 그런 경호에 대해서 아래 사장단에서는 아무도 과하다고 말하지 않았다. '회장님의 일'이라 아예 입조심하는 것이 아니었다. 그룹의 사업이 그 정도 경비는 우습게 알 만큼 번창 일로에 있었고, 회장님이 여자인 데다가 그룹을 이끄는 데 절대적 힘을 발휘하고 있었고, 중국이라는 사회가 무언가 불안스럽고 위태로운 것 같은 분위기를 풍기고 있었던 것이다.

"프랑스에 머물면서 와인은 많이 마셨어요?"

와인잔을 부딪치며 왕링링이 물었다.

"술벗이 있었어야지요. 나는 또 일할 때는 술 잘 안 마시는 스타일이구요."

앤디 박이 와인 향기를 맡으며 말했다.

"참 그렇지요. 앤디 박은 일할 때 보면 무서울 때가 있어요.

술도 입에 안 대고, 잠도 잘 안 자고, 마치 전쟁터의 병사처럼 목숨을 내걸고 일을 해요. 그런 당신을 보면서 생각해요. 이민 와서 미국에서 태어났어도 한국인의 피는 어쩔 수 없나 보다. 한국사람들의 저 지독함은 어디서 생긴 것일까. 어쩌면 기나긴 역사 속에서 강대국들한테 끝없이 시달리며 살아오는 동안에 생성된 생존 투쟁의 DNA가 아닐까 생각하곤 해요."

"차암……, 당신은 별생각을 다 하는군요. 그건 학문적으로 어느 분야에 해당하나요? 인류학? 인류문화사? 경영학을 전공하고 사업을 하시는 분이 어찌 그리 책을 많이 읽고, 다방면에 관심이 많으세요. 그게 회장님으로선 완벽함을 추구해서 좋겠지만, 옆의 사람들한테는 얼마나 스트레스 주는 일인지 아세요?"

앤디 박이 콧등을 잔뜩 찌푸렸다.

"옆 사람한테 스트레스……?"

왕링링이 뜨악한 표정을 지었다.

"모르는 척하지 마세요. 사장단들이 회장님과 마주 앉으면 얼마나 신경 쓰는지 모르세요?"

앤디 박이 어이없다는 표정으로 술잔을 들었다.

"아니, 왜 스트레스를 받죠? 내가 무슨 테스트를 하나요, 교양적인 면이 부족하다고 인격적으로 무시하기를 하나요. 술 마시고, 발마사지 다닐 시간은 있어도 책 읽을 시간은 없지요, 그쵸?"

왕링링은, 너희 남자들 노는 꼴 환히 다 알고 있다는 얼굴로 엷은 비웃음을 피우고 있었다.

"그 꾸준한 독서라는 게 일종의 습관이기도 하고……, 아주 좋은 탐구적 기질이기도 하고……, 어쨌든 참 좋은 점인데……, 이렇게 말하면 좀 이상하고, 실례가 될지도 모르지만, 회장님의 외모와 독서……, 그건 어쩐지 잘 안 어울리는 것 같아요. 대학생 때 워크숍에서 받았던 첫인상이 지금까지도 완전히 바뀌질 않아요. 첫인상이란 참 중요한 거란 말이 맞아요."

"내 외모가 어떤데요?"

왕링링이 오른손으로 머리칼을 뒤로 획 넘기며 화를 내는 척했다.

"잘 아시잖아요. 자신 있게 생각할 만큼 미인이고, 화려하고 세련되게 멋 부리고, 그런 건 당연히 책의 이미지와는 거리가 멀잖아요."

"알아요, 그게 세상의 고정관념이라는 거. 아까 습관이라고 말했죠? 맞아요. 나에게 독서 습관을 길러준 사람이 있어요. 언젠가 말했던가요? 내 인생의 총연출자는 내 양아버지였다고. 그분이 책이 인생의 스승이라는 걸 일깨워주셨어요. 그리고 또 한 사람, 스티브 잡스."

"스티브 잡스……?"

"그가 그랬잖아요. 자기는 과학 책이 아니라 인문학 서적들을 섭렵하면서 창조적 상상력을 계속 얻게 된다고. 그 말이 새로운 길을 열어주었어요."

"그럼 당신도 독서를 통해서 사업적 영감을 얻는다고요?"

"아, 당신은 참 센서티브해요. 한 줄기 시원한 바람처럼. 당신이 건축가로서 늘 감각이 신선하게 살아 있는 것도 폭넓은 독서를 하기 때문이란 걸 알고 있죠?"

"아니요, 회장님에 비하면 난 아무것도 아니에요. 절반도 못 따라갈 테니까요. 나이 들어가면서 주량은 늘고 독서량은 줄어들고 있어요."

"겸손의 말인 것 다 알아요. 앞으로 더 많이 읽도록 서로 노력합시다." 왕링링은 앉음새를 고치며 화제를 일단락 짓고는, "저어, 서부대개발의 핵심적 두 도시인 충칭과 시안을 어떻게 생각하세요?" 갑자기 핸들을 돌리듯 그녀는 전혀 다른 방향의 얘기를 꺼냈다.

"충칭과 시안……, 그게 그러니까……, 전문분야가 아니라서 잘 모르겠는데요."

앤디 박은 와인잔을 느릿느릿 돌리며 거기에 속도를 맞추는 것처럼 말이 조심스러웠다.

"책임 추궁 안 할 테니까 가벼운 마음으로 말해 봐요. 분야는 다르더라도 함께 일해 오면서 익히게 된 안목도 있고, 앤디 박의 명석한 두뇌로 느끼는 감이라는 것도 있잖아요."

그녀는 앤디 박의 잔에 와인을 따르며 살갑게 웃음 짓고 있었다.

'아, 이 여자가 또 새로운 사업 구상을 하고 있구나. 그래, 국가적 새 개발 지역이 눈에 안 들어올 리가 없지. 이 여자의 욕망의 끝은 어디일까. 돈이 얼마나 더 있으면 만족하게 될까. 아니야. 욕망에 끝이 있다면 욕망이라고 할 수가 없지. 그리고 돈 욕심에 사업을 하는 게 아니라 사업하는 재미에 취하다 보면 돈은 자연히 붙는 거라고 했지. 하지만 여자가……, 시집도 안 가고……. 10년 넘게 같이 일해 오지만 수수께끼가 너무 많아.'

"글쎄요……, 나는 그 두 도시를 지도상으로만 확인했어요. 이 베이징으로부터는 아주 멀고 먼 도시더군요. 그 서쪽으로는 신장위구르와 티베트 고산지대가 펼쳐져 있고요. 중국 정부가 그 지역을 대상으로 서부대개발을 시작한 이유를 이해할 수 있어요. 이미 심각하게 노출된 극심한 지역 격차는 극심한 빈부 격차로 이어지고, 극심한 빈부 격차는 극심한 사회불안 요인이 되고, 극심한 사회불안은 극심한 정권 위협으로 작용하게 되니까 정부가 그 해결책으로 내놓은 게 서부대개발 프로젝트 아닙니까?"

"거 봐요. 그렇게 꿰뚫고 있으면서……."

그녀는 술잔을 기울이면서 눈으로는 어서 말하라고 눈짓하고 있었다.

"그러니까……, 정부의 방향 설정은 좋은데……, 전망은 잘 모르겠어요."

"잘 모르겠다는 말은 전망이 불투명하다……, 아니 어둡다는 뜻이겠죠?"

그녀의 시선이 철사줄 같은 힘으로 앤디 박을 향해 뻗치고 있었다. 그런 그녀의 얼굴에는 미모는 뒤로 밀리고 사업가적인 냉정한 카리스마만 가득 차 있었다.

"예, 전혀 새로울 것 없고 누구나 판단할 수 있는 문제점인데요, 그 두 곳은 내륙이 너무 깊어 바다가 주는 혜택이 완전히 차단되어 있습니다. 동부 연안 지역의 도시들이 누리는 혜택이 전혀 없는 겁니다. 고속철과 고속도로가 있지 않나 할 수 있겠지만, 좋은 쪽으로 보려는 이유 찾기에 불과합니다. 대량의 상품들을 배에서 바로 내리고 싣는 지역과, 그 물건들을 다시 자동차나 기차에 실어 이틀이고 사흘이고 가야 하는 지역과의 차이에 대해선 잘 아시겠죠. 시간 손해, 운송비 손해, 인건비 손해, 3중 손해가 따릅니다. 그런 악조건 속으로 외국 기업들이 들어가려 할까요? 그 답은 우리 미국의 현실 속에서도 찾을 수 있습니다. 미국의 자본주의는 중국보다 150년

이상 앞서 있습니다. 그런데도 동·서부의 연안 지역 도시들과 중부 내륙 지역의 도시들을 비교해 보십시오. 연안 지역 도시들은 언제나 활기차고 발전하고 있지만 내륙 도시들은 왠지 활력이 없고 영양실조에 걸린 것 같은 느낌 아닙니까. 150년 이상의 자본주의 세월도 그 차이를 극복하지 못했습니다. 그러니 중국 정부가 아무리 적극적으로 개발을 한다고 해도 눈치 빠르고 계산 빠른 외국기업들이 투자를 외면하고 기피해 버리면……."

내 얘기 다 끝났어요 하는 식으로 앤디 박은 술잔을 단숨에 비웠다.

"거 봐요. 전문가 뺨치게 모든 걸 다 알고 있으면서. 설계 전담 사장 그만하고 경영 전담 사장으로 바꿀래요?"

왕링링이 짓궂게 웃었다.

"해고시키실 일 있으면 그냥 시키세요."

앤디 박도 장난스레 웃었다.

"근데 말예요, 지금 정부가 엄청난 투자를 하고 있잖아요. 앞으로 몇 년간은……."

그 진수성찬 가득한 밥상을 그냥 보고만 있을 수는 없잖아. 어떻게 하고 싶어 몸살이 날 지경이야. 그녀의 얼굴은 이런 말을 감추지 못하고 있었다.

"방법은 한 가지가 있을 것 같군요. 개발 초기에 우리의 투자 없이 정부 공사만 따내는 겁니다. 수익이 제한되어 있더라도 안전 100퍼센트 보장이니까요. 그러나 큰 수익 쫓아 상하이 같은 우리의 직접투자는 금물입니다. 외국기업들이 외면하는 경우에는 분양이 안 되는 함정에 빠지게 되니까요."

"바로 그거예요. 그런 판단을 듣고 싶었어요."

왕링링은 팔을 크게 휘두르는 제스처를 쓰며 손가락으로 딱 소리를 냈다. 경쾌하게 울리는 그 소리는 그녀가 사업계획을 결정할 때 드러내는 마음의 표현이었다.

"회장님, 내 말 나도 못 믿습니다."

앤디 박이 정색을 하고 말했다.

"아무 걱정 말아요. 모든 결정의 책임은 내가 지니까요."

기분 상쾌하다는 듯 왕링링은 두 손으로 머리칼을 뒤로 넘겼다.

"그런데……, 그런 공사는 민간기업이 따내기 어려울 텐데요."

"아, 그건 염려 말아요. 다 내가 알아서 해요."

왕링링이 건배하자고 잔을 내밀며 가볍게 말을 받았다.

앤디 박이 무슨 말을 할 듯하다가 그냥 잔을 부딪쳤다.

왕링링과 헤어져 빌라로 돌아가면서도 앤디 박은 마음 한구석이 께름칙했다. 자신이 그 말을 참은 건 잘한 일이었다. 그 말은 자칫 잘못하면 프라이버시 침해가 될 수 있었던 것이다. 미국 사회에서 프라이버시 침해란 실례를 넘어서 범죄시하는, 인간관계에서 범해서는 안 되는 기본 예의였다. 그것을 깨뜨렸을 때 당연히 인간관계도 끝났다. 그런데 왕링링에게 그런 종류의 말을 해줄 필요를 느낄 만큼 염려스러운 것이 말을 참는 께름칙함보다 더 께름칙했다. 왕링링은 "다 내가 알아서 해요" 했다. 거침없고, 망설임 없고, 자신만만한 그녀 스타일이었다. 미모에 자신 있고, 지식에 자신 있는 것처럼 그녀는 사업에도 언제나 자신이 넘쳤다. 그녀의 미모에 현혹되지 않을 남자 없고, 그녀의 폭넓은 지식에 감탄하지 않을 지식인이 없음을 앤디 박은 흔쾌하게 인정했다. 박사과정을 거치면서 여러 차례의 워크숍을 거치는 동안 그녀의 폭넓은 지식은 충분히 검증되었던 것이다. 버클리와 하버드 출신들이 골드 그룹의 사장단을 형성한 것도 그녀의 그 두 가지 점에 반했기 때문이었다. 혼혈의 혜택을 입은 탓이었는지 그녀는 머리가 뛰어났고, 양아버지의 훈육 덕이었는지 사업욕이 남자들을 능가했다. 그건 누구나 부러워할 수 있는 인간으로서 좋은 덕목이었다. 그런데 문제는, '다 내가 알아서 한다'는 그녀의 굳센 자신감이었다.

앤디 박은 그 자신감이 늘 께름칙했다. 그동안 그녀의 중국 사업은 막힘없고 꼬임 없이 승승장구해 왔다. 샌프란시스코의 부자인 양아버지가 대준 자본금을 가지고 그녀는 자신감을 맘껏 발휘해 왔던 것이다. 전 세계가 20세기의 기적이라고 부르게 된 중국 경제발전의 물결을 타고.

그녀는 새로운 프로젝트와 맞설 때마다 입버릇처럼 말하곤 했다. "다 내가 알아서 해요." 그리고 언제나 그녀의 자신감은 화려하게 성취되곤 했다. 그럴수록 그녀는 더욱 찬란한 보석이 많이 박힌 왕관을 쓴 여왕이 되어갔고, 사장단들은 그저 관리나 진행을 충실히 해야 하는 신하로 전락해 갔다. 그건 어느 기업 그룹에서나 월급사장들이 당하는 일이니까 아무 문제일 것이 없었다. 평사원들보다 100배도 넘는 연봉을 받는 것으로 그들은 자존감을 세우면 되니까.

그런데 앤디 박은 그녀가 다 알아서 일을 착착 해결해 나갈 때마다 그녀의 자신감과는 반대로 불안불안하고 위태위태한 마음을 떼칠 수가 없고는 했다.

'잘하시겠지만 언제나 조심하세요. 이런 말 있잖아요. 중국 공안은 모르는 게 없다. 모든 걸 다 알고 있다. 그러니까 그들이 회장님의 몸속에 도청칩을 심어놓았다고 생각하셔야 합니다.'

왜 이 말을 하고 싶었던 것일까. 이 말을 했을 때 회장 왕링링은 어떤 반응을 보였을 것인가. 보나 마나 결별을 선언하고 말았을 것이다. 그 말은, '당신은 공안에게 걸릴 수 있는 짓을 하고 있다'는 뜻으로 받아들일 수 있었던 것이다. 그 뜻이야말로 치명적인 프라이버시 침해였다.

사장단은 그녀가 어떻게 그 많은 대형 프로젝트들을 척척 해결해 내는지 한 번도 화제에 올린 적이 없었다. 그들은 이심전심으로 그렇게 했다. 그것이 회사를 위하고, 그들 스스로를 위하는 길이라는 것을 침묵 속에서 동의하고 있었다. 그리고 언제나 박수를 치고 환호하는 것으로 회장님의 탁월한 능력을 칭송했을 뿐이다. 그리고 지시받은 일들만 신속하고 효과적으로 처리하려고 몸을 사렸다. 그러니까 사장단은 회장님의 프라이버시를 철저하게 잘 지키는 가상한 신사님들이었다.

그러나 앤디 박은 중국 공안을 생각할 때마다, 아니 회장이 자신감을 내보일 때마다 그 일거수일투족이 낱낱이 공안의 포충망에 잡히고 있을 거라는 아슬아슬한 불안감을 떼칠 수가 없는 것이었다. 세계 명품의 짝퉁들을 끝없이 만들어내고, 다른 나라 최첨단 상품들을 카피하는 것이 죄가 아니라 능력이 되는 나라답게 중국 공안은 인민들을 샅샅이 감시하고 통제하는 것에 대해 아무런 부끄러움도 죄의식도 없었다. 오히려 당연한 권리 행사처럼 당당하고 공개적이었다. 특히 외국인들에 대해서는 24시간 감시가 따르고 있다는 게 상식처럼 되어 있었다. 중국에 세 가지 바보가 있다고 했다. 공안이 모를 거라고 생각하는 바보. 공안을 속일 수 있다고 생각하는 바보. 나만은 공안에 안 걸릴 거라고 생각하는 바보. 그래서 중국에서 가장 안전하게 사는 방법은 공안에게 걸릴 언행을 아예 하지 말라는 것이었다. 그 하나 마나 한 공자님 말씀이 의미하는 것은 무엇인가. 그저 위에서 하라는 대로 고분고분 말 잘 들으며 얌전하게 살라는 것이었다.

자나 깨나 쉼 없이 감시당하고 있다고 생각하면 앤디 박은 단 하루도 중국에 살고 싶지 않았다. 그게 악랄한 수법의 하나인지, 아니면 어설퍼서 저지르는 실수인지는 알 수 없지만 가끔 감시 행위를 이쪽에 노출시킬 때는 진저리가 쳐지고 정나미가 떨어져 그날로 당장 중국을 떠나고 싶은 충동을 느끼고는 했다. 공안이 남녀 비서를 가리지 않고 끌어내서, 너희 사장 왜 요새 며칠 안 보이느냐, 어제 어느 지점에서 어디로 간 것이냐, 왜 핸드폰 사용을 잘 안 하느냐, 시시콜콜히 캐는 것이었다.

일개 사장한테 그렇게 망원경과 현미경을 동시에 들이대는 판이니 회장에게는 어떠하랴. 그러나 자신의 불안감과 우려는 어쩌면 더없이 한가한 바보스러움일 수도 있었다. 회장 왕링링이 어떤 사람인가. 공작처럼 화려한 자태를 뽐내면서, 암사자의 카리스마를 지니고, 늑대같이 영리하고, 사슴처럼 눈치 빠르면서, 여우 같은 교활까지 갖추고 있지 않은가. 그런 사람이 공안의 감시 실태를 모를 리가 없었다. 어쩌면……, 공안 최고 수뇌부 중의 누군가가 왕 회장의 보들보들하면서도 끈적끈적한 손아귀 안에서 이미 노글노글 흐물흐물 요리되었을지 모를 일이었다. 그렇다면 자신은 부질없는 근심 걱정을 하고 있는 셈이기도 했다. 어쨌거나 그녀의 무한포식적 욕망이 위태위태하고 마음에 들지 않는 건 어쩔 수 없었다.

"자아, 생수 한 잔 드세요. 운우의 낙을 즐긴 다음의 피로회복에는 냉수가 최고래요."

그녀가 콧소리 나긋하게 밴 중국말을 하며 물컵을 내밀었다. 그런데 느슨하게 벌어진 샤워 가운 사이로 젖무덤 두 개가 거의 다 드러났다. 그녀의 감겨드는 콧소리와 팽팽한 팽창감으로 율동하는 젖무덤은 한데 어우러져 남자를 강하게 자극하고 있었다. 물론 그녀는 가운의 허리끈을 아래로 느슨하게 묶었던 것이다.

"크아……, 운우의 낙!"

남자가 상체를 벌떡 일으키며 그녀의 팔을 끌어당겼다.

"어머머……, 물 엎질러져요, 물!"

그녀가 과장되게 소리치며 남자에게 끌려갔다.

"운우의 낙, 그것 참 오랜만에 듣는 멋진 말이야. 당신은 미국에 살았으면서도 어떻게 중국여자들도 못 쓰는 어려운 말을 그렇게 잘 알지? 얼굴만 예쁜 게 아니라 유식하기까지 하니 백 점, 천 점짜리 매력 덩어리야."

알몸인 남자가 그녀를 끌어안으며 다른 손으로 젖가슴을 더듬고 들었다.

"안 돼요, 안 돼요, 무리하지 말아요. 괜히 무리하다 큰일 날 수 있어요. 무리하지 말고 우리 사이 오래가야 좋지, 무리해서 탈 나는 게 좋아요?"

그녀는 매력 넘치게 눈을 흘기며 남자의 입에다 물컵을 갖다 댔다.

"으음……, 그렇지? 그 말 옳아."

50대 중반의 남자는 금방 그 말을 수긍하며 물컵을 받아 들었다.

물을 벌컥벌컥 단숨에 다 마신 남자가 그녀를 다시 끌어안았다.

"오늘은 특별한 날이니까 너무 늦게 들어가면 안 되잖아요."

그녀가 남자를 함께 끌어안으며 속삭였다.

"알고 있어. 조금만 더 있다가."

남자가 시트를 끌어올리며 그녀를 품고 누웠다.

"아, 당신은 정말 예쁘고 귀엽고 매력 덩어리야. 당신이 내 얼나이라는 게 이렇게 행복할 수가 없어." 남자가 들뜬 목소리로 말하며 그녀를 꼭꼭 끌어안았다. "저도 부원장님 같은 분을 모시는 것이 얼마나 행복이고 영광인 줄 몰라요." 그녀는 농익은 콧소리로 화답했다. 병신, 얼나이 좋아하네. 돈까지 푸는 얼나이도 있더냐. 내 돈 받아 가는 너희들이 내 정부 노릇 하는 거지. 남자만 여자가 많을수록 좋은 줄 아냐? 여자도 남자가 많을수록 좋다고. 얼굴이 다르듯이 기분이 다 다르잖아. 너희들은 아주 쓸 만한 정부들이야. 권력 있고, 학벌 좋고, 인물들 준수하고. 그럼, 7억에서 가리고 가려 뽑혔으니까. 요모조모로 내 수준에 딱 맞아.

“자아, 오늘은 특별한 날이니까 이제 그만 슬슬 가볼까.”

남자가 천천히 몸을 일으켰다.

남자가 옷을 입기 시작하자 그녀도 잽싸게 샤워 가운을 벗고 원피스를 꿰입었다.

“이거 준비했어요.”

그녀가 남자 앞으로 조그만 상자를 내밀었다.

“뭔데……?”

남자는 넥타이를 매며 짐짓 무관심한 척했다. 그러나 아래로 깔아 뜬 눈길은 상자로 뻗치고 있었다.

“별거 아니에요.”

그녀는 가볍게 말하며 상자를 열었다. 그런데 모습을 드러낸 것은 황금빛 시계였다. 시계는 황금빛만으로 눈부시게 빛나고 있는 것이 아니었다. 시계의 동그란 얼굴, 그 안과 밖 전체에는 빈틈이라고는 없이 다이아몬드가 촘촘히 박혀 있었다. 그 수많은 다이아몬드들은 그녀의 손목이 느리게 움직이는 데 따라 제각기 현란한 빛을 내며 반짝이고 있었다. 그 눈부신 빛을 바라보며 남자의 얼굴에는 그지없이 흡족한 웃음이 넘치고 있었다.

"마음에 안 드시면 언제든지 바꾸실 수 있어요. 현찰로도요. 여기서 10퍼센트만 제하면 되도록 다 조처해 놨어요."

아무리 성능 좋은 녹음기라도 잡지 못할 만큼 낮게 깔리는 목소리로 말하며 그녀는 손가락 한 매듭만 한 종이쪽을 뒤집었다. 가격표에 적힌 숫자는 62만 위안(약 1억 1천만 원)이었다.

"이런 걸 뭐……."

남자는 두어 번 헛기침까지 하며 딴전을 피웠다.

"코트 속에 넣으면 아무 표도 안 나요."

그녀는 재빠른 손놀림으로 남자의 왼손을 코트 주머니에 넣게 했다. 그리고 상자를 코트 안으로 넣어 왼팔과 옆구리 사이에 끼웠다. 코트의 단추까지 잠근 그녀가 말했다.

"됐어요, 감쪽같아요."

"이거 이렇게까지 안 해도 되는데……."

남자가 혼잣말처럼 했다.

"아니에요, 이까짓 것. 성사되면 10퍼센트예요, 10퍼센트."

그녀는 남자의 귀에다 입을 바짝 대고 소곤거렸다.

"어흠, 흠……." 남자는 시침을 떼듯 헛기침을 하고는, "근데 거기가 너무 먼 것 아닌가, 사업하기에." 뚱하니 한마디 했다.

"아니에요. 맘에 드는 일만 있으면 달나라까지도 가요."

그녀가 고개까지 저으며 또렷하게 말했다.

"저 기세하고는……, 열 남자도 못 당한다니까."

"그러니까 아래 거느리는 사장이 스물이 넘잖아요."

"맞어, 맞어. 당신은 틀림없이 여걸이야."

"기왕이면 여왕이라고 불러주시지 그래요. 호호호호……." 그녀가 웃음을 지어냈고, "음, 그거 좋군. 여왕, 암 여왕이 되고도 남지." 남자도 껄껄껄껄 웃어댔다.

"엘리베이터 내리시면 바로 호위해서 모실 거예요." 그녀가 문을 열어주었고, "잘 쉬었소, 링링." 남자가 손인사를 남기며 밖으로 나갔다.

중국에서 제일로 치는 명품 시계는 롤렉스 금딱지 다이아 박이였다. 그 값은 자그마치 1억 원이었다. 그 비싼 시계는 베이징에 10개 정도 있었다. 그런데 그것들이 수백 명 고위층 당 간부나 관리들에게 바치는 뇌물로 쓰이고 있었다. 아니, 10개 정도가 어떻게 수백 명에게 뇌물로 쓰일 수 있단 말인가. 그건 머리가 나쁘면 며칠이 걸려도 풀 수 없는 수수께끼다. 시계를 받으신 분네가 시계를 가지고 보증서에 적힌 시계방을 찾아가신다. 시계방에서는 가격표에 적힌 금액에서 10퍼센트를 제하고 현찰을 내준다. 그렇게 10개 정도의 시계는 계속 뺑뺑이를 돌고 있었다. ……이런 소문이 괜히 떠도는 것이 아닌 모양이었다.

그녀는 커피를 타 마시며 창밖을 먼 시선으로 내다보고 있었다. 어느덧 어둠이 짙어진 바깥에서는 수많은 불꽃들이 솟구쳐 오르며 밤하늘을 화려하게 수놓고 있었다. 베이징 시민들이 어두워지기를 기다려 앞다투어 쏘아 올리는 불꽃놀이고 폭죽놀이였다. 오늘이 중국 최대 명절 춘절 전야였다. 중국사람들은 하나도 빠짐없이 춘절 전야에는 폭죽을 쏘아 올린다고 해야 옳았다. 병상에 누워 있는 사람이나 젖먹이 어린애들을 빼놓고는 그야말로 남녀노소 없이 불꽃놀이와 폭죽놀이를 하려고 나섰다. 빨간색에 미치듯이 중국사람들이 불꽃놀이나 폭죽놀이에 열을 올리는 것은 그것을 터뜨리면 모든 악귀와 액운을 쫓고 새해에 큰 돈복을 불러온다고 믿기 때문이었다. 그래서 서너 살 먹은 아이들까지도 제 몫의 폭죽이 터지는 것을 보면서 손뼉을 치고 깡충거리는 것을 어디서나 볼 수 있었다.

그런데 폭죽놀이는 한 사람이 하나씩만 터뜨리는 것이 아니었다. 경제력에 따라 그 양이 달라졌다. 체면 세우기 좋아하고, 과시하기 좋아하는 중국사람들은 폭죽을 많이 터뜨리는 것으로 자기의 경제력을 드러내고 싶어 했다. 그래서 한 달치 월급을 몽땅 폭죽 터뜨리는 것으로 날리는 월급쟁이가 흔했고, 마음 다급한 일이 있는 사람들은 빚을 내서 폭죽을 쏘아 올리기도 했다. 또 어떤 회사들은 몇천 발씩 쏘아 올리고는 그것을 사세 자랑으로 삼기도 했다.

불꽃놀이와 폭죽놀이는 밤이 깊어갈수록 점점 열기를 더해가 자정에서 새해로 바뀌는 그 시간에 최고 절정을 이루었다. 그런데 불꽃과 폭죽은 터지면서 형형색색의 아름답고 현란한 불빛만 퍼뜨리는 것이 아니었다. 그 불빛들은 반드시 화약 가스를 내뿜어 공기를 오염시켰다. 그 공해는 시간을 따라 점점 심해져 밤 11시쯤이면 보통 때의 60배에 이르고 자정을 넘어 새벽 1시쯤에는 '측정 불가' 상태가 되어버렸다. 평소에도 매연이 심한 베이징은 숨을 쉴 수가 없는 지경이 되어버리는 것이다. 그 지독한 화약 가스는 베이징 시내를 온통 뒤덮어 며칠씩 버티고 있었다.

그 전통 풍습은 물론 개혁개방이 되면서 더 심해졌고, 경제발전 속도에 따라 해마다 더욱, 더더욱 심해져왔던 것이다. 돈을 많이 벌어서이기도 하고, 어서 돈을 많이 벌고 싶은 열망들이 터져 오르는 것이기도 했다.

넓고 넓은 중국 대륙의 사람 사는 곳에서는 전부 그렇게 폭죽을 터뜨려대는데 그 돈은 도대체 얼마나 될까. 사람들은 궁금해하며 서로서로 물었지만 어림짐작이라도 제대로 하는 사람이 없었다. 그들이 만나는 답은 하나였다.

"그걸 누가 알겠습니까."

그건 막대한 금전 낭비고, 막대한 공해 유발인데 왜 정부에서 강력하게 막지 않느냐는 의견도 대두했다. 그러나 당이나 정부에서는 무반응이었다. 두 가지 이유 때문이라고 했다. 첫째 아무 효과도 없을 일 괜히 시작해서 민심만 자극하고 정부에 대한 불만만 하나 더 키우게 된다는 것이었다. 둘째 막대한 경제 유통을 막아서는 큰 탈이 생긴다는 것이었다.

그녀는 점점 심해져가는 무수한 불꽃들의 난무를 바라보며 끌끌끌 혀를 차고 있었다.

'야만……, 저 야만……, 세계 최초로 화약을 발명해 놓고도 그 좋은 걸 총이나 대포로 발전시키지 못하고 기껏해야 귀신 쫓는 데 써먹다가 어떻게 됐나 그래. 그 바보짓 하다가 나라가 반식민지 상태로 몰락하는 굴욕을 당하고도 아직까지도 정신 못 차리고 저 짓들이니……. 에이, 야만…….'

그녀는 자꾸만 짜증이 괴어오르고 있었다. 저 지독한 놈의 화약 매연 때문에 집에 들어가지 못했던 것이다. 매연은 무거워 아래로 가라앉기 때문에 5층 빌라는 영락없이 매연의 먹이가 될 수밖에 없었다. 미 대사관에서는 시간 단위로 그 매연을 측정해 나갔다. 그런데 자정에 이르러서는 결국 '측정 불가'로 백기를 들고 말았다. 그런 살인가스 속에서 수명을 단축할 수는 없었다. 그래서 해마다 춘절 전야에는 이 70층 회장실을 피난처로 삼아야 했다. 이 침실은 회장실 뒤로 꾸며져 있는 밀실이었다.

미국인인 그녀에게는 폭죽놀이가 야만적인 행위로 보일지 모르나 중국사람들에게는 멸시당해도 좋은 유치한 장난이 아니라 경건한 삶의 의례였다. 그들은 설날만 폭죽을 터뜨리는 것이 아니었다. 설날이 가장 심할 뿐, 중추절에도 터뜨렸고, 이사한 날에도 터뜨렸고, 개업한 날에도 터뜨렸고, 아들 낳은 날에도 터뜨렸고, 심지어 자동차를 산 날에도 터뜨렸다. 한국사람들이 징그럽게 돼지 대가리에 절해대며 고사 지내는 것처럼.

사흘이 지나서야 베이징을 뒤덮었던 화약 매연이 거의 사라지고 햇빛이 제대로 비치기 시작했다. 시내 곳곳의 후미진 데는 아직도 폭죽피 등 그 잔해가 수북수북 쌓여 있었다. 광적인 폭죽놀이로 쓰레기만 산더미로 쌓이는 것이 아니었다. 전국적으로 수천 건의 화재가 발생했다. 그뿐이 아니었다. 사람이 죽기도 하고, 부상자들이 생기는 것은 먹구름 낀 하늘에서 비 내리기였다. 짝퉁 천국에서 싸게 많이 팔려고 경쟁하다 보니 불량품은 얼마나 많을 것인가. 2년 전에는 입주를 앞두고 있었던 CCTV(중국중앙텔레비전)의 신축 청사를 홀랑 태워먹고 말았다. 모든 방송 기자재들이 완비된 상태였으니 그 손해가 얼마였을 것인가. 그런데도 다음해 춘절에는 또 모두가 미친 듯이 폭죽을 쏘아 올렸다. 아, 그 여유롭고 의연한 모습들이라니! 과연 외환보유고 세계 1위의 부자 나라는 뭐가 달라도 달랐다.

"미국에서 전홥니다. 어머님이십니다."

비서의 보고에 왕링링은 곧 전화를 받았다.

"소피아, 나 엄마다."

전화기에서는 영어 이름을 부르고, 영어로 말했다.

"예 엄마, 어쩐 일이세요."

"얘, 너 빨리 와야겠다. 아버지가 위독하시다."

"뭐라고요? 왜요?"

왕링링은 소스라치며 벌떡 몸을 일으켰다.

"몰라. 갑자기 쓰러지셨는데, 병원에서 힘들다고 하는구나."

"의식은 있으세요?"

"왔다 갔다 해. 널 자꾸 찾으신다."

"알았어요. 내가 곧 도착한다고 말씀드리세요. 바로 출발할 테니까."

"알았다. 너무 놀라지 마라. 네 숨소리가, 네가 쓰러질 것 같다."

"엄마, 전화 끊어요."

전화기를 놓으며 그녀는 흑 울음을 터뜨렸다. 참을 수 없고, 억누를 수 없이 솟구치는 울음이었다. 그건 슬픔이 아니었다. 양아버지의 사랑이 가슴을 치는 충격이었다. 자신의 오늘을 있게 해준 절대적 존재. 자신의 인생의 총설계자이고 총연출자로서 나이아가라 폭포 같은 사랑을 내려주신 분.

그녀는 황급히 손수건으로 눈물을 닦았다. 그리고 인터폰을 눌렀다.

"지금 즉시 출국 준비. 샌프란시스코행, 가장 빠른 항공편 체크!"

그녀는 마치 군인처럼 명령을 내렸다.

"쿠퍼 사장 빨리 부르고, 1천 위안씩 봉투 다섯 개 빨리 준비."

그녀는 재차 명령했다. 1천 위안짜리 봉투는 공항으로 질주하다가 공안에게 걸리면 하나씩 던져줄 거였다. 1회 위반 공정가격이 1천 위안이었다.

"지금부터 10분 이내로 출발!"

그녀는 마지막 명령을 내리고 책상에서 일어섰다. 그리고 금고에서 여권을 꺼냈다.

"무슨 일이십니까, 갑자기 샌프란시스코로……."

백인 남자가 다급하게 들어서며 물었다.

"공항으로 가면서 얘기해요. 아버지가 위독하시대요. 5분 내로 출발이에요."

그녀가 책상 위를 치우며 말했다.

"아니, 왕 회장님께서……."

남자가 깜짝 놀라며 두 손으로 머리를 감싸 잡았다.

"쿠퍼, 곧 출발이라니까요."

정신 차리라고 회초리질 하듯 그녀의 목소리가 날카로웠다.

"예, 저는 당장 출발할 수 있습니다."

쿠퍼 사장이 차렷 자세를 취하듯이 답했다.

그녀의 차 세 대는 출발부터 과속을 하기 시작했다. 앞의 선도차는 클랙슨만 울려대는 것이 아니었다. 헤드라이트까지 숨 가쁘게 깜빡거렸다. 공안이 많이 깔린 시내에서 그렇게 요란하게 교통 위반을 하는 건 '나 좀 단속하라'고 공안을 부르는 거나 마찬가지였다. 시내를 벗어나 공항 고속도로에 진입할 때까지 세 번을 걸렸다. 그때마다 차가 멈춘 시간은 1분씩을 넘지 않았다. 기사는 면허증 지갑을 건네며 뭐라고 짧게 한마디 했고, 공안은 날랜 손놀림을 하고는 지갑을 되돌려주었다. 그리고 차에 거수경례까지 붙이며 통과시켰다.

"최대한 빨리 돌아오겠지만, 돌아가시면 열흘이 넘을 수도 있어요. 모든 현장 철저히 점검하세요. 그 어떤 차질도 생기지 않게 하세요."

그녀는 차갑고 딱딱한 사무적인 어조로 지시했다.

"예, 알겠습니다. 아무 이상 없도록 하겠습니다."

쿠퍼 사장도 절도 있게 사무적인 태도를 취하고 있었다.

"모든 사장들에게 전화해야 하는데……, 내 마음이 지금

그렇지를 못해요." 왕링링이 쿠퍼 사장을 똑바로 쳐다보았고,
"예, 알겠습니다. 제가 잘 전달하겠습니다. 우리 사장단의 단결력을 믿으십시오." 쿠퍼 사장이 힘주어 말했다.

그들이 그런 얘기를 나누는 동안에도 차는 추월에 추월을 거듭하며 질주해 대고 있었다. 또 한 번 검거를 당하고 공항에 도착했다. 그리고 그녀는 한 시간쯤 지나 샌프란시스코행 비행기에 올랐다. 평소와는 달리 한 명의 비서와 두 명의 보디가드까지 1등석에 타고 있었다. 빈자리는 1등석밖에 없었고, 한시가 급한 판에 그들은 3등석보다 다섯 배 가까이 비싼 1등석에서 두 다리 쭉 뻗고 누워 가는 호강을 누리게 된 것이었다.

비행기가 이륙하자 왕링링의 눈앞에는 양아버지 왕이싼의 모습이 클로즈업되어왔다. 빠르게 지나가는 여러 기억들을 따라 그 얼굴 모습들도 바뀌고 있었다.

왕링링의 얼굴에 두 줄기 눈물이 주르륵 흘러내렸다. 양아버지가 돌아가시면 어쩌나 하는 생각만으로도 눈물이 흘러내렸다. 양아버지의 사랑은 그렇게 뜨겁고 깊고 절절했다. 양아버지는 자신의 친아들 융리보다 양딸인 자신을 더 사랑해 주었었다. 계산법을 배워 익히기 시작해 한 달이 지나지 않아 손님들의 물건값을 암산으로 맞히기 시작했던 다섯 살 때부터 양아버지의 사랑은 무한정 커지기만 했다. 그 사랑의 정

젊은 당신의 거금을 아낌없이 내주며 중국으로 사업을 떠나게 해준 것이었다. 친자식에게도 그건 가능한 일이 아니었다. 아무리 줄기차게 공부를 잘하고, 버클리의 MBA 과정까지 다 마쳤다 해도 자신은 스물여섯일 뿐이었고, 더구나 여자였다. 여자라는 걸 염려했던 것일까. 양아버지는 서너 요직의 꽌시까지 다 챙겨주었다.

"요새 세상에 남녀가 어디 있고, 나이 스물여섯이 왜 어리단 말이냐. 옛 호걸들이 천하를 호령하기 시작한 것이 스물부터였고, 여자 나이 열여섯이면 아이를 낳기 시작했다. 넌 해낼 수 있다. 큰물로 가서 맘껏 능력을 발휘해 봐라. 난 너를 믿는다."

양아버지가 결단을 내리면서 했던 말이 지금 쟁쟁히 들려오고 있었다. 그 뜨거운 정이 배어 있는 목소리가 또 눈물을 솟게 했다.

양아버지는 올해 일흔다섯일 뿐이었다. 기대수명이 85세가 넘은 미국에서 일흔다섯은 한창일 나이였다. 골프를 좋아한 양아버지는 아주 건강한 편이었다. 고혈압 약을 먹어야 하는 것 외에는. 자신이 고등학교 때부터 골프를 치게 이끌어준 것도 양아버지였다.

"너도 이제 남자친구를 사귈 나이가 되었구나."

고등학교에 입학하자 축하 선물을 사주며 양아버지가 말

했다.

"저는 남자친구가 영원히 없을 거예요." 자신이 불쑥 말했고, "아니 왜? 우리 딸이 이렇게 예쁘고 똑똑한데." 양아버지가 놀랐고, "아빠 같은 남자가 어디 있겠어요." 자신의 대꾸에, "아하, 요런 예쁜 놈이 있나. 그래, 그래. 이 세상에 너보다 예쁜 놈은 없다" 하며 양아버지는 자신을 꼭꼭 껴안아주었다.

일찍부터 골프를 치게 했던 것은 건강에 좋기 때문만이 아니었다. 사회활동을 할 때 그보다 더 좋은 사교 방법이 없기 때문이었다. 중국에서 사업을 시작하면서 양아버지의 그 세심한 배려에 뒤늦게 가슴 뜨거워졌던 것이다. 어디 그것뿐인가. 양아버지는 변함없는 사랑으로 감싸 안으며 자신의 모자람을 채워주고 그릇된 것을 바로잡아주며 인생길의 걸음마를 하나하나 가르쳐주었던 것이다. 중국에 진출할 때 대준 사업자금은 벌어서 갚도록 되어 있었다. 무이자 대출인 셈이었다. 하루라도 빨리 그 돈을 갚는 것이 사업 목적이었다. 그것도 본전만 갚는 것이 아니었다. 두 배로 갚고 싶었다. 그래야만 자신에게 베풀어준 은혜에 대한 최소한의 보답이 될 것 같았던 것이다. 그 돈을 받고 양아버지는 얼마나 기뻐하실까! 그 생각만 하면 가슴이 벌떡벌떡 뛰곤 했다. 그리고 조급한 마음이 들어 잠시도 쉴 틈이 없이 일을 몰아댔다. 돈을 갚

아드릴 날도 얼마 남지 않았는데 위독하시다니……, 새로운 눈물이 솟구쳤다.

어머니의 아버지는 프랑스사람이었다. 서양사람을 절반 닮은 어머니는 예뻤고, 공부도 잘해 대학까지 나왔다. 그 당시 베트남에서는 아주 드문 일이라고 했다. 그 덕에 미국 회사에 다니게 되었다. 거기서 아버지와 연애가 시작되었다. 그런데 세계 최강이라고 하는 미국은 베트콩에게 지고 말았다. 그건 미국이 최초로 패배한 전쟁이었고, 20세기 최대 충격이라는 평이 금세 뒤따랐다. 베트콩이 공격해 들어오는 사이공은 삽시간에 무법천지 난장판 지옥이 되어버렸다. 거의 모든 사람들이 사생결단으로 다투는 '사이공 대탈출'이 시작된 것이었다. 사생결단을 유식한 말로 하면 '죽고 사는 것을 돌보지 않고 끝장을 내려고 함'이 되겠지만, 무식하더라도 쌈빡하게 한마디로 하자면 '너 죽고 나 살자'였다. 그러니 그 판이 어떠할 것인가. 미국의 큰 배를 얻어 타려고 서로 아우성치고, 몸부림치고, 주먹을 휘두르고……, 그러나 탈 수 있는 인원은 지극히 한정되어 있었다. 빽 있고, 돈 있는 사람으로. 미국행 큰 배를 얻어 타지 못한 사람들은 그냥 포기하지 않았다. 아무 배에나 마구 올라타고 무작정 바다로 나아갔다. 배가 작다고 미국에 못 가랴. 그들이 믿고자 한 바였다. 그러나 얼마 못 가 연료가 떨어졌고, 먹을 게 떨어졌다. 미국이 아닌 가까운 나라에 도착해도 그들을 받아주지 않았다. 망망대해를 떠돌아야 하는 그 가엾은 사람들을 '보트피플'이라고 불렀다. 세상은 한동안만 그들에게 관심을 보였을 뿐 여러 날들이 쌓이고 쌓이면서 그들을 까마득하게 잊고 말았다. 그래서 망망대해에서 죽어간 그 불쌍한 사람들 수가 얼마인지 아무도 모른 채 한 시대가 흘러갔다.

어머니는 남편이 미국사람이었기 때문에 그 불행한 운명에 빠지지 않고 편안하게 태평양을 건널 수 있었다. 그러나 어머니의 행복은 오래가지 못했다. 아버지에게 버림받은 것이다. 아버지는 자신이 태어나고 6개월이 미처 못 되어 어머니 곁을 떠나버렸다. 사랑이란 가장 무모한 투기다. 이 말은 바로 어머니를 두고 하는 말이었다. 베트남에서는 예뻐 보였던 어머니는 미국에 와서는 미워 보였던 모양이었다. 백인도 황인종도 아닌 얼굴, 검은 눈과 검은 머리. 아버지의 눈길은 흰 피부의 얼굴, 푸른 눈동자, 금발의 여인에게 팔린 거였다.

자신은 아버지의 얼굴을 모른다. 어머니는 사진도 한 장 남겨두지 않았다. 아버지는 다만 존슨이라는 성으로 어머니의 이름에 얹혀 존재할 뿐이었다. 알맹이는 떠나고 빈 껍데기만 뱀 허물처럼 남아 있었다. 아버지는 참 못된 사람이었다. 돈 한 푼 안 남겨놓고 떠나버릴 수 있는 인간이었으니. 그래서 그런지 어머니는 백인 남자를 못내 싫어했다. 그다음에 싫어한 것이 금발의 여자였다.

그러나 어머니는 언제까지나 그런 미움에 사로잡혀 있을 수는 없었다. 당장 밥벌이에 나서지 않으면 어린 자식 데리고 굶어 죽을 판이었다. 차라리 죽으려고 바닷가에도 몇 번 나갔다고 했다. 그러나 어린 자식의 깜빡거리는 눈을 보고는 차마 바다로 뛰어들 수 없었다는 거였다. 어머니는 직장을 나가기 시작했다. 호텔 청소부일 뿐이었지만 자식을 탁아소에 맡겨놓고 그런 직장에나마 다닐 수 있었던 것은 미국이라는 나라이기 때문에 가능한 일이었다.

그런데 1년이 다 못 되어 어머니한테 엄청난 행운이 닥쳤다. 호텔 사장의 눈에 띈 것이었다. 그 중국인 사장이 바로 양아버지 왕이싼이었다. 혼혈의 예쁜 생김새에 어머니 나이 겨우 스물넷이었으니 샌프란시스코의 거부 왕이싼 사장이 반할 만도 했다. 어머니는 호텔을 그만두고 차이나타운에 있는 식료품 상회로 옮겨 갔다. 먹는 것이면 없는 게 없는 그 상점은 왕이싼 사장까지 4대를 물려오는 가문의 족보나 다름이 없었다. 왕이싼의 증조할아버지는 샌프란시스코의 명물 골든게이트 브리지를 건설한 수많은 중국인 중의 한 사람이었다. 그의 증조할아버지는 끈질긴 중국인의 기질을 발휘하여 돈을 모으고 또 모아 중국인들이 모여 사는 동네에 조그만 가게를 차렸다. 사람은 그 누구나 하루 세끼 안 먹고는 못 사니까 거기에 꼭 필요한 것을 파는 식료품점은 망할 위험이 없었던 것이다. 중국인들의 3대 상술이 있었다. 외상은 주지 말고, 외상을 했으면 떼먹어라. 마누라는 빌려줘도, 돈을 빌려주지 마라. 하루에 100원씩을 벌기로 했는데 90원밖에 못 벌었으면 한 끼를 굶어라. 이 상술을 대를 물려가며 철두철미 잘 지킨 덕으로 상점은 크게 번창했고, 다른 사업도 벌여나갔다. 하는 사업마다 성공해 왕이싼 아버지 대에 이르러 대형 호텔까지 경영하는 거부가 되었다. 그런데도 처음의 그 식료품점은 그대로 운영하고 있었다.

왕이싼 사장은 어머니에게 그 식료품점에 딸린 집에 살면서 식료품점을 관리하게 했다. 어머니는 호텔을 청소하는 고달픔에서 벗어나 손님들에게 물건을 파는 편한 일을 하게 된 것이었다. 예쁜 얼굴로 상글상글 웃는 어머니는 그 일에 아주 잘 어울리기도 했다.

다섯 살이 되기 전까지 자신은 왕이싼 사장의 양딸이 아니었다. 왕이싼의 눈에 들어 식료품점을 관리하는 여자에게 딸린 아비 없는 딸일 뿐이었다. 그런데 하루도 빠짐없이 상점에 들르는 왕이싼이 계산에 호기심을 보이는 계집애에게 덧셈법을 가르쳐주었고, 그다음 단계로 주판 놓는 법을 가르쳐주었다. 그러자 계집애는 손님들의 물건값을 척척 암산해 내기 시작했다.

"후와, 이거 물건이로구나, 물건! 에미만 똑똑한 줄 알았더니 에미 빰치는구나. 이거 크게 되겠어."

왕이싼 사장은 거듭 감탄하고는 자신을 정식으로 양딸로 삼아 호적에 올렸다. 그날 밤 어머니는 오래 울면서 왕이싼 사장에게 감사해했다. 하나뿐인 자식의 앞날이 열렸기 때문이었다. 자신을 양딸로 삼은 것이 어머니에 대한 왕이싼 사장의 사랑이었다는 것을 깨달은 것은 10년도 더 지나서였다. 어머니는 언제까지나 왕 사장의 첩이었을 뿐 호적에는 오를 수 없었던 것이다.

양아버지가 된 왕 사장은 상점에 나올 때마다 책을 한 권씩 사 들고 왔다. 그리고 무릎에 앉히고 읽기를 가르쳐주었다. 자신이 빠르게 읽기를 익혀나가자 양아버지는 또 감탄했다.

"넌 참 대단하다. 어찌 그리 영리하냐. 너 같은 애 첨 본다."

그 칭찬은 더없이 좋았지만, 자신으로서는 전혀 힘 들이고 한 일이 아니어서 좀 미안스럽기도 하고 쑥스럽기도 했다. 그런 일은 할수록 재미있었고, 하면 저절로 되는 것이었다.

양아버지는 영어보다는 중국말을 더 열심히 가르쳐주었다.

"넌 내 딸이니까 너도 중국사람이다. 중국사람은 세계 어디에 살든, 외국에서 아무리 오래 살아도 중국사람이다. 그러니까 중국에 사는 것처럼 중국말을 잘해야 한다."

양아버지가 중국말을 가르칠 때마다 하는 말이었다. 중국

사람들은 자기네들끼리는 어김없이 중국말을 썼다. 상거래도 그들끼리 할 수 있는 것이면 꼭 그들끼리만 했다. 서로서로 부를 키워주고, 자기들의 부가 백인사회로 흘러가는 것을 최소화하려는 방법이었다. 그러니까 백인들이 중국인 식당에 와서 식사를 하는 일은 흔했어도 중국인들이 백인 식당에 가서 식사하는 일은 극히 드물었다. 그러니 온통 중국말들만 오가는 차이나타운은 미국 안에 자리 잡은 중국이었다. 이렇게 자기들 문화를 철통같이 지키며 자기들끼리만 똘똘 뭉쳐 있는 중국인들의 그 이해할 수 없는 응집력은 미국을 긴장시키게 되었다.

"중국인들은 결코 우리와 동화되지 않을 것이며, 우리 평화와 복지에 위험한 존재다."

미국의 22대와 24대 대통령을 지낸 클리블랜드가 이런 말까지 했다는 것을 자신은 대학에 들어가서 알게 되었다.

양아버지가 권장하는 책 읽기는 초·중·고등학교 때까지 줄기차게 이어졌다.

"책을 읽고 또 읽어라. 학교에서 좋은 스승을 만나는 것은 한계가 있다. 그 부족을 책을 읽어서 채워야 한다. 책이 가장 좋은 스승이기 때문이다. 책을 많이 읽는 사람만이 세상사를 통달할 수 있다."

양아버지가 영혼 속에 한 땀, 한 땀 수를 놓듯이 새 책을 사줄 때마다 조금씩 다른 밀도와 깊이로 일깨워준 독서의 중요성이었다. 그 길을 따라 대학생이 되었을 때 책 읽기는 밥을 먹는 것과 같은 소중한 생활이 되어 있었고, 또래들이 부러워하다 못해 두려워하는 지적 존재가 되어 있었다.

버클리 대학에 입학하고 사업가의 길을 확정했을 때 양아버지가 말했다.

"사업가란 돈을 벌어들여 모으는 사람이다. 장수란 전쟁에서 싸워 이겨야 하는 사람이듯이, 이 세상에서 가장 큰 권력이 돈이고, 가장 오래가는 권세가 돈이다."

왕링링은 스튜어디스가 조심스럽게 갖다 놓은 포도주를 한 모금 넘겼다. 그리고 핸드백에서 지갑을 꺼냈다. 지갑 한쪽 주머니에 검지와 중지 끝을 넣었다. 손가락 끝에 변함없는 감촉이 느껴졌다. 조심해서 그것을 꺼냈다. 천천히 모습을 드러낸 것은 100달러짜리였다. 그녀는 흔히 볼 수 있는 그 100달러짜리 돈을 무언가 깊은 생각이 담긴 눈길로 바라보고 있었다.

그녀의 눈앞에는 아홉 살 때의 그 일이 선명하게 떠오르고 있었다. 그날 양아버지를 따라 상점을 나오다가 손에 쥐고 있던 동전을 놓쳤다.

"어머, 내 동전!"

그녀가 움찔 놀라는 동안 동전은 또르르 굴러 하수구로 쏙 들어가버렸다. 그때 양아버지의 목소리가 들렸다.

"뭐하고 섰느냐. 빨리 손을 넣어 동전을 찾아라."

그녀는 고개를 젖혀 양아버지를 올려다보며 울상이 되었다. "아빠, 하수구는 더러워요." "더러우면 손 씻으면 된다. 어서 찾아라!" 양아버지의 얼굴이 엄해졌고 목소리가 커졌다.

그때 어머니가 쫓아 나왔다. 그녀는 어머니에게 도움을 청하려고 했다. 그런데 눈에 들어온 어머니는 아랫입술을 앙다문 채 무섭게 부릅뜬 눈으로 자신을 노려보고 있었다. 생전 처음 보는 그 무서운 얼굴은 '빨리 동전 안 찾으면 안 돼!' 하고 소리치는 것만 같았다.

자신은 허겁지겁 하수구에 손을 넣었다. 더러운 것들이 마구 잡혀 소름 끼치고 진저리 쳐질 때마다 '그까짓 10센트짜리를! 그까짓 10센트짜리를!' 하며 눈을 질끈질끈 감았다. 가까스로 동전을 찾아냈다.

"잘했다. 이리 오너라."

양아버지가 더러운 것 잔뜩 묻은 자신의 손을 덥석 잡았다. 그리고 수도로 데리고 갔다. 양아버지는 자신의 손에 세 차례나 비누칠을 해서 깨끗이 씻어주었다. 그리고 지갑을 꺼냈다.

"자아, 받아라. 상금이다."

양아버지가 자신의 눈앞에 내민 것은 100달러짜리였다. 그리고 양아버지가 주머니에 넣은 것은 자신이 찾아낸 동전이었다.

그 100달러짜리는 지금까지 지갑 속에 고이고이 간직되어 있었다. 그 돈에 양아버지의 얼굴이 어리고, 자신도 모르게 눈물이 뚝뚝 떨어졌다.

공항에서 병원을 가는 동안 내내 온몸으로 차를 밀고 또 밀었다. 중국처럼 과속료가 통하지 않는 미국이 원망스러웠다.

양아버지는 한눈에 봐도 운명 직전이었다. 목소리가 너무 잠겨들어 그녀는 귀를 바짝 들이댔다.

"왔구나……, 고, 고맙다. 너한테 세, 세 가지를……. 융리, 네 오빠 융리를 도와줘라. 너……, 너보다 못하니까. 돈 벌어……, 갚으라고 했던 거……, 그만둬. 그리고……, 거기 중국……."

그녀는 귀를 더 바짝 붙이며 고개를 끄덕이고 있었다.

참으로 인간적인 천국

"정말 믿어도 되는 거니?"

차창 밖으로 눈길을 던지고 있던 전유숙이 갑자기 아들 쪽으로 고개를 돌리며 물었다.

"엄마! 방학 동안 엄마가 이 똑같은 말을 몇 번이나 했는지 아세요? 백 번, 아니 천 번은 했어요."

송재형이 짜증을 애써 누르며 말했다. 그러나 목소리에는 성질이 묻어나고 있었다.

"내가 괜히 그러냐. 엎지러진 물이고, 깨진 독이다 생각하며 잊자 잊자 하지만 마음 따로, 생각 따로지 그게 어디 뜻대로 되냐. 니 말을 믿어주자, 다 큰 사내자식이 어련히 알아서

하라 하며 생각하지 않으려고 해도 그게 어디 마음대로 되느냐구. 아빠가 재산이나 많으면 또 몰라. 재산도 별로 없는 형편에 니 앞길이 평탄치 않으면 글쎄……."

"엄마! 끝까지 이럴려고 공항에 따라 나오시는 거예요?"

송재형이 버럭 소리를 지르고 말았다. 말을 중단당한 전유숙의 눈에 눈물이 핑 돌았다.

"무정한 놈. 에미 맘도 모르고……."

전유숙이 아랫입술을 물며 고개를 창 쪽으로 돌렸다.

"엄마, 제발 걱정하지 마세요. 교수가 될 수 있도록 무지하게 열심히 공부하고 있어요. 그리고 자세히 말씀드릴 수는 없지만 앞으로 중국은 틀림없이 미국과 맞먹는 나라가 될 거예요. 그럼 우리나라는 지금보다 중국을 훨씬 더 중요하게 여기게 돼 있어요. 그러니까 제 앞길은 염려하지 마시라니까요. 예, 엄마 걱정대로 막말로 교수가 못 될 수도 있어요. 그래도 아무 걱정 없어요. 중국어 학원만 해도 충분히 먹고살 수 있으니까요. 그래요. 학원들 돈 잘 버는 거 엄마가 더 잘 아시잖아요. 그러니까……."

송재형은 속으로 화들짝 놀라며 말을 얼버무렸다. 하마터면 리옌링 얘기를 해버릴 뻔했던 것이다. 사실 똑똑한 리옌링이 '원어민 교사'로 나서면 학원은 요새 유행하는 말로 대박치지 않을 수 없었다.

"그래, 이 에미가 천년만년 사는 것도 아니고……, 잘난 니 말대로 니 인생은 니 것이니 니가 알아서 해라."

전유숙은 한숨을 쉬었다. 그 한숨은 한 타래의 실을 풀어대는 것처럼 가늘면서 길고 길었다. 송재형은 그 한숨이 어머니의 질기고 뜨거운 사랑이라는 것을 느끼고 있었다.

비행기표를 받고 가방을 부쳤지만 시간은 아직 많이 남아 있었다. 송재형의 두 마음은 엎치락뒤치락하고 있었다. 그냥 출국장으로 들어가버리고도 싶었고, 그렇게 서둘러 나가버리면 혼자 돌아가며 어머니가 많이 서운해할 것도 같았다.

"엄마, 우리 커피 한잔해요."

"커피……?"

아들의 말이 너무 갑작스러웠고, 그녀는 그 상황을 재빨리 소화하지 못해 아들을 올려다보며 어색스런 표정을 지었다.

"가요, 내가 한잔 살게."

아들이 자신의 팔을 살짝 붙들었다. 아아……, 그것이 그렇게 고맙다니. 물속에서 각설탕 풀려버리듯 하는 자신의 마음이 딱하기도 하고 대견하기도 했다. 어쩔 것인가……, 자식이고 에미 관계인데. 아들과 커피를 마시는 것은 첫경험이었다. 차 한잔 마시자고 하는데 이렇게 황송해하다니. 이러니 자식 버릇을 고칠 수가 없지. 그녀는 자신에게 쥐어지르듯이 말하며 아들이 이끄는 대로 걸음을 옮겼다.

"설탕 타세요. 엄마 세대는 하나, 할머니 세대는 둘이라면서요."

아들이 커피컵과 함께 빼빼로 설탕 봉지를 내밀며 말했다.

"사람 무시하지 말어. 나도 니네 세대처럼 노 슈거 커피야." 그녀가 설탕 봉지를 손가락으로 튕기며 말했고, "우화, 우리 엄마 멋지다. 설탕과 소금은 먹을수록 해롭대요." 송재형은 환하게 웃으며 어머니와 마주 앉았다.

전유숙은 무슨 말인가를 하고 싶었다. 흔히 폼 나는 말인 것처럼 쓰이는 그 '대화'라는 것을 멋지게 해보고 싶었다. 그런데 막상 할 얘기가 없었다. 상대는 남이 아닌 아들이었다. 그런데 할 얘기가 없다니……. 격조 있고 고상한 향기가 풍기는 그 어떤 말, 아들과 나눌 수 있는 화젯거리가 떠오르지 않았다. 그 사실을 의식하자 머릿속은 더 하얗게 변하고 있었다. 대학생이 되어 집을 떠날 때까지 아들에게는 그 얼마나 많은 말을 했던가. 제일 많이 했던 말이, 모든 엄마들이 그렇듯 '공부해라'였고, 그다음이 '××하지 마라'였다. 그건 대화가 아니고 일방적 지시였고, 품격이라고는 있을 도리가 없는 일상이었다. 그러고 보니 아들과 '대화'라는 것을 해본 적이 없었다.

"엄마, 대학 나온 사람이 왜 그래요? 그만 좀 유치해지시라구요. 그 비싼 등록금이 아깝지도 않아요? 우리나라 여자들은 왜 그러나 몰라. 결혼해서 애만 낳았다 하면 유치한 속물로 돌변해 버려요. 왜 그렇게 자식들한테 매달려 허둥지둥 인사불성이 되냐구요. 아무 이성도 없이 내 새끼만 찾아대는 꼴들이 너무 천해요. 아유 구역질 나."

딸이 가끔 진저리 치며 했던 말이 새삼스럽게 떠올랐다.

아들도 자신도 커피만 마시고 있었다. 모자의 사이가 그야말로 썰렁했다. 그 썰렁함을 마구 헤쳐버리고 싶었지만 마음이 급할수록 그 대화거리는 멀기만 했다. 그때, 아들도 그 썰렁함이 너무 어색스러웠던지 말을 꺼냈다.

"엄마, 이 얘기 좀 들어보실래요. 좀 웃기는 얘긴데요, 몇 년 전에 돈 좀 번 중국사람들이 처음으로 일본 여행을 갔었어요. 여기저기 구경을 하고, 관광 코스에서 꼭 빠지지 않는 쇼핑 타임이 됐어요. 그래서 일본이 자랑하는 전자제품 전문상가로 들어갔어요. 그때만 해도 중국사람들이 일본 전자제품에 환장할 때니까 그 관광객들은 눈이 휘둥그레져서 신이 났어요. 그런데 이것저것 구경을 해나가다가 어떤 사람이 갑자기 소리쳤어요. '야 이건 우리 소나를 흉내 낸 가짜잖아!' 그 외침에 다른 사람들이 우르르 몰려들었어요. 그러더니 아무데서나 목청 큰 중국사람들이 떠들어대기 시작했어요. '어, 맞네. 틀림없이 우리 소나 흉내 낸 가짜요.' '그래, 그래. 틀림없어.' '일본놈들 이거 형편없는 놈들일세.' '원래 일본놈들은 나쁜 놈들이잖아. 남의 나라 침략하고, 그러고도 사죄 않고 거짓말이나 해대는 뻔뻔스런 놈들.' 이 소란을 가이드가 뒤늦게 알고 말했어요. '소니는 벌써 몇십 년 된 상표고, 중국에서 소니를 흉내 내서 만들어낸 짝퉁이 소나예요.' 이런 해프닝이 벌어졌어요."

"어머나, 어머나! 중국사람들 정말 웃긴다."

그녀는 웃음이 터져 입을 가리며 푸푸푸 웃지 않을 수가 없었다.

"중국사람들 웃기는 거 한두 가지가 아니에요. 제2탄도 들어보실래요?"

어머니가 웃고 썰렁한 기운이 가시자 송재형은 기분이 좋아져서 말했다.

"으응, 어서 해봐."

전유숙도 아들의 기분을 맞춰주며 반색을 했다. 그녀는 분위기를 부드럽게 하려고 마음 쓰는 아들의 모습에서 문득 연애 시절의 남편을 떠올렸다.

"탈북자들이 남쪽에 와서 가장 놀라고 도저히 이해 안 되는 게 한 가지 있대요. 그건 고층 빌딩들이 수없이 많은 것도 아니고, 자동차들이 수없이 많은 것도 아니래요. 그럼 그게 뭐냐면 말이지요, 공중화장실마다 칸칸이 걸려 있는 큰 두루마리 화장지래요. 얼마나 잘살면 이럴 수가 있나. 얼마나 잘

살면 그 좋은 화장지들을 안 가져가나 하고요. 그런데 중국 사람들이 우리나라에 여행 와서 많이 놀라고 도저히 이해 안 되는 게 두 가지가 있대요. 하나는 공중화장실이 어디를 가나 수세식인 데다, 방 안보다 더 깨끗한 것이고요, 또 하나는 수많은 비둘기 떼가 공원이며 한강변에서 사람 옆에 내려앉고 하는 거래요."

"화장실은 알겠는데, 비둘기 떼는 왜 그러지?"

판소리를 들으며 추임새를 넣듯이 그녀는 아들의 얘기에 흥을 돋워주고 있었다.

"예에, 왜 그러냐면 말이지요, 아니 저 맛있는 것을 왜 그냥 두느냐. 어서 잡아먹어야지, 하는 거예요."

"어머나, 어머나! 중국사람들 왜 그러니, 징그럽게."

그녀는 얼굴을 찡그리는 한편으로 웃지 않을 수가 없었다.

"중국사람들은 안 먹고, 못 먹는 게 없으니 당연히 이해가 안 되는 거지요."

"그래, 나도 그 말 들었어. 중국사람들은 네 발 달린 것 중에서 의자 빼고는 다 먹는다고."

그녀는 그 순간 용케 떠오른 그 말을 신 나는 기분으로 했다. 아들과 '대화'가 된다는 생각으로.

"맞어요. 근데 엄마, 제가 완성편을 만들어드릴게요. 거기다 두 가지를 더 보태는 거예요. 날아다니는 것 중에 비행기를 빼고 다 먹고, 헤엄치는 것 중에 잠수함을 빼고는 다 먹는다."

"어머나, 그거 좋다. 나 친구들한테 얘기해 줘야겠다."

그녀는 유쾌하게 웃으며 가볍게 손뼉까지 쳤다.

"네, 아까 말한 것 다 써먹으세요. 한 번 웃을 때마다 우리 몸속에 잠복해 있는 암세포들이 8시간 동안 활동을 못한대잖아요."

"호오, 별걸 다 아는구나." 그녀는 흐뭇하게 웃고는, "근데 넌 비둘기 고기를 먹어봤니?" 설마 하는 얼굴로 아들을 가느다란 눈길로 쳐다보았다.

"엄마, 그거 아무나 못 먹어요. 엄청 비싼 고급 음식점에서나 나오는 건데, 딱 한 번 먹어봤어요."

"비싸다며 어떻게?"

"우리나라 사람들이 중국 정부 초청을 받아 온 어떤 행사였는데, 우리 학생들 몇이 통역 겸 안내를 맡았거든요."

"아니, 니가 통역으로 뽑혔어?"

그녀의 어조가 금방 한 옥타브 올라갔다.

"엄마, 뽑힌 게 아니구, 그거 그저 시시한 거예요."

밝았던 아들의 얼굴이 일그러지는 것을 보고 그녀는 자신이 또 그 주책없는 엄마의 마음을 드러냈음을 깨달았다.

"그래, 그래. 근데 그거 맛이 어땠어?"

그녀는 허둥거리듯 물었다.

"예, 맛있어요. 구워서 나오는데 쫄깃쫄깃하고 구수한 게."

"하이고 징그러워라. 비둘기를……."

그녀는 손바닥으로 허공을 쳤다.

"뱀 고기도 먹어봤는데요, 뭘. 살모사."

"뭐, 살모사? 그거 독 있는 무시무시한 뱀이잖아." 그녀의 눈이 활짝 커졌고, "엄마, 시간 다 됐어요." 아들이 시계를 보며 몸을 일으켰다.

출국장 입구까지 모자는 또 말없이 걸었다. 그러나 전유숙의 마음은 커피를 마시기 전과는 정반대로 푸근하고 흐뭇하게 풀려 있었다. 이렇게 에미 맘을 풀어주고 떠날 줄 아는 아들이 정말 장성한 청년이 된 것 같았고 한없이 실하고 고마웠다.

"엄마, 나 가요. 아무 걱정 마세요. 정말 잘할게요."

출국장 입구에서 여권과 비행기표를 검사원에게 건네며 송재형이 말했다.

"그래, 조심히 잘 가. 밥 잘 먹고, 아프지 말고."

전유숙은 아들을 와락 끌어안고 싶은 충동을 억누르며 이 말을 했다. 이 짧은 말을 하는데 목이 메어 말의 절반은 울음이 묻어났다.

그런데 아들은 벌써 등을 돌려 출국장 안으로 들어가고 있었다. 아들이 들어가자 문이 빠르게 닫혔다. 그녀는 '이게 아닌데……' 하는 심정으로 그 자리에 멍하니 서 있었다. 다음 사람이 들어가며 출국장 문이 열렸지만 구불구불 줄 선 사람들 속에 아들의 모습은 보이지 않았다.

아들을 장가보낸 친구들이 하나같이 말했다. 장가간 아들이 어느 날 갑자기 엄마가 아니라 "어머니" 하더란다. 그 말을 듣는 순간 가슴이 쿵 내려앉는 것 같고 온몸의 피가 하얗게 바래지는 느낌이더란다. 그 허전하고 서운함이란 이 세상 어떤 것에도 비교가 되지 않더라 했다. 전유숙은 한 번 더 돌아보지 않는 아들의 그 무정한 등을 생각하며 친구들의 그 말이 떠올랐다. 지금의 저 무정한 뒷모습 옆에 어떤 여자의 뒷모습이 나란히 붙게 되면 그때는 친구들이 느꼈던 그 깊고 큰 허전함과 서운함이 자신의 것이 될 거였다.

'어쩔 수 없지. 그게 인생이니까…….'

그녀는 쓸쓸한 웃음을 흘리며 무거운 발걸음을 옮기기 시작했다. 그러면서 아들이 해준 그 재미있는 얘기들을 다시 생각하려고 애쓰고 있었다. 얼마나 고마운 일인가. 그리도 재미난 얘기를 하나만 한 것이 아니었다. 그것도 친구들에게 더없이 좋은 자랑거리였다. 그러면 어떤 친구는 시샘하느라고 이런 억지소리를 할지도 모른다. 얘, 얘, 좋아하지 말어. 총각 때 그렇게 잘한 애들일수록 장가가면 더 쎄게 배신 때린다. 그때 당하고 질질 짜지 말고 지금부터 단단히 속 차리라구.

공항에 마중 나와 있을 줄 알았던 리옌링의 모습은 보이지 않았다. 송재형은 혹시나 해서 넓은 대합실을 서너 번 뒤졌지만 리옌링을 찾을 수 없었다.

'웬일이지? 변심?'

직감적으로 떠오른 생각이었다. 리옌링을 못 믿어서가 아니었다. 중국여자들의 성 문란 때문이었다. 아니, 중국여자들은 성 문란이란 말을 아주 싫어했다. 그 대신 '성의 자유'라는 말을 좋아했다. 한 여자가 한 남자와 동거를 하면서 또 다른 남자와 아무렇지도 않게 육체관계를 맺었다. 당사자 두 남자만 모르면 되는 일이었고, 제3자들은 그런 사실을 알아도 전혀 비도덕적이거나 비양심적이라고 생각하지 않았다. 남의 일에 별로 관심 쓸 것 없는 흔히 있는 일로 치부해 버렸다. 문제는 두 남자가 알게 되는 경우였다. 우리나라에서는 누구 코가 깨지거나 갈비뼈가 부러질 만큼의 결투가 벌어지거나, 생명이 왔다 갔다 할 만큼 칼부림이 날 일이 아닌가. 그러나 중국에서는 기분 상한 남자가 가버리는 것으로 끝이었다. 우리나라에서는 남자가 여자를 이런저런 방법으로 해치는 경우가 많은데 중국에서는 여자에 대한 보복이 전혀 없었다. 숭녀공처(崇女恭妻)라는 사회적 가치관 때문이었다. '여자를 받들고 아내를 섬겨야 한다'는 뜻이 숭녀공처였다. 그 가치관에 따라서 남자가 음식도 하고, 빨래도 하고, 청소도 하는 것이 중국의 일반적 세태였다.

이런 세상에 대해서 핏대를 올리며 소리치는 것이 그런 사실들을 처음 알게 된 한국의 주재원들이었다.

"그럼 도대체 여자가 하는 일이 뭐야!"

"왜, 중요한 일이 하나 있잖아."

"중요한 일……?"

"에이, 그걸 꼭 말로 해야 하나? 생각해 보면 재깍 알 일인데."

여자들이 맞벌이하는 비율이 아주 높으니까 약한 여자를 보호하기 위해서 강한 남자가 집안일을 도맡는 것이다 하는 말도 그럴듯할 수 있었다. 그런데 여자가 남자를 때리면 아무 문제가 안 되고, 남자가 여자를 때리면 즉각 구속하는 것이 현행법으로 실시되고 있었다. 그 법의 힘에 의해 마누라한테 마냥 얻어터지고 사는 남편들이 숱한 것이 중국이었다. 지상 최고의 여성 낙원이 아닐 수 없었고, 저 2,500년 전부터 공자님이 주창하신 예를 따라 이루어진 여필종부(女必從夫) 사상은 완전 실종되어 그 흔적조차 찾을 수가 없었다. 공자님의 사상은 오히려 한국에 그 명맥이 꽤나 잘 보존되고 있어서 중국이 깜짝 놀랐다. 중국은 마침 중국의 강대해져 가는 힘을 세계적으로 알리는 심벌로 공자를 지정했고, 세계 각 나라에 '공자학당'을 세울 계획을 세우고 있었다. 그런데 공자님을 잘 받들어 모시고 있는 모범 국가 한국이 있지 아니한가. 그렇다! 한국에 1호를 세우자. 중국 정부의 결정이었다. 그 1호 개설을 출발 신호로 하여 공자학당은 몇 년 사이에 세계 도처에 300개가 넘게 세워졌다. 거칠 것 없는 중국 힘의 과시였다. 그리고 중국 정부는 국내적으로도 공자 부활을 적극화했다. 동상도 무지무지하게 크고 예술적으로 만들어 톈안먼 광장에 세웠다가 며칠 만에 부랴부랴 딴 데로 옮기기는 했지만, 어쨌거나 공자님 떠받들기가 정치적으로 다시 시작된 것만은 분명했다. 그러나 여필종부가 되살아날 가망은 없었다. 그것보다는 바다에서 산삼을 구하는 게 쉬운 일이고, 사막에서 싱싱한 채소 먹기를 바라는 게 더 나을 지경이었다. 그래서 중국남자들은 다 치관옌(妻管嚴)이란 말이 당연하게 여겨졌다. 그건 공처가란 중국말이었다.

그러니까 중국이라는 나라는 여자들에게는 천국일지 모르지만 남자들에게는 지옥인 게 분명했다. 예의범절을 숭상함과 함께 남자의 존엄을 수천 년 동안 떠받들어온 나라에서 남자들의 꼴이 그렇게 참혹하게 된 이유가 무엇일까. 바람이 불어야 나무가 흔들리고, 북을 쳐야 소리가 나는 것이 세상의 이치이니 그 문제에도 확실한 까닭이 없을 리 없었다. 남녀의 위치를 일순간에 뒤집어엎은 것은 신중국을 탄생시킨 태양으로 떠받들어지는 인물, 마오쩌둥이었다. 마오의 3대

명언 중의 두 번째인 '하늘의 절반은 여자'라고 여성 해방을 선언한 이후 여자들은 고삐 풀린 망아지처럼 기승을 부리기 시작했다. 그런데 또 한 번의 계기가 찾아왔다. 대약진운동과 함께 마오의 2대 실책으로 꼽히는 문화대혁명이었다. 그때 마오는 문화대혁명을 추진하는 전권을 아내인 장칭(강청)에게 주었던 것이다. 그 10년 동안 중국 대륙은 완전 무법천지 난장판이 되는 속에서 여자들의 극성이 만발하는 시대가 되었다. 홍위병들의 난동으로 무수한 문화재들이 파괴되는 가운데 수천 년 동안 내려온 남존여비 사상도 갈가리 찢겨져 나갔던 것이다. 비공(批孔: 공자를 비판함)이 문화대혁명의 깃발의 하나였으니 더 말할 것이 무엇인가. 공자는 한나라를 세운 유방이 황제로서 최초로 제사를 모시기 시작해서 그 후로 장장 2,200년 동안 나라와 왕조가 바뀌어도 모든 황제들이 제사를 지냈던 것이다. 그런 거대한 존재인 공자가 엎어지는 판에 기죽은 남자들이 무엇을 할 수 있었겠는가. 하늘 높은 줄 모르고 치솟고 땅 넓은 줄 모르고 비대해지는 여권을 속절없이 바라보기만 해야 했다.

원래 '남자'라는 글자의 뜻은 두 개의 글자가 합쳐져 이루어진 것이었다. '밭 전(田)' 자에 '힘 력(力)' 자가 합쳐져 '밭에서 힘 쓰는 일을 하는 존재'가 남자였다. 밭에서 힘을 썼으니 그 존재는 집에서는 어떻게 해야 하는가. 노동 법칙 1호, '휴식 없는 노동은 없다'는 철칙에 따라 당연히 휴식을 취해야 한다. 그리고 가사노동은 여자가 하는 것이다. 이것이 자연의 순리에 따른 역할 분담이고, 업무 분업이었다. 그런데 마오에 의해 그 순리의 법이 파괴되어 버렸으니 중국남자들의 역할은 완전히 바뀌어버렸다. 그렇다면 뜻글자인 중국의 '사내 남(男)' 자도 당연히 바뀌어야 할 것이다.

중국은 뜻글자라서 시대의 변화에 따라 새것이 나타나면 그 뜻에 맞는 새 글자를 만들어내야 한다. 근년에 만들어진 대표적인 새 글자가 '카드 카(卡)' 자였다. 모든 카드는 위에서부터 아래로 긁어내리니까 '윗 상(上)' 자와 '아래 하(下)' 자를 붙여 '카드 카'라고 이름 붙인 것이다. 그런 식으로 '남(男)' 자도 바꾸어야만 그 뜻이 바르게 될 게 아닌가.

농업사회에서 산업사회로 바뀌고 있으니 옛날의 일터인 밭이 현대의 회사나 공장 등으로 바뀐 것은 일터의 동일함으로 같은 뜻이라 할 수 있다. 문제는 집안일까지 도맡고 있다는 데 있다. 뜻글자이니까 그 뜻이 분명히 첨가되어야 한다. '카드 카' 식으로 하자면 두 가지 방법이 있다. 먼저 '여자 아래 짓눌려 산다'는 뜻으로 '남' 자 위에 '여' 자를 올리는 것이다. 그럼 그 글자 모양은 이렇게 '㚼' 될 것이다. 그 다음은 '집안일까지 다 도맡아 한다'는 뜻을 살려 '남' 자 위에 '집 가(家)' 자의 갓을 씌워주면 그 글자 모양은 이렇게 '𡧱' 될 것이다. 무릇 언어라고 하는 것은 그 대상의 의미를 바르고 정확하게 표현해야 하는 것이 절대적 목적이니만큼 '남' 자를 필히 바꾸어야 함은 중국 정부가 해야 할 중대 업무 중의 하나가 아닐런가.

송재형은 같은 유학생 친구들한테 심심찮게 놀림을 당하곤 했다.

"너 집안일 몽땅 다 해주고 살 각오를 한 거야? 대단하셔, 그 용기."

"야, 야, 얼굴 좀 반반하다고 뽕 가지 마라. 얼굴은 10년이면 주름 잡히기 시작하는데 노예생활은 평생이다."

"야, 너 빨리 요리학원에 등록 안 하고 뭐하고 있어. 청소나 빨래는 기계가 도와주지만 음식은 순전히 사람 손으로 해야 되잖아."

"야, 중국여자 그건 뭐가 다르던? 금테 둘렀어, 은테 둘렀어?"

이런 놀림을 당할 때면 태연한 척 받아넘기고는 했다. 그러나 그들의 말은 꼭 농담만은 아니었다. 한국남자에게는 심각한 현실이 될 수 있는 문제였다. 가만히 생각해 보면 은근히 걱정이 되기도 했다. 밥하고, 빨래하고, 청소까지 하며 살 자신이 없었다. 아니 그렇게 살고 싶지 않았다. 그럼 리옌링과 그만둬야 하는가? 아, 그건 절대 안 될 일이었다. 그렇다고 리옌링한테 그런 일을 다 하고 살겠다고 확답을 받을 수도 없는 노릇이었다. 사소한 것 같으면서도 아주 중대한 문제일 수 있었다. 방법은 딱 하나, 자신이 돈을 많이 벌어 평생 파출부를 쓰면 쉽게 해결될 문제였다. 허나 중국사를 전공해서 무슨 수로 돈을 많이 벌지? 이것 또한 난망한 문제였다.

차에서 내리자 이런 생각들을 다 털어버리고 송재형은 리옌링의 오피스텔로 달려갔다. 벨을 아무리 눌러도 오피스텔 문은 열리지 않았다. 아직까지 광둥에서 올라오지 않았다면 리옌링에게 무슨 일이 생긴 게 분명했다. 송재형은 습관적으로 핸드폰을 꺼냈지만 멈칫하며 자판을 누르지 못했다. 방학 동안에 서로 집에 있을 때는 전화를 하지 않기로 약속했던 것이다.

리옌링은 다음 날도 올라오지 않았다. 무슨 일일까……, 어디가 아픈 것일까……, 아주 건강했는데……. 송재형은 수십 번도 더 핸드폰을 꺼냈다 넣었다 했다. 그 다음 날도 리옌링은 올라오지 않았다. 무슨 탈이 나도 크게 난 게 분명했다. 병이 아니라 교통사고가 난 것일까……, 불안감이 자꾸만 커지면서 사실로 굳어지는 느낌에 송재형은 안절부절못했다. 밥맛이 떨어져 밥이 넘어가지 않았다. 시간을 보내려고 책을 펼쳐도 불길한 생각만 자꾸 겹쳐질 뿐 책은 한 줄도 읽혀지지 않았다. 초조하고 우울해서 냉수만 마시고 또 마셨다.

그런데 같은 유학생 친구 이남근이 찾아왔다.

"야 재형아, 나 좀 도와주라. 큰일 났다."

이남근은 방에 들어서며 다급하게 말했다.

"뭐가 그리 급해?"

송재형은 마뜩잖게 대꾸했다.

"야 우리 작은아버지 있잖냐, 또 공안에 때 들어갔다니까. 빨리 면회 오라고 1분마다 전화해서 핸드폰에 불난다. 어쩌냐, 내가 술 화끈 빽적하게 쏠 테니까 빨랑 같이 좀 가자."

얼굴이 역삼각형인 이남근이 비는 시늉을 하며 송재형의 비위를 맞추었다.

"야 이남근!" 송재형은 버럭 소리치다 말고 푹 웃음을 터치고는, "너 제발 중국말 좀 빨리 배워라. 언제까지 이럴 건데?" 성질을 내는 척 눈꼬리를 세웠다.

"새끼, 너 또 그 생각 했지?"

이남근이 송재형을 주먹으로 갈기는 시늉을 했다.

"야, 그게 어디 내 잘못이냐. 니 이름 잘못이지. 니 이름 보고 웃지 않으면 그게 어디 정상적인 사람이냐."

송재형은 이남근의 이름을 부를 때마다 어김없이 그 말이 떠오르며 웃음이 터지는 것이었다.

"이남근, 크으, 그 이름 한번 기막히네. 이자지라는 뜻이잖아. 아니야, 애들 거나 자지지 털 난 다음부터는 한 급 승격해서 좆이 되는 거잖아. 이 이름 가지고 꼭 해야 할 직업이 한 가지 있어. 행정과는 안 맞고, 정치해야 돼, 정치! 이 이름 가지고 국회의원 출마해 봐. 여성표는 완전 몰표지. 죽을 때까지 국회의원 해먹을 수 있는 기막힌 이름 아니냐." 유학생 하나가 초면이면서도 제 기분대로 입을 놀렸고, "이새끼, 아가리 좆같이 놀리고 지랄이야." 이남근이 이 외침과 함께 상대방의 얼굴을 내갈겼다.

분통 터져 폭발한 힘이 얼마나 무서웠던지 상대방의 코뼈는 와장창 무너져 내리고 말았다. 이남근은 어찌할 수 없이 치료비를 보내달라고 집에 편지를 보내지 않을 수 없었다.

그런데 금세 도착한 그의 아버지의 답장이 주변 사람들 모두를 감동시키고 말았다.

'장하다 내 아들'로 시작되는 편지는 아버지의 분노를 애써 누르려 하면서 아들의 행동에 아버지의 사랑을 듬뿍 담아 지지하고 있었다. 그리고 묘하게 이야기를 뒤틀어 다음부터는 아들이 더 강한 보복을 하도록 충동질하고 있는 듯해서 웃음까지 자아내게 했다.

장하다 내 아들!

너의 편지를 받고 이 애비는 가슴 철렁하게 놀랐다. 우선 그런 뜻밖의 불상사가 일어난 것이 유감스럽구나. 그런 속 뒤집히는 일을 당해서 니가 센 기를 내뿜어 상대방의 기를 꺾었으면 좋았을 텐데 그렇게 안 되어 아쉽다. 허나 너를 무시하고 놀리는 못된 놈에게 일격을 가해 꼼짝 못하게 제압해 버린 것은 정말 사나이다운 용맹이고, 이 애비는 자식 키운 보람을 크게 느낀다.

장한 내 아들 男勤아! 너의 이름은 이 세상에서 제일 좋은 이름이다. '근면한 남자', 이보다 더 좋은 이름이 어디 있겠느냐. 이 좋은 이름을 더럽힌 놈에게 한 방만 먹여 코뼈 정도 부러뜨리고 끝난 너의 인내심을 생각하며 이 애비는 니가 정말 장하다는 것을 재삼 느낀다. 이 애비가 그런 일을 당했다면 어찌했을까. 아마 격분을 참지 못해 갈비뼈까지 서너 대 부러뜨리고 말았을 것 같다. 아니다. 많은 사람들 앞에서 그런 모독을 하고 망신을 시켰으니 불알을 걷어차 터쳐버렸을지도 모른다.

장한 내 아들아!

치료비는 아무 걱정 말아라. 바로 보낸다. 돈 벌어서 어디다 쓸 것이냐. 앞으로도 그런 놈들이 나타나면 절대 용서하지 말아라. 애비는 너를 믿는다.

이남근은 마치 시위를 하거나 공갈 협박을 하듯이 자기 아버지 편지를 주위 사람들에게 돌려 읽혔다. 그 편지의 효과는 엄청났다. 유학생들은 모두 약속이나 한 듯이 그를 놀리지 않게 된 것이다. 그도 그럴 것이 불알이 두 개뿐인데 터져버리면 어쩔 것인가. 장가도 가보지 못하고 고자가 되어버리는 것 아닌가. 황제나 임금이 계시는 시절이라면 궁중에 들어가 환관 노릇이라도 하련만 요새 세상에서야 그보다 더 쓸모없는 인간쓰레기가 어디 있을 것인가. 그의 아버지는 아버지 노릇 톡톡히 한 셈이었다.

그런데 이남근은 어느 날 이런 뚱한 소리를 했다.

"내 이름 보고 우습다는 놈들은 정말 웃기는 놈들이야. 내 이름보다 더 웃기는 이름들이 얼마나 많은데. 이성기, 한성교, 임신행, 진세균, 구충제, 오세탁, 공무원, 진중독, 이병원, 그리고 여잔데 이교미도, 김난자도 있어. 무식한 새끼들이 괜히 알지도 못하면서."

이남근은 마치 우스운 이름 연구자 같았다.

'야 임마, 그래도 네 이름보다는 덜 웃긴다.' 한마디 공박을 해줄까 하다가 불알 걷어채어 인생 종 칠까 봐 송재형은 입을 꾹 다물었었다.

"난 정말 중국말 배우기 싫어 미치겠어. 그 획수 많은 글자들을 보고 있으면 머리에 쥐 난다니까, 쥐 나."

이남근은 머리를 감싸 잡으며 부르르 떨었다.

그의 심한 몸떨림이 엄살도 과장도 아니라는 것을 송재형은 잘 알고 있었다. 죽어라고 수학을 못하는 애들이 있고, 죽어라고 영어를 싫어하는 애들이 있듯이 중국말에 경기를 일으키다시피 하는 애들이 적잖았다. 그들은 하루빨리 중국을 떠나야 하는데 부모들이 무서워 그러지를 못한 채 끙끙 몸살을 앓으며 아까운 돈도 버리고 허송세월도 하고 그랬다. 미국 유학을 가서도 10년 공부 빈털터리로 돌아오는 경우가 숱한 것과 다를 것이 없었다.

이남근의 작은아버지는 전에 그랬던 것처럼 공안 유치장에 갇혀 있었다. 송재형은 이남근 대신 나서서 면회 신청을 했다. 공안원 옆에 바짝 붙어선 이남근은 아주 잽싸게 공안의 손에 돈을 쥐어주었다. 말은 안 통해도 행동은 기민했다. 그 일은 한두 번 해본 것이 아니기도 했다.

"야 이놈아, 빨리 오래니까 왜 인제 와!"

이남근의 작은아버지는 면회실로 들어서자마자 여기가 중국이라는 것을 확인시키기라도 하는 듯이 냅다 소리를 질러댔다.

"아 작은아버지는 지루할지 몰라도 전 최고로 빨리 온 거라구요."

이남근도 작은아버지 목소리에 맞서기라도 하듯이 들입다 소리를 질러댔다. 작은아버지 조카 사이가 아니라 마치 친구 사이 같았다.

"안녕하세요. 송재형입니다."

송재형은 꾸벅 인사를 했다.

"응, 그래." 그는 건성으로 인사를 받고는, "야 이놈아, 세월은 가는데 아직까지도 친구 신세를 져야 해!" 또 조카를 향해 소리를 질렀다.

"예, 십 년 백 년 가도 나 중국말 하긴 글렀으니 기대하지 마세요. 괜히 나한테 시비 걸지 말고 빨리 용건이나 말하세요."

이남근이 버릇없다 싶게 내쏘았다.

"망할 자식, 아까운 돈 없애가면서……." 그는 조카를 노려보며 입을 앙다물고는, "빨랑 가서 돈 찾아와. 2만 위안" 하며 양복 속주머니에서 통장과 도장을 꺼냈다.

"2만 위안이나요? 지난번보다 두 배나 더 올랐잖아요."

이남근이 성깔을 부렸다.

"야 이놈아, 당연히 오르지. 중벌죄라는 거 몰라, 중벌죄. 무식한 놈 같으니라구. 당장 갔다 와. 까짓 2만 위안, 내 벌이에 비하면 아무것도 아니니까."

"예에, 작은아버지나 많이 유식하세요."

이남근이 비아냥거리며 통장과 도장을 받아 들었다.

"야, 벌금 내면 오늘 바로 나갈 수 있느냐고 좀 물어봐 줄래?"

면회실에서 나온 이남근이 송재형에게 말했다.

"그래도 걱정은 되나 보네. 근데 너, 작은아버지한테 너무 버릇없이 구는 거 아니니?"

송재형이 이남근에게 눈총을 쏘았다.

"야, 생각 좀 해봐라. 내가 열 안 받게 생겼는지. 중국까지 와서 짝퉁 제조업자 하면서 이렇게 뺀질나게 공안에 들락거리니 내가 얼마나 쪽팔리냐. 창피해서 사람 미치겠다. 그리고 날 이놈의 징글징글한 지옥으로 끌어온 저승사자가 누군 줄 알겠지?"

이남근이 카악 소리 드높게 가래를 돋우어 기세 좋게 탁 내뱉었다. 중국말은 안 배우고 그런 좋은 것만 배운 것이었다.

"저어, 벌금 가져오면 바로 내보내주는 겁니까?"

송재형은 아까 그 공안원에게 물었다.

"그럼. 빨리 가져올수록 빨리 나가지. 여기도 비좁으니까."

돈맛에 취해 있는 공안이 아주 부드러운 웃음까지 피워내며 친절하게 말했다.

"응, 빠를수록 좋대." 송재형이 말해 주었고, "어이구 이 쓰팔놈들, 돈질을 하면 안 되는 게 없으니 원. 세상에 이새끼들처럼 돈에 환장한 놈들도 없을 거야." 이남근이 또 침을 내뱉었다. "병신, 새삼스럽게 무슨 소리야? 세상에 돈 싫어하는 인간이 어딨냐. 싫어한다면 그게 정신병자지. 돈만 있으면 염라대왕 문서도 고치고, 처녀 불알도 사는데. 나도 이 세상에서 젤 좋은 게 돈이더라. 넌 안 그래?" 송재형이 이남근을 빤히 쳐다보았고, "아새끼 참, 되게 잘난 척해서 사람 말 막히게 만드네. 그래 니 똥 굵다." 이남근이 가운뎃손가락을 세워 서양식 욕을 하고는 택시를 잡았다.

"우와, 이게 도대체 얼만 거야?"

택시에 자리 잡은 이남근이 저금통장을 펼쳐 보고는 눈이 휘둥그레졌다.

"얼만데?" 저금통장으로 눈길을 돌린 송재형은, "가만있어 봐. 이거 35만 6천 위안이잖아!" 그도 눈이 휘둥그레지며 목소리가 커졌다.

"그럼 이게 우리 대한민국 돈으로 얼만 거냐?" 이남근이 송재형을 쳐다보았고, "응, 1위안에 180원 잡고, 그러니까 이거……, 대강 6천 5백만 원이야. 히야, 부럽네." 그는 단 입맛을 다셨다.

"체, 이러니까 이 양반이 날 부른 거야. 공장에 통역하는 조선족 아가씨가 있는데도." 이남근이 혀를 차며 쓰게 웃었고, "당연하지. 통장과 도장을 함께 맡기는 건 도둑놈 앞에 금덩어리 내놓는 거나 마찬가지잖아. 견물생심이라고 이 정도 돈이면 나라도 딴마음 먹을 수 있겠는걸, 뭐." 송재형이 정색을 하고 말했고, "맞아, 조선족 아가씨가 이 돈 가지고 날라버리면 한밑천 톡톡히 잡는 거겠지. 그런 식으로 당한 우리나라 중소기업 사장님들 수두룩하다고 했잖아." 이남근이 통장의 숫자를 다시 세어보느라고 고개를 까딱까딱하고 있었고, "근데 말야, 짝퉁 명품 가방 만들어가지고도 이렇게 큰돈을 저

금할 수 있는 모양이지?" 송재형은 믿기지 않는 일이라는 듯 고개를 갸웃거렸다.

저금통장을 들여다보며 한동안 말이 없던 이남근이, "아니야, 그전에도 가끔 그런 생각을 했었는데, 통장은 이것 말고 또 있을지도 몰라. 이보다 돈이 더 많이 든 게." 혼잣말하듯 했고, "설마……, 현찰이 그렇게나 많이……." 그건 말이 안 된다는 듯 송재형이 고개를 저었고, "야, 너 우리 작은아버지를 몰라서 그래. 무지무지한 깍쟁이에, 아무도 속을 모르는 알부자야. 우리 작은어머니도 전 재산이 얼만지 모를 정도라구." 이남근이 통장을 주머니에 넣으며 쓴 입맛을 다셨고, "그래도 네가 있었기에 천만다행이다." 송재형이 픽 웃었고, "우리 작은아버지한테서 쓸 만한 건 딱 한 가지뿐이야. 손재주 기발난 것. 그걸 웃기게 써먹어서 탈이지만 말야" 하며 쓴 입맛을 더 세게 다셨고, "그래, 중국까지 나오신 걸 보면 손재주가 좋긴 아주 좋으신 모양이지?" 하고 송재형이 물었다.

엉덩이를 빼고 앉아 있던 이남근이 상체를 벌떡 일으켜 똑바로 앉더니, "아이고, 손재주에 대해선 말도 마. 대한민국에서 아니, 전 세계에서 당할 사람이 없을 거야, 아마. 미싱으로 하는 일은 무엇이든지 완전 귀신 붙은 신기야, 신기. 명품 핸드백 짝퉁을 진짜보다 더 진짜처럼 만들어버리는 걸 보면 기가 막혀 말이 안 나와. 우리 작은아버지 프라이드가 뭔지 아냐? 프랑스 이태리 명품 회사 감식원들이 자기가 만든 짝퉁을 진짜와 구별해 내지 못했다는 거야. 근데 그것만이 아니라 미싱 자수로 꽃 그려내고 글씨 써내고 하는 것하며, 그 재주 이렇게 써먹기는 증말 아깝다구" 하며 그는 한바탕 작은아버지 선전에 거품을 물었다.

돈을 찾아다가 이남근의 작은아버지에게 건넸고, 이남근의 작은아버지는 곧 풀려났다.

"무슨 벌금을 그렇게 많이 물려요. 전보다 두 배나 많게."

이남근이 공안을 나서며 투덜거렸다.

"야 이놈아, 물가 오르는 걸 봐라. 벌금 안 오르게 생겼나."

그의 작은아버지가 중국식 목청으로 내질렀다.

"하이고, 자린고비 우리 작은아버지가 웬일이시래. 2만 위안씩이나 뜯기고도 저리 이해심 깊게 말씀하시니."

이남근이 어이없다는 듯 헛웃음을 흘렸다.

"야 이놈아, 모르면 얌전히 입 닥치고 있어. 벌금은 1만 5천이고 나머지는 즈네놈들이 분빠이해 처먹는 거야. 그러니까 이렇게 쉽게 풀려나는 거고. 니놈도 세상 돌아가는 이런 속을 어서어서 배워둬라."

"아이고 작은아버지, 그 일본말 좀 쓰지 마시라니까요. 분빠이가 뭐예요, 분빠이가. 분배라는 말이 생각 안 나면 그냥 나눠먹는다고 하면 되잖아요."

이남근이 송재형의 눈치를 힐끗 살피며 창피하다는 기색으로 말했다.

"야 이놈아, 이 작은애비가 배운 것 없이 열여덟 살부터 미싱 돌려대기 시작하면서 입에 달라붙은 말들이 그런 건데 날 보고 어쩌라는 거냐! 안 그러냐?"

이남근의 작은아버지는 느닷없이 송재형 쪽으로 얼굴을 휙 돌리며 물었다. 그는 눈치 빠르게도 조카놈이 제 친구한테 창피함을 느끼고 있다는 것을 알아채고 있었던 것이다.

"아 예, 괜찮아요, 작은아버지. 그런 건 아무 문제도 안 돼요."

송재형은 얼떨결에 대답했다.

"봐라 이놈아. 뭘 창피해하고 그래." 그는 콧구멍이라도 쑤실 듯이 조카에게 거칠게 삿대질을 하고는, "흐음……, 제대로 배워먹은 집안 자식이로군." 혼잣소리를 하며 고개를 끄덕끄덕했다. 그는 조카 친구가 자신을 작은아버지라고 불러준 것이 기분 흐뭇했던 것이다.

"어이구, 골 때려. 작은아버지는 그런 식으로 하는 게 진짜 문제예요. 작은아버지가 얼굴에 철판 깔고 그렇게 나오는데 그럼 젊은 사람이 뭐라고 하겠어요. 어쩔 수 없이 괜찮다고 하는 거지요. 작은아버지는 순 엉터리라구요."

"이놈아, 버르장머리 없이 함부로 말하지 말어." 그는 또 버럭 소리치고는, "야 이놈아, 나 배고프다. 어디 만둣집이나 빨리 찾아봐라" 하며 주위를 두리번거렸다.

"중국에서 만둣집이야 찾고 말고 할 게 뭐 있어요. 쩌기 있네요, 쩌기."

이남근이 방향을 바꿔 앞장섰다.

"작은아버지, 만두 시키기 전에 확실하게 말뚝 박을 말이 있어요." 자리에 앉자마자 이남근이 정색을 하고 말했고, "이놈아, 또 무슨 되잖은 소리 하려고?" 그의 작은아버지가 담뱃갑을 꺼내며 시큰둥하게 대꾸했고, "설마 이 만두로 우리 수고한 것 땜빵할 속셈은 아니겠지요?" 이남근은 제 작은아버지를 뚫어지게 쏘아보았고, "야 이놈아, 사람을 뭘로 알고 하는 소리야. 나도 그만한 체면이고 양심이 있는 사람이야." 그가 눈을 부라리듯 했고, "하이고 작은아버지, 딴말은 다 해도 그 체면이나 양심 같은 말은 절대 하지 마세요. 수십 년 동안 한국에서부터 명품 짝퉁 만들다가 중국까지 원정 와서 공안 출입 뻔질나게 하는 양반이 정말 무슨 양심으로 체면이고 양심 찾고 그래요 그래. 아이고 쪽팔려라." 이남근은 아무 거침없이 쏟아냈고, "요놈으 새끼를 그냥!" 그는 조카를 향해 주먹을 치켜들었다.

그런 작은아버지와 조카를 바라보며 송재형은 싱그레 웃고 있었다. 엉망진창 집안 같기도 했고, 정겨운 집안 같기도 했고, 종잡을 수는 없지만 그다지 나쁜 인상은 아니었던 것이다.

"내가 얘한테 술 화끈하게 사기로 했으니까 돈부터 내놓으세요."

이남근은 작은아버지 앞으로 손바닥을 내밀었다.

"야 임마, 너……."

송재형은 얼굴이 화끈 달아오르며 이남근의 허벅지를 쳤다.

"왜 그래. 넌 가만히 있어. 내가 말했잖아, 우리 작은아버지 지독한 노랑이라는 거. 이렇게 안 하면 돈 못 받아내."

이남근이 아주 태연하게 말했다.

"요런 도둑놈 봤나. 작은아버질 아주 쫄쫄히 망신시키기로 작정했구나."

"하이고, 큰 망신은 작은아버지가 직접 나서서 다 해놓구선 그까짓 게 무슨 망신이라구. 짝퉁 사장님 하면서 공안에 때 들어가는 것보다 더 큰 망신이 어디 있어요, 그래."

"시끄러, 이놈아! 그래, 얼마 줘?"

"양심적으로 줘보세요."

"100위안이면 되겠냐?"

"허, 이렇게 찌질하게 나올 줄 알았다니까."

이남근이 콧방귀를 뀌었다.

"야 임마, 너……."

송재형은 또 이남근의 허벅지를 쳤다.

"고얀 놈, 자아 200위안!"

그는 기세 좋게 돈을 조카 앞으로 내밀었다.

"아니 작은아버지, 택시를 몇 번씩 탔죠, 공안원에게 찔러줬죠, 수고했죠, 그런데 200위안? 이게 말이 돼요? 1천 위안씩, 2천 위안을 꼭 받아내야 되지만 오늘 공안한테 많이 뜯겼으니까 딱 봐드려서 500위안만 내세요. 이걸 깎으면 한 푼도 안 받을 거예요."

마치 무슨 장사 거래하듯이 이남근이 아주 야무지게 말을 해치웠다. 송재형은 민망해서 고개를 떨구고 앉아 있었다.

"옜다 먹어라, 이 도둑놈아!"

그는 돈을 조카에게 던지듯 해버렸다.

"작은아버지, 이거 이제 그만 집어치우는 게 어떠세요. 그만 귀국해서 작은어머니랑 편히 사시라구요."

이남근이 만두를 우물거리며 말했다.

"너 또 그 소리냐! 그따위 소리 다시는 하지 말랬잖아."

그는 만두를 씹다 말고 꿀떡 삼키고는 들입다 소리를 질렀다.

송재형은 아차 싶어 재빨리 주위를 둘러보았지만 이쪽에 눈길 돌리는 사람은 아무도 없었다. 이남근의 작은아버지는 중국에 살기 딱 알맞은 사람 같았다.

"한국에서부터 이렇게 사는 게 벌써 몇십 년인데, 이런 생활 이제 지겹지도 않으세요?"

이남근은 아까와는 달리 사뭇 진지한 태도로 말했다.

"이놈아, 사람 사는 게 뭔지 모르면 말을 말어. 직업이란 지겨운 게 없는 법이야. 허고, 한창 펄펄한 나이는 지났지만 아직 일할 힘 너끈히 남았는데 왜 일을 안 해. 나도 느네 할아버지가 장남인 느네 아버지 대학까지 공부시킨 것처럼 해주기만 했으면야 요런 짝퉁이나 만들어먹는 치사한 팔자가 되었겠냐. 느네 할아버지는 그 시절에 대개 그랬던 것처럼 장남만 대학을 보내고 나머지 여섯은, 남자는 고등학교, 여자는 중학교까지밖에는 못 가르쳤지. 막내인 나는 불쌍하다고 대학까지 보내주고 싶어 했지만 그때는 이미 느네 할아버지가 늙어서 돈벌이를 못하게 돼버린 거야. 나를 대학 공부만 시켰어봐라. 느네 아버지보다는 몇 배……."

"아이고 작은아버지, 그 얘기는 수천 번도 더 들었잖아요."

이남근이 말을 끊으며 신경질을 부렸다.

"알았다, 이놈아. 내가 포한이 되어 수만 번을 해도 속이 안 풀려. ……그리허고, 한국에서는 이 짓도 해먹기 드럽고 치사하지만 여기 중국은 참 이보다 더 좋은 천국이 없다, 암 천국이지."

그는 만족감을 만끽하듯 만두를 통째로 입으로 몰아넣었다.

"천국이요……?"

이남근은 만두를 씹다 말고 작은아버지를 쳐다보았다.

"그럼, 천국이지. 한국놈들은 마치 즈네들이 명품 나라 사람인 것처럼 진짜 열 내서 사람 잡아들이고 처벌하고 웃기지도 않게 놀지. 헌데 중국은 그 반대야. 먹고살기 힘든데 눈치껏 요령껏 해먹어라 하고 눈 딱 감아주고 있거든. 그러다가 명품 회사들이 저 윗선 여기저기를 들쑤시고 발광들을 해대면 체면치레하려고 몇 달에 한 번씩 단속하는 시늉만 하는 거지. 그리고 짝퉁 압수해다가 불 지르는 쑈도 해서 사진도 찍고 말야. 그러면서 벌금 받아 챙기고, 뒷돈도 받아 챙기고, 모두 누이 좋고 매부 좋고지. 그런 벌금 그거 다 합쳐봐야 우리가 벌어들이는 것에 비하면 새 발에 피가 아니라 모기 다리 피야. 허고 한국에 비해 여기 중국의 짝퉁시장이 얼마나 넓냐. 열 배? 에잉, 백 배, 천 배다. 이게 천국이 아니면 무엇이 천국이냐. 알아들어?"

그는 이런 생활을 지겨워하기는커녕 재미있어하는 것 같았다.

"그치만 짝퉁 만드는 사람들도 무지하게 많잖아요."

"에이 멍한 놈. 짝퉁 만든다고 다 똑같은 기술인 줄 아냐? 짝퉁에도 특 A급에서부터 D급까지 다섯 등급이 있고, 느네 작은 아버님께서 만드신 작품만 특 A급으로 대접받는다 그거다."

그는 조카의 친구 앞인데도 뻐기기를 서슴지 않았다.

"아니, 중국사람들한테 짝퉁 기술 가르쳐준 게 작은아버지잖아요. 근데 왜 그렇게 차이가 나요. 사기로 가르쳐준 거예요?"

"이놈아, 말조심해서 못해? 사기는 무슨 사기. 가르치기는 똑같이 가르쳐도 즈이놈들 손재주가 지각각인 거지. 그리고 말야, 부자지간에도 돈지갑은 안 보여주더라고, 기술이라는 것도 지아무리 부자지간이라도 최종 한두 가지 기술은 딱 꼬불쳐놓고 안 가르쳐주는 법이다. 한방 비방도, 음식 맛 비결도 죽을 임시에나 가르쳐주는 것이 정도다. 알아들어?"

"근데 그 등급을 어떻게 알아내요? 그냥 보기엔 다 그게 그건데."

"또 멍청한 소리. 이놈아, 주먹패들이 꼭 한판 붙어보고야 상대방 주먹 힘 알아보든? 그냥 딱 보고도 제까닥 감 잡는 거지. 우리 세계도 마찬가지야. 물건 떼가는 장사치들이 딱 보면 귀신같이 알아본다. 누구 물건인지. 그치들이 물건 만드는 재주는 없어도 물건 보는 재주 하나는 기똥차다."

"그건 그렇고요, 작은아버진 도대체 언제까지 중국에 이러고 있을 거예요?"

"언제까지긴 이놈아, 지금부터 알짜배기 장사가 시작되고 있는데. 거……, 거, 뭐지? 수출 말고……, 중국 안에서 사고파는 게 잘 된다는……. 그게 말야……." 그는 생각을 짜내느라고 잔뜩 인상을 쓰고 있었고, "내수시장이요?" 송재형이 말했다.

"그렇지, 그래. 바로 그거다! 너 참 똑똑하구나."

그는 무릎을 치고는, '야 이놈아, 넌 낮잠 자고 있냐' 하는 눈초리로 조카를 쏘아보았다.

"그 내수시장이 뱅글뱅글 잘 돌아가면 진짜로 내 세상 만나는 건데, 그런 천국 두고 여길 왜 떠? 그리고 날 바라보고 있는 다섯 아줌마들은 어쩌라고. 나 이래 봬도 애국자다. 한국에 있었으면 퇴물 취급당해 아무 일거리도 못 얻을 아주머니들 데려다가 고정 월급 받는 취직을 시켜줬잖아. 이게 바로 나라에서 해결하려고 애쓰는 고용 창출이 아니고 뭐냐. 그러니 내가 애국자냐 아니냐."

"하이고 참 무지막지한 애국자시네요. 작은아버지, 제발 그런 소리 그만 좀 하세요. 외국까지 나와서 나라 망신시키고 있으면서 애국은 무슨."

이남근이 거칠게 쏘아붙였다.

"야 이놈아, 너도 하는 꼴 보니까 공부는 애초에 글러먹었다. 너도 할아버지 자손이니까 죽세공 기막히게 잘하셨던 할아버지 손재주를 피내림 했을 것 아니냐. 그러니 안 될 공부 그만 접고 날 따라나서라. 그럼 내가 남들한테는 안 가르쳐주는 비술을 다 가르쳐줄 테니까. 그럼 앞으로 중국 시장에서 30년은 파먹을 수 있다. 중국에 앉아 있으면 중국만 시장이 아니라 한국, 필리핀, 인도네시아, 베트남, 태국, 그러니까 아시아 전체가 시장이거든. 여자들이 내 특 A급 구하려고 박 터지는 판이니까. 어떠냐?"

"아이고 작은아버지, 다시는 나한테 연락하지 마세요. 다음에 때 들어가서 연락해도 이젠 절대로 면회 안 가요. 야 송재형, 가자!"

이남근은 자리를 박차고 일어났다.

"저어……, 안녕히 계세요. 또 뵙겠습니다……."

송재형은 우물쭈물 인사를 하며 일어날 수밖에 없었다.

리옌링은 이틀이 더 지나 돌아왔다. 송재형이 또 오피스텔로 찾아갔을 때 그녀는 왈칵 안겨 오며 울음을 터뜨렸다.

"나 죽고 싶어."

그녀가 울음과 함께 토해 낸 말이었다.

"왜, 무슨 일 있어?"

송재형은 그녀를 끌어안으며 그녀가 변심한 것이 아니라는 사실에 우선 안도하고 있었다.

"집안에……, 우리 집안에 큰일이 생겼어."

말을 하고 보니 슬픔이 더 커지는지 그녀의 울음이 더 격해졌다.

"무슨 일이야, 어서 말해 봐."

더 심하게 떨리는 그녀의 몸을 더 꼭 껴안으며 '혹시 아버지가 무슨 일을 당했나' 하고 송재형은 생각했다.

"말 못해, 말 못해. 창피해서 말 못해."

그녀는 송재형의 가슴에 머리를 묻은 채 도리질을 했다.

"창피해……?"

송재형의 머릿속은 헝클어졌다. 무언가를 탐지해 내려고 곤두서 있던 그의 신경은 창피하다는 그녀의 말에 복잡하게 얽히고 말았다.

"너무 창피해. 아마 재형 씨는 이해 못할 거야. 한국에서는 벌어질 수 없는 일이니까."

"옌링, 아무 걱정하지 말고 뭐든 말해도 괜찮아. 난 옌링을 사랑하는데 옌링 집안에서 일어난 일을 이해 못할 게 뭐가 있어. 걱정 말고 어서 말해 봐."

송재형은 한 팔로는 그녀를 더 꼭 끌어안으며 다른 팔로는 그녀의 등을 다독거렸다.

"그 말……, 그 말……, 정말이야?"

송재형의 가슴을 밀어내며 그녀가 눈물 가득한 소리로 말했다. 송재형은 눈물에 젖은 그녀의 눈시울을 내려다보며 새로운 아름다움에 휘말려들고 있었다.

"그럼, 그럼, 내가 왜 거짓말을 해."

송재형은 고개까지 세게 끄덕였다.

"그래도 나 겁나. 실망해서 나 싫어하게 될까 봐."

"아니야, 절대 아니야. 무슨 일이 있어도 내 사랑은 변치 않아."

"믿어도 돼, 그 사랑?"

"옌링, 사랑해."

"사랑해……."

그들은 와락 끌어안으며 입술을 포갰다. 서로를 휘감는 체온과 체취에 취해 들며 깊은 입맞춤을 오래 나누었다. 긴 겨울방학 동안 그리워했던 만남이었다.

"우리 엄마가 죽게 생겼어."

리옌링이 자신의 바지로 내려오는 송재형의 손을 막아내며 불쑥 말했다.

"엄마가 왜?"

송재형은 불길에 찬물이 끼얹어지는 것을 느끼며 깜짝 놀랐다.

"갑자기 나, 동생이 둘이나 생겼어."

리옌링이 송재형을 밀어 의자에 앉히며 말했다.

"그게 도대체 무슨 소리들이야? 감정 가라앉히고 차근차근 말해 봐."

송재형이 리옌링의 손을 잡고 다른 손으로 손등을 토닥거려주었다.

울음을 추스르며 침대에 걸터앉은 리옌링이 말을 시작했다.

"그러니까……, 개혁개방 이후에 부자들이나 당 간부와 관리들이 줄줄이 얼나이 두는 게 중국의 신풍조인 건 재형 씨도 알지?"

"그야 누구나 다 아는 일이지."

"응, 개혁개방의 첫 경제특구 선전 가까이에 살고 있었던 우리 아버지는 누구보다도 빠르게 사업을 시작해 계속 돈을 잘 벌어서 큰 부자가 되었어. 돈이 많아지자 우리 아버지도 신풍조에 따라 얼나이를 두기 시작했어. 그걸 확실하게 알았던 것은 아니고, 그런 풍조가 생기니까 우리 엄마는 그저 짐작만 하고 모르는 척했어. 돈 잘 쓰는 것이 좋았고, 딴 부잣집 부인네들도 그러려니 하고 넘겼으니까. 나야 지금보다 훨씬 어렸으니까 그런 걸 알 리가 없었고. 그 사람들이 경쟁적으로 얼나이를 거느리는 건 뭐든지 과시하기 좋아하는 중국 사람들의 고질병 때문이야. 재산을 과시하고 싶고, 권력을 과시하고 싶고. 그런데 그 과시욕은 거기서 끝나지 않고 더 확대돼 나갔어. 특히 나처럼 딸 하나밖에 없는 집 남자들이 적극적으로 나섰어. 그들이 새롭게 도모하고 나선 건 아들 낳기야. 그건 개혁개방 이후에 국가에서 가장 강력하게 추진해 온 정책들 중에 하나인 계획생육(산아제한)을 정면으로 위반하는 행위였어. 그런데 돈 많고 권력 있는 그들은 벌금을 물어버렸기 때문에 불법을 합법으로 만들었어. 우리 엄마는 아빠가 그런 행위를 하는 줄 까맣게 모르고 있다가 무슨 일로 호적을 떼다 보니까 거기에 10살, 5살짜리 아들들이 올라 있었던 거야."

"저런, 저런. 엄마가 기절초풍을 하셨겠네."

송재형이 안타깝게 말했다.

"맞아, 정말 기절을 하셨어. 그런데 아빠가 뭐랬는지 알아? 계획생육이 시작되면서 오래전에 엄마가 딴 여자들처럼 불임수술을 해버렸기 때문에 어쩔 수 없었다는 거야. 그 치졸하고 뻔뻔스런 변명이 엄마를 더 분하게 만들었어. 근데 모든 게 들통 나자 아빠는 아주 배짱 좋게 나왔어. 자기는 돈도 많고 기업체도 많으니까 아들을 둘쯤 더 둘 수도 있다는 거야. 그리고 더 기막힌 것은 엄마한테 공갈협박을 치는 거였어. 괜히 이혼당하고 싶지 않으면 전처럼 그저 조용히 지내라는 거야. 그러니 엄마가 어떻게 되겠어. 분하고 원통해서 죽기 일보 직전인 거지."

"하 정말, 중국에서는 별일이 다 일어나네. 세계 어느 나라에서 이런 일이 있겠어. 그럼 엄마는 어떻게 되시는 거야?"

송재형은 리옌링이 울음을 터뜨릴 만한 일이었다고 생각하면서도 수습책은 아무것도 떠오르지 않았다.

"모르겠어, 나도 어찌해야 할지 모르겠어. 이혼하라고 할 수도 없고, 참고 살라고 할 수도 없고. 내가 엄마 입장이 돼서 생각해 보니 나는 죽음을 택할 것 같애."

"하이고, 독하네."

송재형은 과장되게 놀라는 표정을 지으며 혀까지 내밀었다.

"엄마만 문제가 아니라 나도 문제야."

"왜?"

"아빠한테 완전히 정이 떨어져버렸거든. 이번 학기부턴 등록금도 받기 싫으니 어째야 좋을지 몰라."

"글쎄, 그렇기도 하겠네. 근데 그 벌금이란 건 도대체 얼마를 물리는 거야?"

"그게 도시마다 성마다 조금씩 다른데, 우리 집은 규제가 심한 대도시라 아빠는 아마 최고로 많이 84만 위안 정도 낸 것 같애."

"와아, 그거 큰돈이네."

송재형은 암산으로 대충 1억 5천만 원이라고 계산하고 있었다.

"부호들한테는 그까짓 것 돈도 아니라서 서로 경쟁적으로 아들을 낳고 있는데, 그게 또 새로운 사회적 불만 요인이 되고 있는 게 문제야. 그렇게 못하는 가난한 사람들의 불평불만이 자꾸 커지고 있거든."

"응, 그거 그렇겠는데. 그런데 또 한 가지 문제가 있어. 그 얼나이들이 아들만 낳는 건 아니잖아. 딸을 낳으면 어떻게 하지?"

"그거야말로 아무 문제가 안 돼. 그대로 헤이하이쯔(黑孩子: 호적에 오르지 못한 여자 아이들)가 되고 마니까."

"그냥 그대로 유령인간이 된다? 그 수를 작년엔가 정부에서 1,300여만 명이라고 공식 발표했는데, 그게 맞을까? 소문으로는 1억에서 최대 4억까지라는 말도 떠돌던데."

"피이, 1,300여만? 그 통계를 낸 당사자들도 안 믿을걸."

리옌링이 입이 비틀리도록 쓴웃음을 지었다.

"그래, 그게 자랑일 게 없는 불리한 문제니까 10분의 1로 축소시켰다고 치면, 1억 3천만쯤으로 보면 되겠네?"

"그걸 누가 알겠어. 그냥 좋도록 생각해."

"중국은 정말 살아갈수록 뭐가 뭔지 모를 나라야. 통계를 그대로 믿어줘도 그렇지. 호적이 없는 유령인간이 1,300여만이라니, 몽골 인구가 280여만이고, 티베트 민족이 600여만이야. 참, 1,300여만이면 세계기록이라구."

"어쩌겠어. 애는 하나만 낳으라고 강압하고, 남아선호 사상은 뿌리 깊게 남아 있고. 아들을 낳을 때까지 딸들은 버림받아야지. 나도 이제 신세 처량하게 됐어."

"왜?"

"왜는? 전 재산이 내 것이었는데, 이젠 잘해야 3분의 1, 재수 없으면 5분의 1이 될지, 10분의 1이 될지 모르게 생겼잖아."

"괜찮아. 걱정하지 말고 빨리 점심 먹으러 가자. 벌써 오후 1시야."

정글 같은 인물

"왜 그 수술을 안 하려고 하는 거지요?"

샹신원은 웃으며 말했다. 그러나 그 얼굴에는 기분 나쁜 기색이 드러나고 있었다.

"예, 위험도가 크기 때문입니다."

서하원이 무표정하게 대답했다. 전대광은 언짢은 기분을 내색하지 않으려고 애쓰며 그 말을 통역했다. 서하원은 중국말이 많이 늘었지만 직접 대화하기에는 아직 좀 부족했다.

"위험도가 크다? 수술은 어느 수술이나 다 조금씩 위험한 것 아니오?"

샹신원이 미간을 찌푸리며 술잔을 단숨에 비웠다. 기분 나쁘다는 표시를 좀 더 강하게 하는 것이었다.

"그건 여러 가지 후유증이 너무 많고, 잘못하면 목숨을 잃을 수도 있습니다."

서하원의 얼굴에 언뜻 그늘이 스쳐갔다.

"그래도 한국에서는 잘만 하고 있잖소."

샹신원의 어조는 취조하는 것 같은 관리 스타일로 차츰 바뀌고 있었다.

"사고가 빈발하고, 병원에 타격이 커서 많이들 피하고 있습니다."

"글쎄, 기술만 좋으면 되는 거지 무슨 큰 문제 있겠어요. 서 박사는 특급이라고 했잖아요."

샹신원이 이렇게 밀어붙이며 전대광에게 눈짓을 했다. 전대광은 술맛이 하나도 없었고, 그 어떤 상담 때보다도 기분이 빽빽했다. 샹신원은 자기편을 들라고 하고 있지만 전대광은 아무 편도 들고 싶지가 않았다.

"그 수술의 의료 수가가 다른 수술들에 비해 엄청나게 높다 하더라도 저는 의학적으로 그 수술에 대해 회의하는 입장입니다. 그 수술은 쌍꺼풀이나 코수술과 달리 미용용으로 써서는 안 된다는 입장입니다. 그 수술은 불가피한 신체 불구를 치료하기 위해서 위험을 무릅쓰는 수술이고, 근본적으로 파괴해서는 안 되는 뼈를 단순히 미용을 위해서 깎아내는 행위는 올바른 의료행위가 아니라고 생각하기 때문입니다."

서하원의 말은 논리적으로 빈틈이 없는 만큼 단호했다.

전대광은 똑바로 통역하려고 신경을 집중했다. 말이 어렵기도 했고, 서하원이 결정타를 먹이는 말이기 때문이었다.

"자신이 없는 건 아니고요?"

전대광은 '아아……' 속으로 신음했다. 샹신원은 결국 해서는 안 되는 야비한 말을 내뱉었고, 자신은 그 말을 통역해야 하는 신세였다. 샹신원은 돈에 정신이 팔려 있었다. 자기가 병원을 경영하는 것도 아니면서 왜 그리 심한 말을 하는지 야속했다.

서하원은 눈을 감았다가 떴다. 그 짧은 시간에 그 지긋지긋했던 악몽이 초고속 화면들로 지나갔다.

"예, 아무렇게나 생각해도 좋습니다. 한 가지 분명한 것은 저는 의사의 양심상 회의스러운 의료행위를 할 수 없고, 억지로 의료행위를 하다가 불의의 사고가 발생하여 타국인 중국에서 감옥살이를 하고 싶지는 않습니다. 제가 마음에 안 드시는 모양인데, 그럼 딴 의사를 구하시지요."

전대광은 속으로 무릎을 치며 환호성을 올렸다. 어딘가 대가 약해 보이는 서하원이 그렇게 당찬 소리를 할 줄이야! 역시 실력이 특급인 의사라 결기도 세구나……, 전대광은 자기가 스트레이트 펀치를 날린 것처럼 통쾌한 기분으로 자르륵 통역을 해나갔다.

"예에……? 딴, 딴 의사를 구하라고요?" 샹신원은 화들짝 놀라더니, "아……, 난 그런 뜻이 아니고……, 돈이 10배 이상 벌리는데 그걸 안 하면 아깝지 않느냐 해서 한 말일 뿐이고……, 그게 그렇게……, 감옥에 갈 정도로 위험한 거라면 당연히 하지 말아야지요. 예, 오해하지 말아요." 그는 어지러울 정도로 손짓까지 해가며 자기의 말실수를 수습하느라고 허둥지둥 정신이 없었다. 그리고 전대광에게 자꾸 눈짓을 해댔다. 일은 자기가 저질러놓고 수습은 전대광에게 떠넘기는 판이었다.

"서 박사님, 하나도 신경 쓰지 마세요. 이 사람들 돈독이 들어서 그런 것뿐이에요. 이 사람들 돈이야 하면 무슨 짓이든지 다 하는 것 잘 아시잖아요. 이 친구 서 박사님이 관두실까 봐 잔뜩 겁먹은 거 보셨잖아요. 다시는 그따위 소리 못할 테니까 박사님도 깨끗이 다 잊어버리세요."

전대광은 서하원의 팔까지 잡고 흔들며 말했다.

"예, 다시는 그런 소리 못하게 못 박아주세요."

서하원은 속으로 깊은 안도의 숨을 내쉬었다. 우리 병원에서도 양악수술을 하자는 말을 들었을 때 얼마나 당혹스러웠던가.

"다시는 그런 말 안 한다면 없었던 일로 다 잊어버리겠다고 합니다." 전대광이 말했고, "그럼, 그럼. 다시는 그런 말 안 해요. 절대 안 해요." 샹신원이 서하원을 쳐다보며 고개까지 저어댔다. 서하원도 샹신원을 쳐다보며 고개를 끄덕이는 것으로 일을 매듭지었다.

"우리는 라오펑유요. 자아, 간베이 합시다!"

샹신원이 술잔을 높이 들었다.

"간베이!"

그들은 합창하며 잔을 부딪쳤다.

술자리가 끝나고 으레 그랬듯 전대광과 서하원은 같은 택시를 탔다.

"어디 가서 커피나 한잔 하실까요?"

서하원이 먼저 말을 꺼냈다.

"예, 그러지요."

뭔가 찜찜한 서하원의 기분을 생각해서 전대광은 흔쾌하게 대답했다.

서하원의 오피스텔 가까운 데서 차를 내려 고개를 한 바퀴 돌리기도 전에 스타벅스는 눈에 잡혔다. 코카콜라, 맥도날드, KFC에 이어 네 번째 미국의 식품 자본인 스타벅스는 장마철에 잡초 번식하듯 왕성한 기세로 퍼져나가고 있었다. 커피의 중독성은 마약을 뺨치고 있었다.

"샹신원은 좀 이상하지 않아요?"

커피컵을 들며 서하원은 바로 샹신원 얘기를 꺼냈다.

"글쎄요, 너무 기분 나쁘게 생각하지 마세요. 자기 친척이 부탁하니까 어쩔 수 없이 말을 꺼낼 수밖에 없었겠죠."

전대광은 중간자의 입장이 아니라 전적으로 서하원을 위로하고 싶은 마음으로 이렇게 말했다. 가족과 떨어져 지내는 그가 언제나 딱했던 것이다.

"글쎄요, 샹신원을 좋게만 생각하지 마시고, 상사원인 전 부장님의 빠른 눈치를 동원해서 다시 한 번 생각해 보세요. 샹신원이 병원 경영에 개입되어 있는 것 같지 않으세요?"

서하원이 의심 가득한 눈길로 전대광을 빤히 쳐다보았다.

"글쎄요……, 말을 듣고 보니 그럴 수도 있겠다 싶은데……, 내 생각은……, 안 그럴 것 같다 하는 쪽인데요. 왜냐하면 샹신원의 직책상 신경 써야 하는 일이 너무 많고, 그런 데까지 개입하지 않아도 될 만큼 돈도 많거든요."

전대광은 신중을 기해 말하려고 했지만 말을 하다가 보니 너무 그를 편드는 것처럼 되어버린 것을 느꼈다.

"예, 전 부장님 생각이 그러면 그게 맞겠지요. 내가 너무 신경과민일 수 있어요." 서하원이 금방 수긍하며 고개를 끄덕였고, "아니, 내 말이 꼭 맞지 않을 수도 있어요. 나는 멀리 떨어져 있는 타인일 뿐이니까 박사님이 계속 관심 써가며 살펴보세요. 그가 경영에 개입돼 있어도 별문제는 아니겠지만……."

전대광은 자신의 말도 미심쩍어 그렇게 말했다.

"아닙니다. 친척을 적극적으로 돕는 샹신원을 이상하다고 색안경 쓰고 보는 내가 잘못일 수 있어요. 친척을 돕는 건 좋은 일인데 말이죠."

서하원은 의심스러움이 가신 얼굴로 말했다.

"꼭 그렇지는 않지요. 친척을 돕는 건 좋지만 샹신원의 언행이 지나쳐 박사님을 간섭하거나 압박하는 것처럼 느껴지면 그건 기분 나쁘고 심한 스트레스가 될 수 있죠. 오늘 그런 느낌을 분명히 받았거든요. 박사님이 오늘 참 대응을 잘 하셨어요."

"글쎄요, 돈이 뭔지……."

서하원의 얼굴에 한없이 쓸쓸한 웃음이 어렸다. 이국의 땅에서 고단한 삶에 지친 한 사나이의 고적한 모습을 전대광은 물끄러미 바라보고 있었다. 산다는 것은 무엇인가……, 이 고달픈 길은 왜 이리도 외롭기까지 한가……, 삶의 길목길목에서 문득문득 밀려왔다가 사라지곤 하는 우수가 또 파장을 이루고 있었다. 서하원의 모습은 어느 때의 자신의 모습이기도 했다.

"참, 중국인 의사는 솜씨가 어떻습니까? 기술이 많이 늘었습니까?"

전대광이 문득 생각난 듯 물었다.

"글쎄요……. 전공이 달라서 그런지 어떤지……, 그저 그렇습니다."

"솜씨가 없는 겁니까?"

"글쎄요, 솜씨가 좋아지려면 관심이 있어야 하는데, 그 사람은 관심 자체가 부족한 것 같아서……."

"아, 그것 참 잘됐습니다. 그 사람이 기술 빨리 습득하려고 수술할 때마다 눈 부릅뜨고 덤비면 그것 참 곤란한 일이지요. 진작 물어보고 싶었는데……, 잘됐습니다. 일단 안심입니다."

전대광은 커피를 맛있게 한 모금 마셨다.

"무슨 말씀이신지……?"

서하원은 술기운 젖은 눈으로 전대광을 건너다보았다.

"예, 다름이 아니라 기술 노하우에 관한 문젠데, 결론부터 말하면 기술은 될 수 있는 대로 천천히 가르쳐줘라 하는 말을 하고 싶었던 거지요. 기술 다 배워버리면 그때는 가차 없이 내쳐버리는 게 세상인심이거든요. 근데 박사님은 그런 신경 쓸 필요가 없으니 참 다행이다 싶은 거지요."

전대광은 홀가분한 기분으로 말했다.

"그런 일이 많은가요?"

서하원은 순진한 눈길로 눈을 껌벅거렸다.

"예, 그런 일이야 기업사회에서는 비일비재하죠. 특히 기술 분야에서는 인정사정없이 잔혹하고 매몰차지요. 기술이 필요

해서 맞이할 때는 신줏단지 모시듯 하다가 기술 다 빼먹으면 그 순간에 인상 싹 바꾸고 쓰레기 취급해 버립니다. 그런데 기술 분야만이 아니에요. 소프트웨어 쪽에서도 똑같은 일이 벌어지고 있어요. 2~3년 전에 있었던 일이지요. 중국은 그동안 하드웨어는 거의 다 갖췄는데 소프트웨어가 많이 약한 상태거든요. 예를 들어 호텔 건물은 미끈하게 잘 지어놨는데 그걸 효과 있게 잘 경영해서 이익을 극대화시키는 테크닉은 영 부족한 거지요. 그래서 거의 모든 호텔은 소프트웨어 파워가 강한 외국사람들을 호텔 총지배인으로 영입하고 있습니다. 이 상하이에도 우리나라 총지배인들이 몇몇 사람 있어요. 그와 마찬가지로 중국사람들이 경영 테크닉이 많이 부족한 것이 각종 보험업입니다. 중국에서 거기에 필요한 사람들을 영입하는데 그 대상이 일본과 한국이었어요. 그런데 중국에서는 한국사람들을 선택했어요. 왜냐하면 일본사람들은 스카우트비가 훨씬 비쌀 뿐 아니라 민족 감정도 좋지 않고, 특히 일본사람들은 중국을 눈 아래로 깔아 보고 도도하게 군다는 게 문제가 된 거죠."

"그럼, 중국에는 그전에는 보험회사라는 게 없었다는 말인가요?"

서하원이 의사다운 의문을 드러내고 있었다.

"그렇지요. 사회주의 국가에는 그런 서비스산업이 전혀 없었던 거지요. 그러니까 자본주의 국가들로부터 배울 수밖에 없는 겁니다."

"그래서 우리나라 사람들이 와서 많이 도와줬겠군요."

"예, 우리나라 보험회사들의 퇴직자들이 고액 연봉을 받고 스카우트되어 온 것까지는 좋았는데……, 멍청하게 자기 관리 하는 데 실패하고 말았죠."

"자기 관리요……?"

"예, 아까 말한 기술 천천히 가르쳐주기에 실패했다는 얘기죠."

"그럼, 기술을 빨리 가르쳐줬다는 말인가요?"

"그렇지요. 바보짓 하고 빨리 버림받은 거지요."

"그럴 줄 몰랐을까요?"

"모두 제 나름대로 산전수전 다 겪은 사람들이 그까짓 것을 몰랐을 리가 있나요. 주색잡기 패가망신이더라고 주색에 빠져 정신 못 차리다가 스스로 목숨 단축한 거지요."

"그건 또 무슨 얘기지요? 점점 알쏭달쏭해지는데……."

"예, 그거 간단한 얘기예요. 보험회사 소프트웨어를 전수시켜 주는 데 대개 3년 정도 걸립니다. 좀 고약하게 시간 끌기를 하면 5년까지 파먹을 수 있고요. 어쨌든 그 사람들은 3년 정도 편히 지내면서 고수익을 올려 노년을 편케 살 생각을 했을 것 아닙니까. 그런데 그들은 중국에서 일을 시작하자마자

술과 여자에 흥건하게 빠지기 시작했습니다. 회사에서 일과만 끝나면 흥청망청 술자리를 마련하고, 미녀들과 황홀경에 빠지게 만들어주었어요. 그렇게 얽히고설키며 그들은 업무를 조절할 능력을 상실해 버렸어요. 이런 말이 있지요. 미인계는 가장 낡은 스파이전법이면서 가장 효과가 큰 스파이전법이다. 그들은 바로 그 미인계에 빠져 정신 못 차리고 아는 것을 마구 쏟아놓기 시작했어요. 그리고 2년을 다 못 채우고 가방을 싸야 했지요. 중국의 그물에 걸려들었던 거지요. 그들은 자기들이 받을 1년치 연봉 끌어다가 주색에 빠진 셈이고, 중국 회사는 영업 독립을 훨씬 앞당기게 되었으니 그보다 더 좋은 일이 없었지요."

"아이고, 중국사람들 무서워요."

서하원이 진저리를 치며 어깨를 떨었다.

"그건 그냥 보통 수준의 방법이에요. 그보다 훨씬 더 야비하고 냉혹한 방법이 얼마든지 있어요. 핵심기술을 빼내기 위한 스파이전은 총소리 안 나는 전쟁 그대로예요. 그래서 산업스파이전이라고 하잖아요."

"아이고, 난 얘기만 들어도 어지러워요. 그만 가실까요, 너무 늦었어요."

서하원이 시계를 보며 일어났다.

일주일쯤 지나 전대광은 어느 여자의 전화를 받았다.

"안녕하세요. 천웨이입니다."

나이가 꽤나 든 느낌의 차분한 여자 목소리였다.

"아, 여보세요……?"

이런 막연한 소리로 응대한 반면에 전대광의 머릿속은 빠르게 회전하고 있었다. 천웨이, 천웨이……, 누구지……? 바로 이름을 대는 걸 보면 내가 아는 여자 같은데……, 누구지……?

"날 모르겠어요?"

여자가 말했다. 아주 희미하게 메마른 코웃음 소리가 섞여 들렸다.

"이거 죄송합니다, 누구신지……."

비즈니스맨 습관으로 전대광은 허리를 굽신굽신했다.

"하긴 만난 지가 오래되긴 했죠. 나 샹신원의……."

"아하, 죄송합니다, 죄송합니다. 10년을 못 만나도 기억하고 있어야 할 이름인데, 이거 정말 죄송합니다."

전대광은 선명하게 떠오르는 그녀의 얼굴을 기억해 내며 아까보다 훨씬 더 허리를 굽히며 사과했다. 그리고 한순간 깜빡했던 자신의 기억력에 주먹질을 하고 있었다. 그녀를 못 만난 지 어느덧 몇 년이 되었고, 샹신원과 만날 때도 업무 관계 얘기만 하기도 바빠 그녀의 이름을 들먹일 일이 없었던 것이다.

"아니, 괜찮아요. 기억해야 할 게 수없이 많은 분인데." 그녀는 명랑하게 웃고는, "저어……, 제가 좀 뵈었으면 하는데요." 아주 조심스럽게 말했다.

"아 예, 그러시죠. 언제가 좋으신지요?"

"전 빠를수록 좋은데요. 오늘이라도."

"예, 저는 당장이라도 좋습니다. 시간 정하시지요."

전대광은 사병이 장군의 명령을 받들듯 했다. 샹신원의 부인은 바로 샹신원 아닌가.

"아, 고마워요. 그럼 한 시간 후에……."

전대광은 무슨 일일까를 짚어보려 했지만 잡히는 것이 아무것도 없었다. 하나 잡힌 것은, 동생이 또 아픈가? 하는 것이었다. 그렇더라도 샹신원이 나서지 않고 그녀가 직접 나서는 게 이상했다. 뭐 기분 나쁘거나, 나쁜 일은 아니겠지, 그렇게 생각을 접어둘 수밖에 없었다.

"샹신원한테 말 들었어요? 우리 부부관계."

그녀가 종이처럼 얇은 중국 찻잔을 들며 불현듯 물었다.

"아뇨. 무슨 말씀이신지……."

심상찮은 낌새를 직감하며 전대광은 조심스러운 눈길로 그녀를 쳐다보았다.

"흥, 그래도 입조심은 하는군." 그녀는 야할 정도로 빨간 루주가 진하게 칠해진 입술에 쓴웃음을 피우며 중얼거리고는, "우리 이혼했어요." 담담하게 말했다.

"아니 어떻게……."

전대광은 얼른 말을 끊었다. 그 뜬금없는 말이 너무 놀라웠고, 그렇다고 '아니 어떻게' 하고 묻는 것이 옳지 않다는 생각이 문득 들었던 것이다.

"그게 오늘 용건이 아니니까……, 그렇다고 전혀 관계없는 것도 아니니까 간단하게 말할게요. 전 부장님은 샹신원이 얼나이들 거느리는 것 알았어요?"

그녀는 '물론 알았겠지' 하는 뜻의 웃음을 지으며 전대광을 말끄러미 쳐다보았다.

"예에, 그저 눈치로……."

전대광은 당황스러워 우물쭈물 얼버무렸다.

"그럼 몇이나 됐을 것 같아요?"

"글쎄요, 그건 전혀……."

전대광은 속마음을 숨겼다. 한 네댓 정도로 짐작하고 있었다.

"놀라지 마세요. 일곱이었어요."

"일곱……."

전대광은 놀라지 않았다. 짐작보다는 좀 많았지만, 그 정도 요직에 있는 관리로서는 꽤나 모범적이고 양심적인 숫자였다. 어느 지방의 어떤 청장 나으리는 무려 146명의 얼나이를 거느려 최고 기록 보유자로 신문을 장식하는 영광을 누린 것이 몇 달 전의 일이었다. 그 위인은 정력도 물개가 할아버지 할 정도로 대단하신 데다가, 그 많은 첩들을 다 먹여 살렸으니 뇌물 착복도 참 열성적으로 하신 분네였다.

"그래도, 관리란 것들 모두가 그 꼴로 돌아가는 판이라 모르는 척했어요. 내 얼굴 내가 들여다봐도 한심하게 늙어가고 있었으니까요. 그런데 한 달 전에 샹신원이 이혼하자고 정식으로 나섰어요. 그가 홀딱 반한 젊은 여자가 나타난 거예요. 이혼 말이 나왔으면 더 볼 게 없지요. 마음이 완전히 떠나버린 거니까요. 그래서 바로 도장을 찍었어요."

그녀는 전혀 감정의 흔들림이 없이 말했다. 그게 보편적인 중국사람들이었고, 중국의 분위기였다. 서로가 자유롭게 바람피우고, 별 갈등 없이 쉽게 이혼하고 그랬다.

"네에……."

전대광은 아무 할 말이 없어서 '네에……'만 길게 끌며 고개를 주억거리고 있었다. 천웨이, 그녀의 얼굴에는 초로의 잔주름이 인생의 그늘을 드리우기 시작하고 있었지만 그래도 젊은 날의 미모는 아직도 곱게 남아 있었다.

"오늘 용건은 지금부터예요." 천웨이는 차를 한 모금 마시고는, "전 부장님, 종합상사가 취급하는 것들이 뭐죠?" 그녀가 표정을 바꾸며 다부지게 물었고, "상품 종류 말입니까?" 전대광은 너무 갑작스러운 물음이라 안 물어도 될 것을 되물었고, "네, 취급하는 품목을 알고 싶어서요." 그녀는 비즈니스를 하자는 분위기를 풍기고 있었다.

"예, 우리 종합상사들에게 영업의 3대 불구가 있다고 말합니다. 품종불구, 국가불구, 거리불구가 그것입니다. 돈이 되는 것이면 무엇이든지 취급하는 잡식성이고, 어느 나라든, 어느 곳이든 물건을 보내고, 받습니다."

"어머, 그럼 됐네요." 그녀는 화들짝 반색을 하며 소리 나지 않게 손바닥을 맞때리고는, "내가 위자료는 잘 계산해서 받았지만, 아직 다 늙지도 않았는데 빈둥빈둥 놀고 먹을 수는 없잖아요. 너무 지루해서. 그래서 사업을 시작하기로 했어요. 전 부장님을 파트너로 삼아서. 그러니까 내가 전 부장님의 꽌시 노릇을 하는 거예요. 대충 아시죠? 내 친정 쪽 배경. 난 전 부장님과 멋지게 윈윈 하고 싶어요. 단 전 부장님은 샹신원을 전혀 의식할 필요가 없어요. 우리는 이제 완전히 남남이니까 전 부장님은 나 따로, 샹신원 따로 대하면서 비즈니스를 하면 돼요. 어떻게 하시겠어요. 그럴 의사가 있으세요?" 그녀는 당장 대답하라는 기세로 말하고 있었다.

전대광은 자신의 의식을 바짝 틀어잡았다. 기회냐, 위기냐! 그의 뇌리를 번개처럼 스치는 생각이었다. 꽌시가 하나 더 생기는 기회일 수 있었고, 샹신원이라는 튼튼한 꽌시를 잃을 수 있는 위기일 수도 있었다.

"예, 고맙습니다. 저를 선택해 주셔서. 만약에 두 분께서 서로 각각 분리 독립해서 저를 비즈니스 파트너로 대해주신다면 저로서는 그보다 더 좋은 일이 없습니다. 그렇게 되기를 간절히 바랍니다."

'예, 저에게 조금만 시간 여유를 좀 주십시오.' 이렇게 말하면 너무 샹신원의 눈치를 보는 것처럼 들릴까 봐 말을 돌려서 하느라고 전대광은 진땀이 날 지경이었다.

"알아요. 샹신원이 싫어할까 봐 그러는 거죠? 그럴 줄 알고 샹신원한테 미리 다 말했어요. 그랬더니 뭐랬는지 알아요? 전 부장은 믿을 만한 사람이다, 나 때문에 전혀 신경 쓸 것 없고, 비즈니스 잘해나가라고 했어요. 그 사람이 늙어가는 나한테 매력을 잃었을 뿐이지 인간성 자체가 나쁜 사람은 아니거든요."

천웨이가 정말 비즈니스를 하는 것처럼 침착하고 진지하게 말했다.

"아 예, 두 분께서 그렇게 정리하셨다면 저는 더 바랄 게 없습니다. 저는 언제든지 출격 준비가 되어 있는 전천후 요격기입니다."

전대광은 후련하게 말했다.

"전천후 요격기? 그럼 지금 당장 비즈니스를 시작해도 좋다는 건가요?"

"물론입니다. 큰 건일수록, 건수가 많을수록 좋습니다. 『삼국지』 조조의 탐심입니다."

"어머나, 너무 남자다워서 좋아요. 옛날부터도 믿음직스러웠지만. 근데, 조조를 좋아하세요?"

"예, 으레 삼국지의 중심인물을 유비라고들 하는데 제가 보기엔 유비가 아니라 조조 같아요. 욕심도 많고, 꾀도 많고, 사람 잘 다루고, 나쁜 짓도 잘하고……, 진짜 인간 같고 진짜 남자 같거든요."

"맞아요. 나도 조조가 젤 좋아요. 남자다운 매력이 넘치고, 언제나 활달하고, 실수도 하고, 아주 멋있는 사나이예요. 어쩜 맘이 이렇게 잘 통할 수가 있을까. 우리가 앞으로 좋은 파트너가 될 수 있을 것 같아요."

천웨이의 얼굴에 생기가 돌았다.

"예, 그보다 더 좋은 게 없죠."

전대광은, 물길 쏟아져 내리는 좋은 길목에 입만 벌리고 섰다가 물길을 역류해서 솟구쳐 오르는 살찐 연어를 덥석 물기만 하면 되는 곰이 된 듯한 기분이었다.

"자아, 그럼 지금부터 비즈니스 시작이에요." 천웨이는 차를 마시고 자리를 고쳐 앉으며, "그게 뭐냐면 말이죠. 전국 월마트 매장에 액세서리 코너를 확보할 수 있게 돼 있어요. 우리 중국여성들이 이제 막 멋 부리는 맛을 알기 시작했잖아요. 그 유행바람에 액세서리도 포함되잖아요. 그러니까 믿을 만한 액세서리 생산업자를 줄 댈 수 있어요?" 그녀는 마치 프로처럼 말했다.

"예, 아주 예리하고 정확한 분석입니다. 물론 품질을 보증할 수 있고, 디자인이 아주 다채로운 생산 회사를 알고 있습니다. 언제든지 연결할 수 있지요."

전대광은 정말 알까지 가득 밴 연어가 통째로 입으로 들어오는 쾌감을 맛보며 말했다.

"네, 좋아요. 바로 연결해 줘요."

"알겠습니다. 그 회사와 공장이 칭다오에 있습니다. 내일이라도 당장 떠나겠습니다. 그런데, 저쪽에 신뢰를 줘야 하기 때문인데, 월마트 쪽 라인은 누군지……, 미국사람인지, 아니면……."

"아 예, 우리 중국사람이에요. 영업이사로 매장 전담권을 가지고 있고, 내 친척이에요."

"아, 잘 알겠습니다. 그럼 내일 당장 떠나도록 하겠습니다." 밥은 식기 전에 먹어야 제맛이더라고 전대광은 속전속결로 나갔고, "어머나, 여름에 빙수 먹는 기분이에요. 꼭 조조 같은 매력이군요." 천웨이는 기쁨이 넘치는 웃음을 활짝 피웠다.

전대광은 천웨이와 헤어지고 나서도 그들 부부의 이혼을 믿을 수가 없었다. 아내를 알뜰살뜰 사랑했기에 처남을 한국으로 수술시키러 보냈고, 그 일로 자신과 인연이 맺어져 긴

날을 보냈기 때문에 샹신원이 아내를 버렸다는 게 도무지 실감이 나지 않았다. 그리고 이혼한 사실을 감쪽같이 숨긴 것도 기분이 참 야릇했다. 말할 필요 없는 사생활이니까, 자랑일 것 없는 일이니까, 하면 이유가 확실 분명해지지만 그래도 왠지 한 가닥 찝찝한 감정의 찌꺼기가 가시지 않고 남아 있었다. 며칠 전에 만났을 때도 샹신원은 그런 내색은 털끝만큼도 하지 않고 얼마나 태연했던가. 참 무서운 사람이라는 생각이 가슴을 서늘하게 했다. 그 속이 열 겹, 스무 겹인 중국사람을 다시 느끼고 있었다.

그러나 한편으로 생각하면 샹신원의 이혼은 하나도 놀랄 것도, 특이한 일도 아니었다. 그건 여자들의 화장하기 유행이나 성형수술 유행 또는 남자들의 골프 치기 유행 같은 신풍조의 하나로 생각하면 그만이었다.

중국사람들의 이혼바람은 해마다 심해져 마침내 지난해에는 신혼부부들 쌍보다 이혼한 쌍들이 훨씬 더 많았다고 신문이 보도할 지경이었다. 그건 자그마치 76만여 쌍이 더 많았다. 그러니까 하루에 5천여 쌍이 이혼을 한다는 거였다. 세상에 이 지구상에 이런 나라가 어디 또 있을까. 가지가지로 세계기록을 세우다 못해 이혼율까지도 1등을 차지해 버린 것이다.

개혁개방으로 사회는 급변하고, 그 물결을 타고 황금만능은 더욱 위세를 떨치고, 그 위세와 함께 자유섹스는 더욱 만발하는 판에 중국 정부는 이혼을 부채질하는 법을 새로 시행하고 있었다. 10여 년 전부터 합의이혼을 하는 경우 신고만 하면 되도록 수속을 간소화했던 것이다. 부부가 서로 감정이 나서 "이혼하자" "그래 하자", "도장 찍어" "그래, 누가 못 찍을 줄 알아", 그래서 쾅쾅 찍고 다음 날 간단하게 신고만 하면 이혼이 되는 거였다.

사회 분위기가 어떻고, 제도가 어떠하든 간에 전대광은 이혼이라는 것 자체를 이해할 수가 없었다. 부부가 살다가 보면 좀 시들해지고, 그러면 샛밥에 입맛 좀 다시고, 그러다 보면 새 정이 들고 그러면서 아옹다옹 미운 정 고운 정으로 얽혀서 한평생 살다가 가는 것이지 이혼은 무슨 놈의 이혼이란 말인가. 어느 누군가가 말하기를 '나그네는 쉬어 간 그늘을 기억하지 않는다'고 하지 않았던가. 이 얼마나 운치 있고 멋있는 읊조림인가. 샹신원은 어찌하여 쉬어 간 그늘을 기억해서 걸음을 되돌렸던 것일까. 젊은 그 여자가 미모뿐만이 아니라 마음이나 모든 수준이 과연 천웨이를 버릴 만큼 높고 압도적이었을까.

어쩌면 그랬을지도 모른다. 20대 초반의 젊은 미모에 영어까지 거침없이 구사하는 여대생이었다면 천웨이가 당해낼 도리가 없었을 것이다. 중국의 고급 공무원 나리들께옵서는 그 입맛이 고상하고 취미 또한 우아하여 얼나이감으로 여대생들을 좋아한다고 소문이 파다한 것은 오래된 일이었다. 그 소문에 화답하듯이 퍼진 또 하나의 소문이 베이징 대학에 '얼나이그룹'이 있다는 것이었다. 그리고 대학마다 아침 8시부터 9시 사이에는 올림픽 오륜마크 닮은 동그라미 4개 단 검정색 아우디들이 줄을 선다는 것이었다. 고급 당원이나 고급 관리들이 여대생들을 싣고 놀러 가려고. 그런 얘기는 서로 쉬쉬하며 귀엣말로 하는 것이 아니었다. 외국 관광객들에게 가이드들이 마이크 대고 하는 말이었다. 아아, 중국 공무원들은 얼마나 행복할까. 몇천 년 전부터 황제를 위시하여 귀족들이 해오던 그 고상한 전통을 그대로 이어받고 있으니.

거기에 비하면 대한민국 공무원들은 얼마나 딱한가. 축첩은 뇌물수수보다 더 큰 범법행위로 지목하고 있으니. 중국 공무원들이 한국 공무원들의 사정을 안다면 얼마나 불쌍히 여기며 동정을 할까. 이렇듯 한국의 도덕과 윤리의 순도가 99퍼센트의 순금 수준이니 '공자학당' 1호가 서울에 세워진 것은 역사적 필연이 아닐 수 없었다. 어쨌거나 중국 관리들의 축첩 행각이 얼마나 자심하면 그들을 일컫는 새로운 말까지 생겨났을 것인가. 첩질하는 관리들을 색관(色官)이라고 불렀다.

전대광은 문득 미국에서 공부하고 있다는 상신원의 아들이 떠올랐다. 그 아들은 얼마나 충격을 받았을까. 자식을 생각하면 어떻게 이혼이라는 무모한 짓을 할 수 있는 것인지 다시금 상신원이 이해가 되지 않았다.

'이런 나는 졸부인가, 장부인가……'

전대광은 스스로를 저울에 올려놓고 바라보다가 피식 웃고 말았다. 비록 단체로 서하원을 찾아가 눈을 찢는 무모한 짓을 하지만 아내 이지선은 두 아이의 하늘이었고, 자신의 가장 포근한 안식처였다. 그 어떤 여자가 나타나도 그건 쉬어 가는 그늘일 뿐이었다. 아내의 새로 생긴 쌍꺼풀을 보면 아내가 예뻐졌다기보다는 서하원의 기술에 탄복할 뿐이었다. 그러면서 또 생각했다. '성형외과 의사가, 의사가 맞기는 맞는가……?'

"월마트의 전국 매장 확보? 그거 성사만 되면 지속적인 수익이 보장되는 것 아니오?"

지사장이 빠르게 반응했다.

"물론 계약 조건을 그렇게 짜야지요."

전대광은 벌써부터 모두에게 거부감이 없는 계약 조건을 짜려고 신경을 집중시키고 있었다.

"멋 부리기 유행바람을 타고 지속적으로 판매가 잘되면 뜻밖의 노다지가 될 수도 있소. 빨리 다녀오시오."

백전노장인 지사장이 감이 좋다는 것을 주저 없이 드러내고 있었다. 그만큼 까르푸나 월마트의 매장들은 광대한 중국 시장의 소비자들과 직접 만나는 유통망이었다. 그런 황금어장 전체에 그물을 던지는 거나 마찬가지였다.

"에계계, 명품이라면 몰라도 그까짓 싸구려 액세서리. 밥솥 팔 때보다 더 하품 나오네요."

아내가 여지없이 콧방귀를 뀌어버렸다.

"허, 이 여사께서 언제부터 그렇게 명품 운운해 가며 싼 것 우습게 알게 되셨나. 허나 아무리 잘난 척해봐야 장삿속의 기역 니은도 모르시는 말씀일랑은 작작 하셔. 장사해서 돈 가장 많이 버는 방법이 뭔지 알아? 박리다매야, 박리다매. 중국의 여성인구 7억. 그중에서 액세서리를 사서 멋을 내고 싶은 여성은 대충 4억. 그러나 돈 내고 살 수 있는 사람은 그 절반으로 뚝 잘라 2억. 그런데 그 2억의 여성들이 하나만으로 끝나나? 아니잖아. 이것은 이 옷에 안 맞으니 하나 더, 이건 여름에 안 어울리니 하나 더, 여행 기분 내야 하니까 하나 더……. 이러면서 자꾸 사게 되잖아. 당신도 그런 여자들 심리가 어떤 것인지 잘 알지? 그런 여성들을 상대로 하는 장산데 아무리 싼 거라 해도 돈이 안 벌릴 수 있겠어?"

"글쎄요……, 그 말을 듣고 보니 그렇긴 한데……, 몇십만 원짜리도 아니고 몇만 원짜리 가지곤……."

이지선은 여전히 미심쩍은 얼굴로 고개를 살래살래 저었다.

"흥, 당신이 돈 잘 버시는 남편 덕에 이젠 아주 눈이 높아져서 몇만 원짜리는 아예 눈에 안 들어온다 그거지. 이 말 들어봐. 옛날에 짚신 삼는 사람들이 이웃마을에 살고 있었어.

그런데 어느 날 짚신 도매상이 한 사람을 찾아왔어. 그 사람이 하는 말이, 보통 짚신값의 10배를 쳐줄 테니까 앞으로는 양반들이 신을 짚신만 잘 삼으라는 것이었어. 그 사람은 너무 신이 났어. 자기가 삼은 것을 양반들만 신는다는 것도 기분 좋은 일인 데다가, 돈까지 10배로 벌게 됐으니까. 그 사람은 당장 이웃마을로 가서 친구한테 실컷 자랑을 하면서 으스댔지. 반대로 그의 친구는 팍 기가 죽어 아무 말도 못했어. 그렇게 10년 세월이 흘렀어. 그런데 어찌 됐을까? 누가 부자가 됐을까? 싸구려 평민들 짚신을 삼은 사람이었어. 평민들이 양반보다 10배가 더 많았으니까. 그게 바로 박리다매의 마술이야."

전대광은 비즈니스맨의 달변을 구사했다.

"알았어요. 내가 뭐 장삿속을 알겠어요. 당신 뜻대로 하는 게 맞지."

이지선은 그쯤에서 물러섰다. 남편의 말이 맞는 것 같기도 했고, 남편이 하는 일에 기웃거리고 싶지 않았던 것이다.

칭다오까지는 비행기가 떠서 느긋하게 커피 한 잔 마시기 어려울 지경으로 비행기는 서두르는듯 내려앉았다. 서울에서 제주도 가는 기분과 흡사했다.

전대광은 비행기에서 내리며 하경만 사장의 얼굴을 떠올려보았다. 벌써 4~5년 세월의 간격이 그의 얼굴의 선명도를 떨어뜨리고 있었다. 상하이와 칭다오가 비행기로 그리 가까운데도 업무가 연결이 안 되니 4~5년이 그야말로 번개 치듯 지나가버린 것이었다. 우리네 삶이란 게 다 그런 것 아닌가……. 전대광은 코트 단추를 잠그며 순간적으로 스쳐 지나가는 삶의 허망함을 느끼고 있었다.

"전 부장님!"

전대광이 문을 나서자 저쪽에서 하경만 사장이 먼저 부르며 팔을 흔들었다.

"아이구 하 사장님, 더 멋져지셨군요."

전대광이 손을 내밀며 반가움을 한껏 드러냈다.

"아하 전 부장님, 이게 몇 년 만입니까. 어제 전화를 받았을 때, 누구지? 하고 깜빡했었습니다. 용서하십시오. 늙어가는 나이인 데다가, 너무 오래 소식이 없다 보니 그런 실수를 다 합니다."

한눈에 남성적 카리스마가 넘치는 하경만 사장이 전대광의 팔을 세차게 흔들며 악수했다. 큰 키에 실해 보이는 그의 체구는 젊은 날 운동으로 단련된 것 같은 느낌을 주었다.

"늙긴요. 오히려 젊어지신 것처럼 신수가 좋아 보이십니다. 사업가는 얼굴에 사업 현황이 숨길 수 없이 나타나는 법인데, 하 사장님 사업은 탄탄대로, 일취월장이라고 딱 쓰여 있는데요. 어때요, 제 관상이 맞지요?"

전대광은 의례적인 인사말을 하는 것이 아니었다. 하 사장의 미남형 얼굴은 전에 볼 수 없었던 밝은 혈기와 함께 윤기가 흐르고 있었다.

"햐아, 귀신이네요. 그럭저럭 다 자리 잡혀 별 탈 없이 잘해 나가고 있습니다."

"아 참, 다행입니다, 다행입니다. 칭다오에 있는 우리 기업들이 부도다, 폐업이다, 야반도주다, 다 망하고 있다, 해서 국내까지 흉흉한 소식들이 전해지는 바람에 중국의 인상이 나빠지고 있는 형편인데 하 사장님은 잘되고 있다니 이거 참 믿을 수 없도록 기쁜 일입니다."

자신도 모르게 '다행입니다'를 두 번이나 거듭한 것처럼 전대광은 정말 하 사장의 안정이 다행이었던 것이다. 칭다오에 진출해 있었던 수많은 우리나라 기업들은 중국의 상황 변화에 따라 피할 수 없는 수난의 시대에 처해 있었다.

"다 죽겠다고 아우성인 판이라 나도 죽는 체하며 표정 관리에 신경 쓰고 있는데 전 부장님은 어떻게 그렇게 귀신처럼 찍어내십니까."

하경만 사장이 걸음을 옮겨놓으며 두 손으로 얼굴을 훔쳤다.

"아, 저것이 그대로 걸려 있군요."

전대광이 한쪽 벽에 눈짓을 보낸 채 걸음을 멈추었다.

"저거야 천안문 광장의 초상화와 함께 중국이 망할 때까지 걸려 있겠죠."

하경만 사장도 전대광 옆에 나란히 섰다.

휘갈겨 쓴 붓글씨가 공항의 한쪽 벽을 가득 채우고 있었다. 그건 마오쩌둥의 유명한 시 「심원춘(沁園春)」이었다.

전대광은 뒷짐 지고 서서 시의 첫 글자부터 한 자, 한 자 찬찬히 읽어 내려가기 시작했다. 그 시를 대할 때마다 이상한 흡입력에 끌려 그냥 지나치지 못했다. 그건 시가 가진 흡입력이라기보다는 자신이 마오쩌둥을 알고 싶어 시를 끌어당기는 거라고 해야 옳을지 모른다. 마오는 온갖 나뭇가지들이 얽히고설킨 정글처럼 복잡 난해한 인물이었다.

얼음은 천 리를 뒤덮고
눈은 만 리에 걸쳐 내리는
이곳이 바로 북국의 풍광이로구나.
장성 안팎을 바라보니
아득히 멀고 먼 은세계로세.
도도히 흘러가던 황하도
갑자기 그 기세 간 곳 없어라.
산줄기는 은빛 뱀이 춤추는 듯하고
평원은 흰 코끼리가 내닫는 듯
감히 하늘과 높이를 겨루려 하네.
날이 개어 바라보니

붉은 단장 소복 차림이
유난히도 아름다워라.
강산이 이다지도 아름답기에
무수한 영웅들 다투어 허리 굽혔어라.
안타깝도다! 진시황과 한무제는
문재(文才)가 모자랐고
당태종과 송태조는
시재(詩才)가 무디었구나.
일대의 영웅 칭기즈칸도
독수리 떨어뜨리는 활 재주밖에 없었나니.
모두 지나간 일들일 뿐
진정한 영웅호걸을 찾으려거든
오늘을 보아야 하리.

"저 글씨 잘 쓴 겁니까?"
하경만 사장이 물었다.
"잘 썼다고 해야죠. 모택동이 쓴 거니까."
전대광이 시를 바라본 채로 말했다.
"그 말이 어째 이상한데요?"
"이상하긴요. 다 명필이라고들 하잖아요."
"그래야 신간 편하니까요. 근데 난 글씨를 잘 몰라서 할 말은 없지만, 저 글씨를 보면 두툼한 생김과는 다르게 아주 신경질을 부리고 있는 것처럼 느껴져요."

"예, 정확히 보신 거예요. 저 글씨에는 군인이었던 모택동의 기질, 무사의 칼날이 들어 있어요. 모택동이 한 유명한 말이 있지요. '모든 권력은 총구로부터 나온다.' 저 글씨에서는 그 섬뜩한 말이 느껴져요."

전대광은 여전히 시에 눈길을 둔 채 말했다.

'모든 권력은 총구로부터 나온다.' 이 말은 마오쩌둥의 3대 명언 중 첫 번째 것이었다.

"하, 그것 참 긴가민가 아리송한 말이로군요." 하경만 사장은 고개를 갸웃거리면서, "모택동을 군인이라고 하니까 이상한데요?" 하며 고개를 더 심하게 갸웃거렸다.

"그건 우리가 하도 정치인인 모 주석의 모습만 봐서 그래요. 그가 '나는 평생 전쟁터에서 살아서 아는데……' 하는 말을 자주 하잖아요. 그건 '나는 군인이라서 아는데……' 하는 말이고, 그는 자신이 군인이었던 것을 자랑스러워했던 거지요. 그는 대장정을 하면서 장개석 군대와 싸우고, 대장정을 끝내고 일본과 싸우고, 일본이 패망하고 나자 장개석 군대와 본격적인 내전을 벌일 때도 언제나 군인이었어요. 다만 군대 직위를 맡지 않고 그 위의 공산당 최고 자리를 맡아서 군인이 아닌 것처럼 느껴지는 거지요."

"그리 보면 그렇군요. 그런데 군인이 저런 시까지 쓰니까 더 군인이 아닌 것처럼 느껴지기도 하나 봐요. 군인이 시를 쓴다는 건 어째 좀 군인의 이미지하고는 안 어울리잖아요."

"그렇지요. 모택동은 참 복잡한 사람이에요. 그는 자기가 시를 쓸 줄 아는 걸 은근히 자랑하고 싶어 했고, 자기는 문무를 겸비한 완벽한 인간이라는 걸 과시하려고 했어요."

"예, 그런 폼이 저 시에 잘 나타나 있지 않아요. 난 중국사람들 앞에서는 저 시가 그저 좋다고 맞장구쳐주고는 하지만 우리끼리니까 하는 말인데, 저 시 저거 영 맘에 안 들어요. 진시황과 한무제는 문재가 모자라고, 당태종과 송태조는 시재가 부족하고, 칭기즈칸까지도 활 쏘는 재주밖에 없다고 해놓고는, 진정한 영웅호걸을 찾으려거든 오늘을 보아야 하리 했잖아요. 오늘 찾을 수 있는 영웅호걸은 그럼 누구라는 겁니까? '그건 바로 나!' 하는 것 아닙니까. 아이고 낯 뜨거워라. 중국에 오기 전까지만 해도 모택동이 굉장한 사람인 줄 알았어요. 그런데 중국에 와서 중국말 하려고 한문 공부 좀 하고 어쩌고 하다가 저 시 뜻을 알게 된 다음부터 모택동이 별로라는 생각밖에 안 들어요."

"어허 하 사장님, 사상이 의심스럽습니다. 중국 공안은 모르는 게 없다는 걸 잊지 마십시오."

전대광이 경고조의 가성으로 말했고, 그들은 웃음을 나누며 마오쩌둥의 「심원춘」과 이별했다.

“저도 하 사장님과 똑같은 생각이에요. 제가 모택동을 이상하게 생각한 건 저 시를 보기 몇 년 전에 만리장성에 올라갔을 때였어요. 그 입구에 모택동의 시 한 구절이 붙어 있잖아요. ‘장성에 오르지 않으면 사내대장부가 아니다[不到長城非好漢].’ 그 시구를 보는 순간 직감적으로 떠오른 생각은 ‘인민을 위해 혁명을 했다는 사람이 어찌 저럴 수 있을까’ 하는 거였어요. 그 기나긴 성을 쌓기 위해 저 진시황 시절부터 청나라 때까지 2천여 년에 걸쳐서 얼마나 많은 백성들이 죽어갔는데, 인민을 위해 혁명을 했다는 사람이 그 장성에 올라 봉건 왕조의 폭정에 분노하거나, 불쌍한 백성들의 희생은 전혀 슬퍼하지 않고 사내대장부의 기상만을 뽐내고 있는 게 아닙니까. 이미 1,900여 년 전 후한의 진림(陳琳)이란 시인이 ‘그대 장성 아래를 보지 못했는가, 죽은 사람들의 해골이 서로 지탱하고 있는 것을[君獨不見長城下, 死人骸骨相撐拄]’이라고 시를 썼거든요. 모택동은 시를 지을 줄 안다고 뽐내면서 시를 지었지만 정작 사나이 기상만 뽐낼 줄 아는 군인일 뿐이었고, 사람의 슬픔을 아파하는 시인의 마음도, 혁명가의 사랑도 없었던 거지요. 그가 진짜 시인이 되었으려면 이런 시구 하나가 첨가되어야 해요. ‘이 장성에 올라 무수한 사람들의 신음과 통곡을 듣지 못하면 참된 대장부가 아니다.’”

“아니, 전 부장님은 비즈니스맨이면서 어찌 그렇게 교수님처럼 유식하십니까. 나도 그 시구를 보긴 했지만 그저 그런가 부다 하고 그냥 넘기고 말았었지요.”

하경만 사장이 주머니에서 자동차 열쇠를 꺼내며 놀랍다는 표정을 지었다.

“유식하긴요, 뭘. 기왕이면 중국 생활을 좀 즐겁고 의미 있게 하자 싶어 가끔씩 책을 읽고 그런 것뿐이죠.” 전대광은 좌우를 살피며 길을 건너고는, “그리고 몇 년 지나서 저 「심원춘」을 보게 됐어요. 그 순간 모택동이 어째서 만리장성에 내걸린 그런 시를 썼는지 금방 알게 됐어요. 「심원춘」에 그 답이 뚜렷이 적혀 있었거든요. 그가 「심원춘」에 쓴 진시황과 한무제, 당태종과 송태조, 그리고 칭기즈칸은 중국의 긴 역사 속에서 그래도 손꼽히는 황제들 아닙니까. 그런데도 그들은 다 결점을 가지고 있지만 오로지 결점 없는 것은 단 하나, 자기 자신이라고 쓰고 있잖아요. 그러니까 모택동은 자기 자신을 ‘황제 중의 황제’라고 생각했던 거지요. 그런 사고방식을 가지고 있었으니 만리장성을 쌓은 무수한 백성들의 신음소리가 들릴 리 없고, 고통이 느껴질 리가 없는 거지요.”

“아하, 그게 그렇게 되는군요. 말조심은 전 부장님이 해야 되겠는데요.”

하경만 사장이 눈을 찡긋하며 어서 차를 타라는 손짓을

했다.

"모택동은 사회주의 혁명가가 아니라 새롭게 중국 통일을 이룩한 황제일 뿐이다 하는 내 생각을 입증해 준 역사학자가 나타났어요."

전대광이 안전띠를 매며 말했다.

"아, 그런 일이 있었어요?"

하경만 사장이 차를 출발시켰다.

"가만있거라 그게……, 왕 뭐였는데 갑자기 이름이 생각나지 않는데요. 이런 제길……, 나도 인제 늙어가나 봐요." 전대광이 주먹으로 이마를 톡톡 쳤고, "하이고, 엄청 늙으셨군요." 하 사장은 헛웃음을 치고는, "전 부장님 나이가 부럽습니다. 오십 고개 넘으니 정말 늙는다는 생각이 불쑥불쑥 들고, 괜히 마음이 다급해지고 그래요." 그의 얼굴에 잠깐 그늘이 비껴갔다.

"하여튼 그 왕 뭐라고 하는 역사학자가 '모택동은 결국 황제였다' 하는 내용의 말을 했어요. 그 말의 중요성은 모가 황제면 그 아래 공산당원과 관리들은 뭐냐 하는 거지요."

"그거 더 말할 것 뭐 있나요. 옛날 양반들이고 벼슬아치들이라는 뜻 아니겠어요?"

"그렇게 정답을 빨리 맞혀버리면 싱겁잖아요."

"그 말 듣고 보니 정말 그렇다는 생각이 들기도 하네요. 당원이나 관리들 앞에서 인민들은 꼼짝을 못하고, 그들은 맘대로 권력을 휘두르며 멋대로 해먹고. 참 한심스럽다 싶을 때가 많아요."

"그러면서 G2가 된 걸 보면 참 희한하고요. 중국은 뒤죽박죽 뭐가 뭔지 제대로 알기가 무척 힘든 나라예요."

공산당 정부는 과거 중국 왕조를 옮겨놓은 것이며, 마오쩌둥은 새로운 왕조를 건설한 황제의 카리스마를 복원했던 사람으로, 막강한 권력을 휘두르는 황제처럼 행동하고, 황제 같은 대우를 받았다.

역사학자 왕겅우의 말이었다.

운전 솜씨 좋은 하경만 사장이 운전하는 에쿠스는 칭다오 시내로 접어들고 있었다.

"사장님도 여전히 촌스런 애국자시네요. 중국사람들 같았으면 진작에 벤츠나 아우디로 바꿨을 텐데요."

"아, 이것 말인가요?" 하 사장은 핸들을 한 손으로 슬쩍 치고는, "중국사람들이, 죽어라고 국산차만 타는 우리 한국사람들 보고 참 애국자라고, 칭찬인지 놀리는 건지 모를 말을 자주 하는데, 그런 말 듣기 싫어서라도 다른 것으로 바꿔보려고 하는데, 바꾸고 나면 또 국산차라니까요. 전 부장님도 그럴걸요?" 옆으로 돌린 그의 얼굴은 '물으나 마나죠?' 하는 말을 담고 있었다.

"배냇병신이기는 똑같죠 뭐. 그렇게 충성 바친다고 감사장 주는 것도 아닌데." 전대광이 실소를 했고, "그러게 말예요. 세 살 버릇 여든까지 가더라고 어렸을 때 교육이 무섭긴 무서운가 봐요. 국산품 애용, 국산품 애용이 머릿속에 꽉 박혀버려 외국에 나와 살면서도 죽자 사자 국산차만 탄다니까요. 외제차 타려고 하면 괜히 죄짓는 것 같고." 하 사장이 스스로가 어이없다는 듯 헛웃음을 쳤다.

중국에 있는 한국의 사장급은 에쿠스, 부장급은 소나타를 탄다는 인식이 널리 퍼져 있었다.

"그게 우리나라 사람들의 좋은 점이기도 하죠. 작고 약할수록 뭉쳐야 사니까요. 중국사람들이 한국이라는 나라를 보고 세 번 놀랐다고 하잖아요. 6·25로 다 잿더미 돼버린 속에서 경제발전 일으킨 것, IMF사태 때 완전히 망해버린 나라인 줄 알았는데 금 모으기 하며 다시 일어난 것, 인구는 적은데 세계적으로 한류를 일으키고 운동도 잘하는 것. 그런 게 다 한 덩어리로 뭉치는 힘 때문에 가능한 것 아니겠어요."

"맞아요, 그런 것 같아요. 근데 말이죠, 중국사람들이 우리 드라마에 푹 빠지는 것까지는 좋은데, 배우들이 어찌 그렇게 미남 미녀냐. 어떻게 그리도 연기를 잘하느냐 하고 자꾸 묻는데, 전 부장님은 뭐라고 대답하세요?"

"예, 그 대답하기 참 곤란하지요. 대답하기 쉬울 것 같은데 막상 하려고 하면 막막하고 어렵고 그래요. 그렇다고 저절로 되는 거라고 할 수도 없고, 그냥 우물쭈물 넘기곤 하죠."

"나 참, 전 부장님 같은 분도 그러니 원. 그런 걸 속 시원하게 쫘악 설명해 주는 국가 부서는 없나요?"

"글쎄요……, 그게 행정안전부 소관일까요, 문화체육관광부일까요……, 잘 모르겠는데요."

"그래서 내가 영사관에다 물어보지 않았습니까."

하경만 사장의 어조에 금세 노기가 묻어났다.

"그랬더니요?"

"그런데 관심 쓰지 말고 사업이나 열심히 하라고 시큰둥하게 말하고 말더라니까요."

하 사장은 곧 욕이라도 내뱉을 것 같은 어조였다.

"잊어버리세요. 언제라고 대사관 영사관에서 교민 위해 뭘 하는 걸 봤어요? 중국 관리들이나 한국 공무원들이나 다 피장파장이니까요."

"그래요. 있으나 마나 한 존재들이죠." 하 사장은 핸들을 급히 꺾으며, "점심 뭘로 하시겠어요?" 분위기를 바꾸는 듯 물었고, "칭다오에 왔으면 당연히 한식을 먹어야죠. 중국에서 한식이 젤 맛있는 곳인데." "예, 전 부장님은 뭘 아신다니까.

김치 아주 잘하는 데가 있어요. 전라도 갓김치." "좋아요, 그리로 갑시다." 전대광은 어금니에서 군침이 물큰 나오는 것을 느꼈다.

칭다오 시내는 상하이 시내보다 교통질서가 한결 잘 잡혀 있는 것처럼 보였다. 차량이 적은 덕이었다. 그리고 상하이와 다른 점은 고풍스러운 무게감을 지닌 빨간 벽돌건물들이 제 나름의 건축미를 자랑하며 시내의 품격을 살려내고 있었던 것이다. 꽤나 긴 연륜을 품고 있는 그 4~5층 건물들은 견고한 느낌이면서도 우아하고 고상했다. 직선적 무게감과 견고함이 강하게 풍기는 그 건물들은 이곳이 100여 년 전에 독일의 조차지였음을 말해 주고 있었다.

칭다오는 상하이와 쌍둥이 같은 공통점이 아주 많았다. 중국의 동부 연안의 항구도시고, 병든 코끼리나 다름없었던 청나라가 휘청거리면서 서양 여러 나라에 점령당하는 꼴이 되어 조차지로 내주었고, 현대 중국인들이 가장 싫어하는 굴욕의 100년 역사를 함께 견뎌냈고, 개혁개방과 동시에 함께 발전하며 중국 경제의 심장 역할을 해냈고, 중국대륙의 남과 북을 연결할 뿐만 아니라 대륙으로도 직선으로 뻗어갈 수 있고, 더구나 한국은 물론 일본과 바로 연결되고 연달아 태평양을 관통해 갈 수 있는 교통의 요충지였다. 장차 동북아와 태평양 시대를 열어갈 수 있는 중국의 2대 거점이 아닐 수 없었다.

독일풍이 짙게 밴 이 아름다운 항구도시에 한국의 중소기업들이 제2의 도약을 꿈꾸며 진출한 것은 20년도 넘었다. 최전성기에 2만 개를 헤아렸다는 한국 기업들이 세월 따라 변화하는 경제현실 속에서 부침을 거듭해 지금은 7천여 업체가 활동하고 있었다. 거기에 따른 교민들이 10만을 헤아리다 보니 음식 맛 자랑하는 한식집이 없을 리 없었다.

"한정식 어떠세요?"

하경만 사장이 물수건을 펼치며 물었다.

"예, 좋습니다. 전라도 갓김치도."

"물론입니다. 술은?"

"칭다오에 왔으면 칭다오 맥주지요."

전대광이 박자를 맞추듯 말했다.

칭다오 맥주는 중국을 대표하는 10대 브랜드 중의 하나였다. 술로, 그것도 중국 고유의 술 마오타이나 우량예가 아니라 서양의 술인 맥주로 서양에 수출해서 G2의 경제대국 중국을 대표하는 10대 브랜드에 들었다는 것은 좀 이상스런 일일 수도 있었다. 그런데 그 이유는 그 맥주의 탄생 역사에 담겨 있었다. 칭다오 맥주는 맥주의 나라 독일에서 칭다오를 조차지로 삼으면서 만들어내기 시작한 것이었다. 홍콩에서 시작해서 중국의 동부 연안을 따라 칭다오에 이르는 항구도시들을 조차지로 장악하게 된 서양 여러 나라 사람들을 고객으로 겨냥한 것이었다. 그때 그 고유의 맛을 오늘의 칭다오 맥주도 그대로 간직하고 있었던 것이다.

"자아, 한 잔!"

하경만 사장이 맥주잔을 들었고, 전대광은 잔을 부딪쳤다.

두 사람은 목젖 울림 크게 맥주잔을 단숨에 비웠다.

"아, 역시 맛이 좋습니다!"

전대광이 입술에 묻은 거품을 훔치며 흡족해 했다.

"감사합니다, 맛있게 드셔서."

하경만 사장도 입술을 훔쳤다.

"그럼 제가 좀 더 자세하게 내용 설명을 드리도록 하지요."

전대광이 드디어 비즈니스 용건을 꺼냈다.

"예, 전화로 대충 말씀 듣고, 가부는 바로 결정했습니다. 전 부장님께서 나서시는 일인데 길게 생각하고 말고 할 게 뭐 있습니까. 무조건 말씀대로 하는 거지요. 내 사업이 탄탄하게 자리 잡힌 이유 중의 하나가 전 부장님께서 그때 독일 기계를 잘 구매해 주셨기 때문입니다. 그때 가격 좀 싸고 다루기 가볍다고 일제를 택했더라면 큰일 났었지요. 고장 잦고, AS 잘 안 되고 해서 속 썩을 대로 다 썩고 결국 망한 사람들이 여럿이었으니까요. 그런데 독일 기계는 미련하도록 고장 없이 잘 돌아가거든요. 그때 전 부장님이 우격다짐하듯 했던 것을 두고두고 고마워해왔었지요. 자아, 빨리 식사하고 공장 구경 가셔야죠."

하 사장이 술병을 들었다.

"예에, 빨리 보고 싶습니다."

그들은 다시 맥주잔을 부딪쳤다.

장인들, 중국의 영혼

서양식으로 꾸며진 실내에 중국 고유의 음악이 흐르고 있었다. 애조 띤 고음의 악기 소리는 불그스름한 조명과 어우러져 술집의 오후 분위기를 야릇하게 자극하고 있었다.

자크 카방은 비스듬히 앉아서 손가락 두 개를 합한 것보다 더 굵고 긴 시가를 물고 있었다. 그는 시가 연기를 풀풀 날리다가 와인잔을 기울이고는 했다. 와인잔도 시가와 밸런스를 맞추려는 듯 유난히 배가 불룩하고 컸다. 아래를 깔아 보듯 하는 눈길과 무슨 깊은 생각엔가 잠긴 듯한 얼굴로 시가를 피우며 와인잔을 기울이고 있는 백인의 모습. 그건 가장 부티 나고 여자들의 눈을 혹하게 하는 제일 멋진 폼일 수 있었다.

그가 무슨 깊은 생각을 하고 있는 것이 아니라는 것은 담배를 피워본 사람이면 금세 눈치챌 수 있었다. 담배는 피울수록 깊게 빨아들이게 되고, 생각을 골똘하게 할수록 더욱 깊은 담배를 피우게 마련이었다. 연기를 많이 들이켜면 그만큼 연기를 길게 내뱉을 수밖에 없었다. 그런데 그는 연기 많이 나오는 시가를 피우면서도 연기를 고작 '풀풀 날리고' 있을 뿐이었다. 그는 연기를 목으로 넘기지 않고 폼 잡기 위한 빼끔담배를 피우고 있을 뿐이었다.

자크 카방이 와인잔을 기울이는데 한 여자가 들어섰다. 그 여자는 한눈에 사람의 눈길을 끌었다. 야하게 멋을 낸 몸 전체로 그 여자는 자신의 직업이 무엇인지 알리고 있었다. 그 여자는 화장만 짙게 한 것이 아니었다. 옷도 강렬하게 사람의 눈을 자극하고 있었다. 그 여자가 입은 옷은 치파오였다. 원피스 모양이면서 몸에 찰싹 붙고 발목까지 내려오는 긴 그 옷은 짙은 검정색이었다. 그런데 검은색의 너무 지나친 돌출미를 조화시키려는 듯 빨간색의 작은 꽃들이 흩어져 날리는 것처럼 수놓아져 있었다. 그 화사한 옷은 군살 없이 날씬한 몸매에 뒷굽을 있는껏 높인 하이힐을 신은 여자의 키를 더욱 커 보이게 하고 있었다.

그러나 그 옷의 강점은 새까만 바탕색도 빨간 꽃들도 아니었다. 그 옷은 파격적으로 한쪽 옆이 길게 터져 있었다. 그 터진 사이로 여자가 걸음을 옮길 때마다 다리가 살짝살짝 드러나고 있었다. 그런데 터진 끝이 허벅지의 중간을 지나 더 위로 올라가 있어서 다리가 드러날 때마다 아슬아슬하기까지 했다.

자크 카방의 아래로 뜬 눈길은 순간순간 드러나는 여자의 긴 다리에 꽂혀 있었다. 그는 와인의 가벼운 취기 속에서 그 멋진 옷이 연출해 내는 짜릿짜릿한 자극을 즐기고 있었다.

여자가 손을 살짝 들어 꽃이 피어나는 것 같은 묘한 손가락들의 동작을 그려내 남자에게 인사했다. 그와 함께 그녀의 입은 소리 내지 않고 '하이' 하는 입모양을 만들어내고 있었다. 동양여자다운 감칠맛이었다. 그때 자크 카방의 신체 어느 한 부분만 민첩하게 움직였다. 그의 몸은 미동도 하지 않은 채 파란 눈동자만 재빨리 움직였다. 그 눈길은 여자의 얼굴을 훑고 지나갔다.

남자가 아무 반응도 없자 그 여자는 딴 자리로 옮겨갔다. 자크 카방은 느긋하게 여자들을 감상하고 있었다. 여자들은 각양각색의 치파오를 입고 등장할 참이었다. 그중에서 마음에 드는 여자 하나를 고르면 된다. 여기서 고르지 못하면 다른 술집으로 가면 된다. 중국은 이것저것 좋은 것이 한두 가지가 아니다. 여자가 무궁무진 많고, 값도 미안할 정도로 싸다. 공장들의 인건비는 더욱 더 싸다. 그러나 그건 자신이 좋을 건 없다. 사장이 좋아하는 것이다. 그러나 그 싼 인건비 덕에 자신이 중국에 오래 머물며 편하고 즐겁게 살고 있으니 자신에게도 좋긴 좋은 것이다. 월급쟁이 신세에 프랑스에서는 이런 호화생활은 어림도 없는 일이었다.

중국 생활에서 불만이 있다면 한 가지, 아니 정확하게 말해서 두 가지였다. 가짜 먹거리 범람과 개선될 가망이 안 보이는 공해였다. 그 두 가지는 중국 부유층들마저도 끔찍이 싫어했다. 전 세계에서 미국으로 이민 가고 싶어 하는 사람들이 1억 3천만쯤 되는데 그중에서 중국사람들이 절반 가까이 차지하고 있었다. 그들 거의가 다 부유층인데, 이민 가려는 이유가 그 두 가지에다가 자녀 교육이 하나 더 보태져 있었다.

가짜 먹거리는 비싼 호텔 음식으로 어느 정도 피할 수 있었지만 공해는 속수무책이었다. 그래서 해외근무 위험수당을 주는 것 아니냐고 회사에서는 말했다. 그 수당에다가 또 하나 매력적인 것이 있었다. 상품 개발과 판매고 신장에 따른 성과급이었다. 그리고 또 감춰진 것 하나, 맘껏 고르고 고를 수 있는 무궁무진한 여자 자원.

그리고 또 하나, 그 매혹적인 옷, 치파오. 그런 뇌쇄적인 옷이 중국 고유의 것이라니! 중국에는 경탄할 것들이 수없이 많지만 치파오 같은 옷이 있다니. 프랑스가 디자인으로 세계 으뜸을 차지하고, 이태리가 언제나 어깨를 겨루며 세계 명품

시장을 장악하고 있지만 치파오 같은 옷은 만들어내지 못했다. 그 옷처럼 여체의 신비를 극대화시키고, 성적 자극을 언제나 새롭게 해주는 옷이 있었던가. 중국사람들의 미감, 중국사람들의 성감, 대단해, 대단해!

그는 시가 연기를 풀풀 날리며 새로 들어온 여자의 치파오 아래로 눈길을 이동시키고 있었다.

그러나 치파오는 중국 고유의 옷이 아니었다. 다만 치파오의 원조가 있을 뿐이었다. 치파오는 만주족 여인들의 옷에서 유래하고 있었다. 말을 많이 타는 만주족이 여자들의 말타기를 쉽게 하기 위해서 통 좁은 치마의 한쪽을 약간 텄던 것이다. 그 옷이 세월 따라 남쪽으로 흘러내려왔다. 그런데 그 조금 색다른 모양새가 조차지의 어느 서양사람 눈에 잡힌 것이었다. 묘한 착안을 한 그 사람은 옷을 무릎 높이까지 터 올렸다. 그 변조된 옷은 여자가 걸음을 옮길 때마다 장딴지를 살짝살짝 노출시켰다. 남자들은 그 자극에 정신없이 환호했다. 그 옷은 금세 여자들 사이에서 유행 바람을 일으켰다. 상하이를 중심으로 대유행하기 시작한 그 옷은 가지가지 색깔과 무늬로 호화롭게 변화해 가면서 중국 전역으로 퍼져나갔다. 그때가 1930년경이었다. 그리고 화류계에서는 그 튼 높이가 무릎도 넘어 자꾸자꾸 올라가고 있었다. 그런데 어느 때부터인지 모르게 그 야한 옷은 중국 고유의 옷으로 여겨지기 시작했다.

자크 카방이 잔에 와인을 따르고 있는데 두 남자가 손인사를 하며 가까이 왔다.

"왜 여태까지 혼자요?"

쉰 넘어 보이는 중국남자가 말했고, 그 옆의 젊은 남자가 영어로 통역했다.

"미녀는 다 상하이나 베이징으로 가버린 모양이오."

자크 카방도 영어로 말했다.

중국에 와 있는 프랑스나 독일 비즈니스맨들은 모두 영어를 썼다. 중국 통역들이 거의 다 미국 유학을 했기 때문이었다. 불어나 독어를 하는 통역은 구하기가 아주 어려웠다.

"아니요. 아직 초저녁이라 미녀들이 덜 나와서 그래요. 그리고 술집 미녀들이란 돈 보고 날아다니는 불나방 떼들이니까 아무 걱정하지 말아요. 여기 광저우는 상하이나 베이징 못지않게 돈이 많으니까 미녀들도 드글드글해요."

그 나이 많은 남자는 통역의 입장은 전혀 생각하지 않고 말을 빠르고 길게 했다. 그런데 통역은 메모도 하지 않고 그 말을 매끈하게 영어로 옮겼다.

"알아요, 북남남녀라 여기 광저우 여자들이 상하이 여자들보다 훨씬 더 예쁘고, 날씬하고, 섹시하다는 걸. 그래서 전혀 실망하지 않고 기다리고 있어요. 중국식 만만디로."

자크 카방은 눈을 찡긋하며 윙크했다. 그 전형적인 서양 제스처와 중국을 환히 알고 있는 그의 말은 너무나 이질적이었다.

“예, 조금만 더 기다리세요. 여기서 못 찾으면 딴 데로 가면 되니까요. 그런데 베이징의 매장 넓히는 일은 잘되고 있던가요?”

“예, 중국사람들이 일하는 게 좀 느려서 그렇지 별문제는 없어요. 명품 살 사람들은 날마다 늘어나고 있는데 공사가 늦어지는 건 곧 손해로 연결되는 거지만.”

“예, 그놈의 그것, 일을 느릿느릿 게으름 피우고, 무슨 집안 잔치다, 친구 결혼식이다 해서 제멋대로 일을 안 나와버리고 하는 건 아주 큰 문제예요. 그게 다 옛날 사회주의적 근성인데, 개혁개방이 30년이 넘었는데도 그 버릇이 아직까지도 싹 고쳐지지 않으니 나도 사업하기 골치 아파요. 어쨌거나 베이징에서 대학 다니는 우리 딸도 명품에 관심을 쓸 정도니 중국에 명품바람이 안 불 수가 없어요. 카방 당신네 회사는 횡재 만났으니 얼마나 좋소 그래.”

“아니, 리완싱 사장님 딸이 베이징 대학에 다닌다고요? 이름이 뭐죠?”

“리옌링이오.”

“리옌링, 옌링. 예쁜 이름이군요.” 자크 카방은 서양인다운 사교적 예의를 갖추고는, "그럼 비즈니스 먼저 할까요?" 하며 자세를 더 똑바로 고쳤다.

"예, 이번 주문은 뭡니까?"

리완싱이 살찐 몸을 탁자 쪽으로 바짝 붙였다.

"예, 새로 개발할 것부터 먼저 검토해 볼까요."

자크 카방은 흔히 말하는 007가방을 조심스럽게 탁자 위에 올려놓았다. 그는 무슨 폭발물이라도 다루는 것처럼 더욱 조심스럽게 가방을 열었다. 그리고 작은 꾸러미 하나를 꺼냈다. 그는 그 꾸러미를 풀기 시작했다. 포장지는 한 겹이 아니었다. 그런데 손등에까지 노르끄레한 털이 나고 오동통하게 살이 찐 그의 손놀림은 둔하기 짝이 없었다. 손가락들은 미세하게 떨리는 것 같기도 했고, 감각이 절반쯤 마비된 것처럼 그 움직임들이 너무나도 어설펐다.

리완싱은 미간이 찡그려진 채 그런 어눌한 손놀림을 한심스러운 듯 쳐다보고 있었다. 힘이 잔뜩 들어간 채 반쯤 벌어진 그의 입은 금방 '야, 이리 내. 내가 풀 테니까' 하는 말을 쏟아낼 것만 같았다. 그러잖아도 강하고 고집스러워 보이는 그의 인상이 더욱 억세게 보였다.

그 둔한 손놀림이 세 번째 포장지를 벗겨서야 내용물이 드러났다. 십자가에 못 박힌 예수상이었다.

'흠……, 떨 만했군.'

리완싱은 소리 나지 않게 픽 웃었다.

"이게 교황 성하의 지팡이 맨 위에 조각되어 있는 예수님 상이오." 자크 카방은 엄숙한 얼굴로 말하고는, "이 크기 이대로, 이 모양 이대로 조각할 수 있겠소?" 하며 리완싱과 눈길을 맞추었다.

"옥으로 말이오?"

리완싱이 물었다.

"그렇소, 옥으로."

"글쎄요……, 이걸 옥으로……?"

"왜, 어렵소?"

자크 카방이 당황한 기색을 드러냈다.

"어려울 거야 뭐가 있나요. 우리 장인들 솜씨면 못 새길 게 없다니까요."

리완싱이 비웃는 듯한 웃음을 입가에 물었다. 그런 그의 얼굴은 꽤나 거만해 보였다.

"그럼 뭐가 문제요?"

"글쎄요, 이 정도 크기면 옥값만 해도 너무 비싸서……."

"아, 돈 걱정인 거요? 그런 걱정은 아예 하지를 말아요."

자크 카방은 마치 자기가 몇천억 달러라도 깔고 앉은 억만장자라도 되는 것처럼 말했다.

"옥은 그냥 색깔 있는 돌이 아니오. 옥은 엄연히 보석이고,

비취가 바로 옥인 건 아시죠?"

"아니요. 나 바보라서 아무것도 몰라요." 자크 카방은 능청스럽게 대꾸하고는, "이건 아무한테나 안 팔아요. 믿음 좋고 돈 많은 신자들만 상대하는 거예요." 그는 자신 있게 말했다.

"글쎄요, 아무리 믿음 좋고 돈이 많다 해도……. 이게 모든 공정 거쳐 상품이 되면 그 값이 엄청날 텐데……."

리완싱은 강한 인상의 얼굴을 찌푸린 채 계속 고개를 저었다.

"아니 리완싱 사장님, 우리 기독교인들을 뭘로 보고 그러는 거지요? 여기 중국에서, 사장님네가 만들어내는 9만 달러(약 1억 원) 이상짜리 신선도 옥조각품들이 계속 팔리고 있잖아요. 그런데 왜 기독교인들을 안 믿고 불안해하는 거지요? 전 세계적으로 기독교인들이 얼마나 많은지 몰라요? 23억 5천만이에요. (이 대목에서 통역은 서둘러 수첩과 볼펜을 꺼냈다.) 그중에서 1퍼센트만 잡아요. 아니, 1퍼센트가 욕심이라면 0.1퍼센트로 줄여요. 그 사람들은 틀림없이 사요. 그럼 그 수가 얼마죠? 230만이지요? 아니요, 아니요. 그건 너무나 많아요. 그 10퍼센트로 줄여서, 전체 0.01퍼센트만 잡아요. 그럼 23만이에요. 그 사람들은 열광적인 교인들이기 때문에 틀림없이, 값이 얼마든 간에, 비쌀……."

말을 하다 보니 제풀에 열이 올라 설명을 쏟아내던 자크 카방은 여기서 말을 끊었다.

기회가 이때라는 듯 통역이 잽싸게 통역을 시작했다. 리완싱 사장은 좀 지루한 듯한 얼굴로 담배에 불을 붙였다. 통역이 "이거 아주 중요한 얘깁니다" 하며 사장의 주의를 환기시켰다. 리완싱 사장은 통역이 되어갈수록 정신을 가다듬고 있었다.

'녀석, 참 귀엽네. 비쌀수록 잘 팔린다는 말을 그냥 해버릴 것이지 삼키긴 뭘 삼켜. 장사치들은 다 아는 말을…….'

통역이 다 끝나자 리완싱 사장은 이런 생각을 하며 속으로 웃고 있었다.

"내 생각을 사장님은 어떻게 생각하세요?"

타다 꺼진 시가에 다시 불을 붙이며 자크 카방이 물었다.

"예, 자세히 말 듣고 보니 좋은 아이디어예요."

리완싱은 아까와는 정반대로 활짝 웃으며 맨손체조 때의 고개운동을 하듯이 고개를 폭넓게 끄덕였다.

"그런데 한 가지 걱정이 있습니다."

자크 카방이 검지손가락을 똑바로 세우며 리완싱 사장을 응시했다.

"그게 뭐죠?"

그게 자신에 대한 문제라는 것을 직감하며 리완싱은 자크 카방을 맞쳐다보았다.

"그러니까 사장님께서 23만 개나 되는 걸 다 만들어낼 수 있느냐 그거죠."

"그걸 한꺼번에 다 만드는 게 아니잖아요?"

"물론 그렇지요. 그러나 인기가 좋아 한꺼번에 몇십 개, 몇백 개씩 주문할 수가 있어요."

"그야 염려 마세요. 지불만 잘해주시면 이 중국 천지의 장인들을 다 끌어 모아서라도 만들어낼 수 있으니까."

리완싱은 담배연기를 길게 내뿜으며 자신 있게 말했다.

"그걸 어떻게 그렇게 자신하지요?"

"허어, 중국에 10년 넘게 드나들면서도 아직도 그걸 모르세요? 한 14~15년 전 일이었어요. 한 일본 바이어가 침대 덮개 500만 장을 15일 이내에 만들어달라고 주문한 일이 있어요. 왜냐하면 그 덮개에는 50송이 이상의 각종 꽃들이 기계가 아니라 손으로 수놓아져 있었고, 값도 아주 쌌어요. 인건비가 비싸서 손수가 다 없어져버린 일본사람들에게 그런 침대 덮개는 너무 좋아 보였던 거지요. 그런데 그 주문을 어떻게 했겠어요? 15일 이내에 500만 장을 거뜬하게 만들어냈어요. 그때만 해도 젊은 여자들이 지금처럼 공장으로 많이 몰려들지 않았었고, 지방으로 갈수록 손수 놓는 여자들이 얼마든지 있었거든요. 그게 중국입니다."

리완싱은 끝말에다가 유난히 힘을 넣었다.

"그게 정말입니까, 500만 장을?"

눈이 휘둥그레진 자크 카방은 도저히 믿을 수 없다는 듯 고개를 설레설레 젓고 있었다.

"뭐 놀랄 것 없어요. 1천만 장을 주문받았어도 거뜬하게 해결했을 텐데요 뭘."

리완싱은 자만스러울 만큼 심드렁하게 말했다.

"그 문제를 사장님이 해결한 겁니까?"

"아니요. 난 쩨쩨해서 자수 같은 덴 관심이 없어요. 내 친구가 한 일이지요."

"그럼 그 친구 돈 많이 벌었겠는데요. 그런 기동력을 가졌으면."

"예, 돈을 좀 벌었는데, 몇 년 전에 칼 맞아 죽었어요."

"예에? 살인강도 당했나요?"

"아니요. 돈 좀 벌어가지고 신종 사업을 시작했는데, 그게 기존 업자의 영역을 침범한 거예요. 보복당한 거지요."

"보복이요? 그게 말이 돼요? 모두가 자유경쟁을 하는 것인데 영역이니 기득권이니 하는 게 있을 수 없는 일이지요."

자크 카방은 그 가해자가 마치 리완싱인 것처럼 눈을 부라리며 언성을 높였다.

"그런 게 있는 게 중국이오."

리완싱이 차가운 느낌으로 잘라 말했다.

"하이고 중국!"

자크 카방은 신음하듯이 하며 두 손으로 머리를 감싸 잡았다.

"비즈니스 다 끝났소?"

리완싱이 물었다.

"아니요. 아직 더 남았어요." 자크 카방은 얼른 앉음새를 고치며, "이거 견본 보려면 며칠이나 걸려요?" 예수 십자가상을 조심스럽게 포장지에 다시 싸며 물었다.

"한 사나흘……."

"홍옥으로 해주세요."

"서양사람들도 빨간색을 좋아해요?"

"그럼요. 중국사람들보다는 덜하지만. 그리고 태양은 빨갛잖아요. 예수님은 곧 인간 구원의 태양이시니까."

"아, 그 말 멋져요. 그렇게 유도하면 예수교인들이 서로 사려고 다투겠는데요."

"아하, 이제 감이 잡히시는군요."

"예, 어쨌거나 잘됐으면 좋겠어요. 자잘하고 싼 것보다는 크고 비싼 게 실속이 크니까요. 근데 왜 하필 그 예수상이지요?"

"예, 이 세상에는 수수천만 가지의 예수상이 있고, 나도 수없이 많은 예수상을 보아왔지만, 내가 본 것 중에 그 예수상이 최고 걸작이에요. 십자가에 못 박혀 죽어가는 예수님의 고통이 가장 처절하게, 가장 예술적으로 잘 표현되어 있어요.

그 예수상을 보고 있으면 예수님이 당하시는 고통이 내 몸 전체로 절절히 느껴지고, 내가 구원받는 느낌을 갖게 돼요. 그 예수상을 벽에 걸어놓는 모든 교인들은 나와 똑같은 생각을 갖게 될 거예요. 사장님, 꼭 이것과 똑같이 조각돼야 합니다."

"아무 걱정하지 마세요. 우리 장인들이 언제 실수하는 것 봤습니까. 같지 않으면 돈 안 내면 되는 거지요."

"예, 난 언제나 사장님을 믿고 있습니다. 그리고 가격은 견본 나온 다음에 상의하지요."

"알았습니다. 그다음 건은……?"

"예, 이겁니다."

자크 카방이 양복 주머니에서 꺼낸 물건은 팔찌였다.

"가만있거라, 보자……." 리완싱은 그걸 받아 들어 들여다보고는, "이거 나한상들을 조각한 팔찌로군요. 이건 불교도들이 좋아하는 건데요?" 그의 눈길은 이게 무슨 뜻이냐고 묻고 있었다.

"이걸 보고 내가 두 가지에 놀랐어요. 이 작은 데에 사람의 얼굴이 양쪽으로 조각되어 있는 거예요. 그것도 아주 섬세해서 꼭 살아 있는 사람들의 표정 같아요. 두 번째로 놀란 것은 이 얼굴들의 절반은 서양사람들이고, 나머지 절반은 동양사람들이라는 점이었어요. 특히 서양사람들의 얼굴을 어떻게 그렇게 실감 나게 조각했는지, 감탄이 절로 나와요. 이런 조각은 일본이나 한국에서는 전혀 볼 수 없어요. 오직 중국에서만, 전 세계적으로 중국에서만 볼 수 있는 일이에요. 아, 통역하기 힘들겠어요. 여기까지 먼저 통역하세요."

자크 카방은 예수상을 꺼내면서 밀어놓았던 와인잔을 집어다가 단숨에 비웠다. 그리고 또 불 꺼진 시가에 다시 불을 붙였다.

'흥, 제 놈이 술 생각이 난 거지 뭐.' 통역은 속으로 코웃음을 치고 통역을 시작했다.

자크 카방은 통역을 하는 동안 느긋하게 와인을 두 번이나 따라 마셨다.

"예, 모든 것이 기계화하고 인스턴트화하는 21세기에 사람의 손으로 이렇게도 작고 섬세한 조각을 해내는 건 이 지구상에서 중국밖에 없어요. 예, 인도나 아프리카 몇 나라가 있긴 하지만 그 솜씨가 중국과는 비교가 안 되게 저급해요. 중국이 아직까지도 이런 솜씨를 보유하고 있다는 건 기적이고, 중국만의 매력인 동시에 마력이에요. 그래서 난 중국의 이 기막힌 생활예술, 대중공예에 깊이 매료될 수밖에 없어요. 자아, 통역하세요."

자크 카방은 또 와인잔을 들었다.

'새끼, 장사치 새끼가 빨리빨리 거래나 하면 됐지 무슨 잔

소리가 이리 많아. 돼먹지 못하게 어려운 말들을 도배질해 대면서 말야. 새끼, 프랑스놈이라고 예술에 대해서 저리 유식한 척하는가. 중국에는 흔해빠진 걸 가지고.'

통역은 통역하기 어려워 투덜대고 있었다.

"예, 지금부터 비즈니스 본론입니다. 이건 붉은색 나무에 조각한 건데, 나무 말고 옥으로, 크기는 이것의 3분의 2쯤으로 해서 전체 무게를 줄이고, 조각은 양쪽 전부에 예수님 상을 하는 겁니다. 그렇게 할 수 있겠습니까?"

자크 카방은 핵심적인 말을 할 때면 습관처럼 꼭 상대방의 눈을 응시했다. 그의 비즈니스 테크닉인 것 같았다.

"글쎄에요오……."

리완싱은 고무줄이라도 늘이는 것처럼 말꼬리가 한참 길어졌다. 입술을 쑥 내민 그의 얼굴은 뚱했다.

"왜, 할 수 없습니까?"

자크 카방이 민감하게 반응했다.

"글쎄에요오……."

리완싱은 똑같이 반응했다. 원래 동양사람들의 얼굴은 서양사람들의 얼굴에 비해 표정 변화가 다채롭지 못한 데다 리완싱은 의미 모호한 얼굴을 하고 있어서 상대방을 혼란스럽게 하기에 딱 좋았다.

"무슨 뜻이죠? 좀 확실하게 말하세요. 무슨 곤란한 문제가 있습니까?"

자크 카방은 다급한 속내를 그대로 노출시키고 있었다. 그건 비즈니스맨의 실책이었다. 포커페이스는 포커에만 필요한 것이 아니었다. 그는 이미 리완싱의 수에 말려들어 있었다.

"우리 장인들은 새기지 못하는 게 없다고 했잖아요."

드디어 리완싱은 한마디 했다.

"예, 그럼 문제가 없잖아요."

"아니지요. 흔히 우리 비즈니스 세계에서 하는 말이 있잖아요. 시간은……, 뭐다?"

"돈이다!"

자크 카방은 퀴즈 정답을 맞히는 듯했다.

"예, 돈이지요. 그리고 작은 데 조각을 하는 게 큰 데 하는 것보다 더……."

"그야 더 어렵지요."

자크 카방은 착한 아이처럼 정답을 잘 맞혀나갔다.

"예, 그러면 이 일을 해야 되는 것인지, 하지 말아야 되는 것인지 정답이 나온 것 아닙니까. 간단히 말해서, 아까 그 예수상에 비해서 이 팔찌는 조각하는 데 시간은 훨씬 더 걸리고, 값은 더 못 받게 되는 결과가 나타납니다. 모든 사업은 이윤추구고, 손해 보는 장사는 하지 않는 법입니다. 단, 한 가지 해결책이 있습니다. 처음 예수상보다 이 팔찌의 제조가격을 두 배로 쳐주면 일을 하지요."

리완싱이 마지막으로 까 보인 패였다.

"글쎄요, 그게 그렇군요. 팔찌가 아무리 특이하다 해도 크기로나 신성함으로나 십자가 예수상의 두 배를 받을 도리는 없겠지요. 같은 가격을 받기도 어려울 텐데. 아 참 아깝다. 그것 참 멋진 디자인의 팔찌가 될 수 있었는데. 옥이 거기에 포함된 광물질의 작용으로 혈액순환에 좋고, 관절 치료에도 효과가 있다는 사실까지 알려지면서 서양에서는 지금 막 인기가 솟기 시작하고 있거든요. 서양에서는 동양 여행 붐이 일고 있는데, 옥은 그 아름다운 여러 가지 색깔들과 함께 동양의 신비스러움을 느낄 수 있는 고상한 장식물이기도 하니까요."

자크 카방은 아쉬움을 감추지 못하고 팔찌를 되작되작 살피고 있었다.

"한 가지 방법은 있어요. 옥으로 하지 말고 이것처럼 나무에 새기는 거예요. 그러면 제조가격이 아주 싸지니까 그 많은 예수교인들에게 박리다매로 팔 수 있게 되지요, 박리다매."

리완싱이 독한 중국 담배연기를 굴뚝처럼 내뿜으며 자크 카방을 빤히 쳐다보았다.

"글쎄요, 그건 별로 그런데요. 팔찌는 어디까지나 장식인데, 장식은 고급스러우면서도 아름다워야 하는데, 나무는 옥에 비교가 안 되지요. 서양사람들은 나무로 팔찌를 한다는 건 전혀 이해를 못해요."

자크 카방은 고개를 짤짤 흔들어버렸다.

"그 말 알겠소. 그러나 이렇게 한번 생각해 봐요. 이 붉은 나무는 그냥 나무가 아니라 행운을 갖다주는 행운목이다. 단단해서 만 년을 썩지 않고, 색깔이 고운 행운목이라 중국사람들은 수천 년 동안 여러 가지 조각을 해서 장식으로 애용해 왔다. 여기다가 예수님 상을 새긴 것이다. 이 팔찌를 끼고 다니면서 기도하면 돈이 많이 벌리는 행운이 오고, 예수님께서 늘 당신을 보호해 주시는 이중효과가 나게 된다. 어떻습니까. 점원들에게 이렇게 상품 선전을 하게 하면. 재수 좋다, 돈 많이 번다, 행운이 온다, 복 받는다, 오래 살게 된다, 이런 말 듣고 싫어하는 사람이 있습니까. 어떻게 생각하세요."

리완싱은 쥐를 희롱하는 고양이의 여유만만함으로 자크 카방을 넌지시 바라보고 있었다.

"아하, 그런 좋은 방법이 있었군요. 맞아요, 그런 말의 최면력은 무시무시해요. 모든 종교는 그런 말의 최면력 덕에 유지되어왔다는 학설도 있어요. 근데 말이지요……, 그게 값이 싸면 무슨 돈이 되겠어요?"

자크 카방은 두 가지 생각이 엇갈리는 표정을 지었다.

"카방 씨, 중국의 가짜 달걀 알아요?"

"그럼, 알지요. 먹어보진 않았지만."

자크 카방이 콧등을 잔뜩 찡그렸다.

"안 먹었다고요? 그걸 어떻게 장담해요."

"난 식사를 꼭 호텔에서만 하니까요."

"그래요?" 리완싱은 픽 웃고는, "일류호텔들이 사용해 온 달걀들의 30~40퍼센트가 가짜였다는 조사 발표 몰라요?"

"뭐, 뭐라구요?"

자크 카방은 엉덩이가 덜썩 들릴 정도로 놀랐다.

"중국에 살면서 뭘 그리 놀래요?"

리완싱이 자크 카방을 놀리듯이 싱그레 웃었다.

"아, 일류호텔들이 그 모양이라니. 도대체 호텔들은 뭘 한 거예요. 호텔도 속은 거예요, 아니면 알면서 그런 거예요?"

자크 카방은 숨을 씩씩거릴 정도로 흥분해 있었다.

"허허, 그걸 누가 알겠어요. 둘 중에 하나일 게 분명하니까 둘 다라고 생각해 버리면 가장 확실하죠."

"아이고, 무슨 말이 그래요. 근데 왜 중국 정부는 그런 걸 단속하지 않죠."

자크 카방은 서양 신사답지 않게 버럭 소리를 질렀다. 그동안 가짜 달걀을 먹었을지도 모른다는 게 그렇게 화가 나는 모양이었다.

"아니요. 단속을 했어요. 가짜 달걀을 과학적으로 엄밀하게 조사를 해보니까 그 성분이 인체에 아무 해가 없었다는 거예요. 그래서 문제 삼지 않은 거지요."

"뭐라구요? 그게 말이나 돼요. 가짜면 무조건 강력 단속을 해야지. 정부가 그따위로 말도 안 되게 하니까 가짜들이 끝없이 활개 치는 거라구요."

"그렇게만 보면 안 돼요. 인체에 피해가 없으니까 인민의 생존을 위하여 직업 보장을 한 거 아니오. 이 얼마나 좋은 나라예요. 안 그래요?"

리완싱은 화를 가라앉히지 못하는 자크 카방을 바라보며 비실비실 웃고 있었다.

"아휴, 이런 것 생각하면 당장 중국 떠나고 싶어요."

자크 카방은 두 주먹을 부르쥐었다.

"아니, 아니, 이런 얘기 하려는 게 아닌데 왜 얘기가 엉뚱한 방향으로 흘렀죠." 리완싱은 자리를 고쳐 앉고는, "내가 하려는 얘기는 박리다매요. 박리다매. 흔히 사람들이 말하기를, 돈이 몇 푼이나 남는다고 가짜 달걀을 만들고 그러느냐, 그런데 쓸 머리를 다른 일에 쓰면 떼돈을 벌 게 아니냐, 하고 떠들어대지요. 그건 장사 이치를 모르는 철부지들이 지껄이는 소리들일 뿐이에요. 자아, 봅시다. 가짜 달걀 하나에 1마오씩 남는다고 칩시다. 그게 1억 개면 얼마고 10억 개면 얼마고 50억 개면 또 얼맙니까. 그래서 그 사람은 큰 부자가 되었다는 소문이 있어요. 그게 바로 박리다매가 부리는 마술인 거요. 보시오, 어떻게 하겠소?" 그는 월척을 끌어당기는 낚시꾼의 희열에 찬 얼굴로 자크 카방을 깔아 보고 있었다.

1마오는 1위안의 10분의 1이었다.

"좋아요, 합시다. 장사꾼은 이윤만 생기면 사하라 사막도 건너고, 히말라야 산맥도 넘는 법이니까. 단 조건이 있어요. 이 알들이 이것보다 3분의 1은 줄어야 해요. 너무 크면 거추장스러워 여자들이 싫어하니까."

자크 카방이 무슨 의미인지 모를 숨을 길게 내쉬었다.

"예에, 그런 거야 하나도 걱정하지 마시오. 이게 지금 앵두알만 한데 3분의 1을 줄이면 콩알 정도로 작아지겠지요? 그 정도 크기의 염주알에다가 승려 셋 씩, 두 쌍 여섯 명을 새기고, 그 양쪽 사이에다가 소나무 두 그루까지 새겨 넣는 것이 우리 장인들의 솜씨요. 그것에 비하면 앞뒤로 예수 얼굴만 새기는 것은 누워서 떡 먹기요."

"뭐라구요? 콩알 크기에다가 승려 여섯에 소나무 두 그루까지?"

자크 카방은 눈만 휘둥그레진 것만이 아니었다. 입도 헤벌어져 있었다.

"뭘 그리 놀라고 그래요. 내일 우리 공방에서 보면 될 텐데. 원하면 하나 선물하겠소."

리완싱은 긴 수염을 쓰다듬는 듯한 폼을 잡았다.

"아아, 중국 장인들의 그 기막힌 솜씨는 감탄을 넘어 탄복을 금치 못하게 해요. 수천 년 동안 아무런 이름도 없이 온갖 멸시와 천대를 다 받아가며 그 극치의 예술 전통을 이어온 장인들에게 경의를 표할 수밖에 없어요. 그들이 있기에 중국의 문명과 문화가 있는 거지요. 그들은 중국의 영혼이고, 오늘의 중국을 있게 한 원동력이에요. 그들은 위대하고, 그들은 영원해요. 난 그들 때문에 중국을 사랑해요. 그들은 절대로 가짜를 만들지 않고 오로지 순수한 창작을 해내니까요."

자크 카방은 프랑스인답게 일장 예술론을 펼쳐놓으며 표정마저도 연극배우 같았다.

"카방 씨는 가짜에 노이로제 걸린 모양인데, 가짜라고 다 나쁜 게 아니오. 가짜가 아주 큰 공을 세운 일도 있어요." 리완싱이 알아듣지 못할 소리를 했고, "가짜가 공을 세워요?" 자크 카방이 또 눈이 커졌다.

"그게 그러니까 2~3년 전에 있었던 일이오. 어떤 사람이 사업을 시작했다가 쫄딱 망하고 말았어요. 빚은 많고 도저히 살아갈 가망이 없었어요. 그래서 부부는 생각다 못해서 그만 죽기로 작정했어요. 그리고 쥐약을 먹었어요. 그런데 부부는 죽지 않고 살아났어요."

"아하, 쥐약이 가짜였군요! 우화아, 이 중국!" 자크 카방은 서양인답게 요란한 제스처를 쓰며 소리치고는, "아하하하……" 거침없이 웃어대기 시작했다.

"비즈니스 다 끝났소?" 리완싱이 팔찌를 만지작거리며 물었고, "아니요, 재주문이 있어요." 자크 카방이 수첩을 꺼냈다.

리완싱도 수첩을 꺼내며 탁자로 다가앉았다.

"비녀핀 1천 개."

"1천 개나?"

리완싱이 놀라서 수첩에 받아쓰려다 말고 자크 카방을 쳐다보았다.

"소뿔의 자연스러운 무늬에다가 장미 입체조각이 숙녀들의 마음을 사로잡아 최고 인기예요. 머리를 한데 모아 그 큼직한 핀을 꽂으면 어떤 여자든지 뒷모습이 최고로 우아하고 세련되고 멋져 보여요. 모두가 리완싱 사장님 덕이에요."

"아이고, 고맙습니다. 그런데 서양여자분들은 역시 장미를 좋아하는 모양이지요?"

"예, 중국사람들이 행운의 꽃으로 모두 모란을 좋아하듯이 서양사람들에게 행운의 꽃은 장미거든요. 그런데 서양과 중국이 그 의미가 정반대인 꽃도 있어요. 국화가 그렇지요. 서양에서는 죽음을 의미하는 조화로 음울한 꽃인데, 중국에서는 사군자의 하나로 고결한 군자나 선비를 상징하잖아요."

"그 비녀핀에 장미 대신 국화를 조각하면 아주 좋겠군요." 리완싱이 눈을 찡긋했고, "그럼 사장님과 나는 가짜 쥐약을 먹을 수밖에 없지요." 둘이는 한꺼번에 소리 맞춰 웃어댔다.

"그다음, 장미 브로치 500개, 하트 목걸이 1천 개, 이상입니다."

"예, 고맙습니다. 최대한 빨리 완결하겠습니다."

"예, 언제나 사장님을 믿습니다. 리완싱 사장님 사전에는 만만디가 없으니까요."

'흥, 그 말이 영웅 나폴레옹 말을 흉내 낸 거라고 그랬지? 그런 말로 날 칭찬할 거 없어. 우리 중국사람들은 바로 이익이 생기는 돈 앞에서는 누구나 만만디가 아니라니까. 모두가 콰이콰이지.' 리완싱은 수첩을 양복 속주머니에 넣으며 만족스럽게 속웃음을 지었다.

다음 날 자크 카방은 통역을 앞세워 골동품시장 쇼핑에 나섰다. 그것은 아시아 각 나라에 비즈니스 여행을 할 때마다 빼놓지 않고 하는 업무인 동시에 취미생활이었다. 골동품시장을 주의 깊게 뒤지며 상품 개발의 아이디어도 얻고, 깜짝 놀랄 만큼 특이하고 희귀한 물건을 거저다시피 싸게 사는 즐거움을 만끽할 수 있었다. 아시아 여러 나라들은 제각기 그 나름의 특성과 개성을 지닌 문화와 함께 골동품시장이 열리고 있었다. 그러나 품종의 다양함으로나, 품질의 우수함으로나, 개성적 창의성으로나, 예술적 완성미로나, 가격의 저렴함으로나 중국이 단연 으뜸이었다. 시대가 언제인지 모를 각양

각색의 크고 작은 골동품들이 먼지를 켜켜이 뒤집어쓰고 뒤죽박죽으로 쌓여 있었다. 중국 상인들은 상품 진열의 개념이 없었고, 포장의 개념도 없었다. 그들에게 있는 건 오로지 흥정의 기술뿐이었다. 어지럽게 쌓인 물건들 중에서 쓸 만한 것을 찾아내는 것은 순전히 사는 자의 눈의 능력이었다. 안목과 좀 다른 그 발견의 능력은 남다른 투시력과 순발력이 합해져 발휘되는 힘이었다. 안목은 그 힘을 받치는 밑바탕이었다. 그러니까 서너 사람이 함께 가게에 들어가도 어떤 사람은 앞서 두 사람이 훑고 지나간 자리에서 희한한 물건을 찾아낼 수 있는 것이다. 자크 카방은 그런 때의 설렘과 환희 그리고 성취감과 만족감을 즐기기 위해서 지저분하기 이를 데 없는 골동품시장을 달게 뒤지고 다녔다. 다른 나라들과는 전혀 다르게 중국의 골동품시장들은 한 번도 실망시키지 않고 언제나 흡족감에 젖게 해주었다.

골동품시장은 어디나 그렇듯 초입에서부터 인도 양쪽 길바닥에 촘촘히 난전을 차려놓고 있었다. 그 사람들은 가난이 질질 흐르는 남루한 모습으로 적게는 대여섯 가지부터 많게는 열댓 가지 물건들을 펼쳐놓고 무표정하게 앉아 있었다. 그러나 그 사람들은 겉모습처럼 가난하지 않다는 거였다. 속으로는 돈을 똘똘 뭉쳐 가지고 있는 '왕독종'들이라고 했다. 그들의 소망은 버젓한 가게를 차리는 것. 그때까지 돈을 모으기 위해 세끼 먹는 것도 아까워할 정도로 돈을 아낀다는 것이었다. 바로 그들의 눈앞에 번들번들한 가게를 차리고 앉아서 여유만만하게 차를 마시고, 점심때마다 살코기만 먹고 이빨 쑤시는 살찐 사장님들도 거의가 그런 과정을 거쳤다는 사실이 그들을 희망차게 만들어주고 있었다. 그들은 악착스레 돈을 모으는 한편으로 '화끈한 한 건'을 노리고 있다고 했다. 어찌어찌해서 천 년 넘은 것 하나만 손에 넣게 되면 로또복권 당첨이 안 부러운 팔자가 될 수 있는 거였다. 그 은밀한 횡재가 골동품상의 행운이면서 비애인지도 모른다.

파란 눈을 재빠르게 굴려가며 걸어가던 자크 카방이 한 난전 앞에 우뚝 발을 멈추었다. 통역도 따라서 걸음을 멈추며 난전을 내려다보았다. 때가 꼬질꼬질하게 절고 구겨질 대로 구겨진 보자기 위에 물건 서너 개가 놓여 있었다. 통역은 자크 카방을 쳐다보았다. 살 만한 게 없었기 때문이다. 그런데 자크 카방은 엉거주춤하니 어설프기 짝이 없게 쪼그리고 앉았다. 서양사람들이 제일 싫어하는 것이 책상다리하고 앉는 것, 무릎 꿇고 앉는 것, 쪼그리고 앉는 것이었다. 그런데 자크 카방이 쪼그리고 앉는 게 아닌가. 통역은 황급히 그 옆에 쪼그리고 앉았다.

자크 카방이 물건 하나를 손가락질하며 통역을 쳐다보았다. 통역은 길들여진 대로 재빨리 장수에게 물었다.

"이거 얼마요?"

"500위안."

여자가 손가락 다섯 개를 펼치며 빠르게 서양사람을 훑었다.

'아이구, 지저분하기는…….' 통역은 속으로 혀를 차며 여자가 값을 꽤나 올려 부른다고 느꼈다. 그 여자는 바닥에 깔린 보자기만큼이나 지저분하고 가난해 보였다.

"150!"

자크 카방이 말했다. '중국에서 물건을 살 때는 부르는 값의 5분의 1로 깎아라. 그래서 밀고 당기는 흥정을 해서 4분의 1 값에 사라. 더 이상 주는 건 바가지 쓰는 것이다.' 그는 이 흥정의 원칙을 꼭 지키려고 했다. 그런데 지금 50위안을 더 얹어 부른 것은 물건이 마음에 들기 때문이었다.

"으응, 400."

여자가 고개를 내저으며 손가락 네 개를 폈다.

"160!"

자크 카방이 불렀다.

"으으응, 350."

여자가 얼굴까지 찌푸리며 고개를 저었다.

"170!"

"300."

"180!"

"280."

"가자!"

자크 카방이 두 손으로 무릎을 짚고 힘겹게 몸을 일으켰다.

"이거 봐요, 이거 봐! 나비가 움직이잖아요, 나비가 날아간다구." 여자가 다급하게 물건을 들어 올려 손가락 끝으로 물건의 부분 부분을 건드리며 곧 숨넘어가는 것처럼 외쳐댔다.

"저것 좀 자세히 보세요. 조각된 나비들이 날아가는 것처럼 움직여요." 통역이 말했고, "뭐라구? 나비가 움직이다니?" 자크 카방은 놀라며 허리를 굽혔다.

여자가 받쳐 들고 있는 건 거북의 등껍질로 만든 동그란 작은 함이었다. 그 지름이 10센티쯤 되는 뚜껑 위에는 어떤 입체적 문양이 섬세하게 조각되어 있었다. 나무의 잎들과 줄기가 무성하게 서로 엉클어져 있었는데, 좀 더 유심히 들여다보면 그 속에 호랑나비처럼 겹날개를 가진 호화로운 나비 다섯 마리가 조각되어 있었다. 그런데 놀랍게도 그 나비들이 손가락으로 건드리면 움직이는 것이 아닌가!

자크 카방은 숨을 멈추고 그 조각품을 더 자세히 뜯어보기 시작했다. 살피고 또 살피던 그는 뭔가 부족했던지 여자한테서 그 조그만 함을 받아 들었다. 그리고 손가락 끝으로 나비들을 조심조심 건드려보았다. 그럴 때마다 다섯 마리의 나비들은 무성하게 우거진 숲에서 날아오르는 듯 움직였다. 그는 자꾸 손가락 끝으로 나비를 건드리며 그 움직임을 관찰했다.

나비들의 움직임을 정확하게 파악한 그는 그야말로 경악을 금치 못했다. 나비의 더듬이 두 개가 곡선을 이루며 또 곡선을 이루고 있는 나무줄기와 고리 모양으로 교차하며 중심을 잡고 있었고, 나비의 몸체는 다른 부분과 완전히 분리되어 독립체를 이루고 있었고, 겹날개의 아래 끝부분이 또 다른 나무줄기의 아래로 들어가게 조각해서, 움직이되 어디로 떨어져 나가지 않도록 위와 아래에 완전한 안전장치를 해놓고 있었다.

'세상에 어찌 이럴 수가 있는가!'

자크 카방은 경탄을 넘어서 전신이 부르르 떨리며 전기가 오르는 전율을 느끼고 있었다. 그는 조심스럽게 뚜껑을 열었다. 무성하게 엉킨 잎들과 줄기 사이사이로 수많은 공간이 뚫려 있었다. 필요 없는 부분을 다 파내버려 완벽한 입체조각을 형상화해 낸 공간이었다. 그리고 수많은 잎들의 하나하나마다 잎맥까지 조각해 놓은 것은 아무것도 아니었다. 나비들의 안전을 유지하기 위해 위아래에 교차되고 연결된 줄기는 실오라기처럼 가늘게 조각되어 입체형상을 이루고 있었다.

'정말 어찌 이럴 수 있는가!'

자크 카방은 뚜껑을 뒤집어보았다. 한눈에 드러난 거북의 등껍질 두께는 3밀리미터 정도. 겨우 그 두께를 가지고 완벽한 형상을 한 나비 다섯 마리가 안전하게 춤을 출 수 있는 입체조각을 만들어낸 것이었다. 이건 마술이었다. 아니 신기였다. 동그란 열매들까지 달린 무성한 숲의 가운데 나비 한 마리, 그 사방에 네 마리의 나비가 춤추게 한 이런 완벽한 예술품을 어떻게 조각할 수 있었을까. 이런 초인적 신기를 가진 이름 없는 장인은 어느 시대 사람이었을까. 이런 기막힌 예술품을 길바닥에서 팔고 있는 중국은 도대체 어떤 나라인가…….

"20위안만 더 내, 20위안!"

여자가 때 낀 손가락 두 개를 통역의 눈앞으로 디밀며 소리치고 있었다.

'이게 프랑스에 있었다면 2천 달러도 더 한다.'

자크 카방은 이렇게 속말을 하며 100위안짜리 두 장을 기세 좋게 내밀었다.

잽싸게 돈을 받아 넣은 여자가 그 함을 신문지에 둘둘 말아 내밀었다. 그런데 그 신문지가 얼마나 낡고 낡았는지 뿌옇게 보푸라기가 일어나고 있었다. 자크 카방은 그 신문지 포장을 내려다보며 이상야릇한 웃음을 짓고 있었다.

난전을 다 훑어본 자크 카방은 가게들을 돌기 시작했다. 그는 어느 가게에서 걸음을 멈추었다. 그의 눈길은 큼직한 필통에 머물러 있었다. 큰 붓들을 꽂았던 것이 분명한 그 필통은

진한 초콜릿색이었는데, 얼핏 보기에 무슨 무리가 날고 있는 것 같은 추상적 무늬가 조각되어 있었다.

자크 카방은 가까이 다가가 필통을 들여다보았다. 왕대나무의 몸통을 가득 채우고 있는 것은 박쥐 떼의 군무였다. 그 조각을 알아보는 순간 그는 멈칫했다. 서양에서 그건 마녀의 상징이었고, 악마의 대명사였다.

그는 필통을 천천히 돌리면서 찬찬히 살펴나갔다. 박쥐들은 자유자재로 날고 있었는데, 그 조각이 완벽했다. 날갯짓에 따라 날개의 크기와 모양이 다 달랐고, 머리의 방향과 모양도 제각기 달랐다. 어떤 것들은 뽀뽀를 하고 있는가 하면, 어떤 것들은 다투고 있기도 했다. 그런데 그 군무 사이사이에 숨은 듯 구름까지 떠 있는 것이 아닌가. 그렇게 자유스럽게 창공을 날고 있는 박쥐들은 몇 마리나 될까. 대충 지름이 10센티이고 높이가 20센티쯤 되는 왕대나무의 몸통을 에워싸며 날고 있는 박쥐들은 100마리는 너끈히 넘을 것 같았다.

'이걸 어떻게 한다? 동양에서는 서양과 반대로 다복과 행운을 상징하고 있는데…….'

자크 카방은 어찌해야 좋을지 갈등하고 있었다. 이것 역시 경탄을 금할 수 없는 예술품이었다.

"얼만지 물어볼까요?"

통역이 지루하다는 듯 물었다.

"아니요, 잠깐 기다려요. 근데 말이오, 동양에서는 왜 이 박쥐를 다복과 행운의 상징으로 생각하는 거지요?"

자크 카방은 비로소 통역에게 눈길을 돌렸다.

"예, 이 박쥐 복(蝠) 자와 복 복(福) 자를 같은 뜻으로 해석해서, 다복 다남 경사 등의 상징으로 삼은 겁니다."

통역은 수첩을 꺼내 두 가지 복 자를 써서 보여주었다.

"아아, 중국사람들은 글자 해석을 참 여러 가지로 잘하는군요."

그때 나이가 예순이 넘어 보이는 주인이 다가왔다. 그는 통역을 보고 웃음을 지으며 네 개를 펴 보였다.

"얼마라고요?"

통역이 의아해했다.

"4천."

주인이 다시 손가락 네 개를 빳빳하게 세워 통역 앞으로 쑥 디밀었다.

"4천 위안 달래요."

통역이 무표정하게 자크 카방에게 옮겼다.

"아, 이 사람이 날 서양사람이라고 봉으로 생각하는 모양이오."

"글쎄요, 이렇게 가게를 차리고 있으니까요."

통역이 떨떠름한 표정을 지었다.

그때 주인이 빠른 몸놀림으로 무슨 노트를 가지고 왔다. 그는 한 군데를 통역 앞에 펼치더니 말을 시작했다.

"여기 보시오, 여기. 이건 당나라 물건이오. 이건 틀림없이 진품이고, 어떤 지체 높은 분이 썼던 수작 중에 수작이오. 내 돈이 급해서 싸게 파는 것이니 어서 들여가시오. 이런 귀한 물건을 만난 것을 큰 행운인 줄 아시오."

주인은 기름칠을 한 듯이 미끈하게 말을 하면서 손가락은 계속 한 곳을 짚고 있었다. 그 물품 목록의 필통 항목에는 당(唐)이라는 한자가 선명하게 찍혀 있었다.

통역의 말을 듣고 나서 자크 카방은 마음을 정했다.

'야 이 도둑놈아, 거짓말도 좀 믿게 해라. 청나라나 더 올라가야 명나라라고 해야 믿지 당나라가 뭐냐, 당나라가. 이게 당나라 거라면 400만, 아니 4천만 위안도 싸다. 이게 어느 시대 거든 간에 참 멋진 예술품이다. 이게 박쥐가 아니라 딴 새였다면 1,500위안쯤으로 흥정해 샀을 텐데. 박쥐……, 박쥐……, 뭔가 영 찜찜해.'

"자아, 그만 갑시다."

자크 카방은 가게를 나섰다.

"이거 보시오, 2천 위안. 아니, 아니, 1천 위안만 내시오, 1천 위안!"

주인은 허둥지둥 밖에까지 따라 나오며 소리치고 있었다.

"어떻게 가짜인 줄 알았어요?"

통역이 씁쓰름하게 웃었다.

"저 사람은 가짜 쥐약 만든 사람보다 훨씬 더 심해요. 기왕 거짓말하는 것, 진나라 때 진시황이 썼던 거라고 할 것이지."

자크 카방이 코웃음을 쳤다.

"카방 이사님도 우리 중국 역사를 훤히 아시는군요?" 통역이 놀랐다는 표정을 지었고, "이 정도야 기본 실력 아니겠소?" 자크 카방은 엄지손가락을 세우는 제스처를 쓰며 장난스럽게 고개를 까딱까딱하고 있었다.

자크 카방은 나흘 만에 보석가공 공장으로 갔다. 자동차에서 내리면서 그는 귀를 막았다. 언제나처럼 쇠에 돌이 갈리는 여러 음질의 날카로운 소리들이 울리고 있었던 것이다.

"아니, 그동안에 건물이 또 하나 늘어났군요."

"그걸 어떻게 그리 빨리 알아봅니까. 카방 씨는 눈치가 아주 빠르다니까요."

리완싱은 자못 자랑스러운 얼굴로 공장의 건물들을 둘러보았다.

"사업이 갈수록 잘되는군요."

자크 카방도 날카로운 소음들을 쏟아내는 건물들을 둘러보며 고개를 갸웃거렸다.

"모두 우리 중국이 갈수록 잘살게 되는 덕이죠. 이 옥은 우리 중국사람들은 모두 몸에 지니고 싶어 하는 보석인데 옛날에는 값이 워낙 비싼 데다가 신분 차별까지 심해서 보통 사람들은 손도 못 댔지요. 그런데 요새는 잘사는 사람들이 점점 많아지는 데다가 신분 차별 없이 만인이 평등하니 사업을 해먹을 만하지요."

리완싱은 양쪽 입꼬리가 늘어지도록 만족에 넘치는 웃음을 입에 가득 물었다.

그의 옥 가공 사업은 그의 말마따나 중국의 GDP 성장과 비례하며 번창 일로에 있었다. 중국사람들의 옥 애호는 거의 광적인 신앙 수준이었다. 여자들은 옥팔찌를 하나 끼는 것으로 결코 만족하지 않았다. 색색으로 세 개 이상 대여섯 개씩 끼었다. 다채로운 자연색의 조화는 그지없이 아름답고 여자의 미를 한결 돋보이게 해주었다. 그리고 또 한 가지, 사람을 그보다 더 부티 나게 할 수 없었고, 과시욕을 채워주는 데 그보다 더 좋은 것이 없었다.

옥은 색깔이 다양한 것처럼 그 질도 천차만별이었고, 질에 따라 가격 차이도 엄청났다. 보통 사람 눈에는 똑같아 보이는 백옥 팔찌가 10배를 넘어 20~30배 가격 차이가 나는 게 예사였다. 그러니 예쁜 여자를 애인으로 둔 남자는 고급 팔찌를 계속 끼워주느라고 허덕허덕 휘청휘청할 수밖에 없었다. 그러나 옥을 지니고 싶어 하는 건 젊은 여자들만이 아니었다. 10대 소녀도, 70~80대 할머니들도 여자였던 것이다. 그러니 그 시장은 7억이 출렁거리는 바다였다.

그리고 그뿐이 아니었다. 학생들 책가방 크기의 질 좋은 옥은 그것만으로도 엄청나게 값나가는 보석이었다. 그런데 거기다가 신선도나 십장생도 같은 것을 섬세하고 입체감 뛰어나게 조각해 놓으면 그것은 1억 원을 넘어가는 보석 중의 보석이 되었다. 그 귀물은 지위와 권위와 부를 상징하는 증표로 자리 잡은 지 오래였다. 옛날에는 호피가 가장 선호되는 뇌물이었지만 이제 호랑이는 국제적으로 사냥 금지가 되었으니 그 자리를 대신 차지한 것이 의미 깊은 그림들이 조각된 옥덩어리였다.

공방은 공장에서 한참 떨어져 있었다. 공장의 소음이 한결 멀어져 있었다.

"아하……." 십자가 예수상을 보는 순간 자크 카방은 이 한마디 감탄으로 말을 못하더니 다음 순간 한쪽 무릎을 꿇고 앉으며 날렵한 동작으로 성호를 긋고는, "원더풀, 원더풀! 베리 굿, 베리 베리 굿!" 그는 엄지손가락을 세워 흔들며 흔쾌하게 만족감을 나타내고 있었다.

"생큐, 생큐 소 머치."

자크 카방은 리완싱과 악수하며 거칠 정도로 팔을 흔들어댔다.

자크 카방은 빨간 옥 위에 부활한 예수상을 바라보며 다시금 중국인들이 간직한 솜씨를 생각하고 있었다. 4천여 년 전에 비단을 발명하고, 2천여 년 전에 현대적 감각의 도자기를 빚어낸 것이 중국인이었다. 그 DNA는 기나긴 세월을 흘러내려 오늘에 저렇게 살아 있었다. 중국이 마술을 부리듯 G2가 된 것은 공산당이 정치를 잘해서가 아니었다. 1억여 명의 근로자들이 싼 인건비에 몸을 내맡기며 각종 제조업에서 그들의 솜씨를 발휘했고, 2억 5천여의 농민공이란 사람들이 그보다 더 헐값의 돈에 그들의 솜씨를 판 결과였다.

중국인 특유의 DNA와 아직도 미안할 만큼 싼 인건비 덕에 자신의 회사는 새로운 도약기를 맞고 있었다. 마약은 100배의 이익을 남길 수 있기 때문에 목숨을 걸고 밀매에 나선다고 했다. 어디 마약뿐이랴. 중국에서 제작된 물건들은 프랑스 명품 매장에 모셔지면 정말 그렇게 둔갑했다. 비녀핀 같은 것은 엄청난 이익을 남겨주고 중국 부자들에게도 잘 팔려나갔다. 그들은 그 큰 핀에 새겨진 꽃이 모란이 아닌 것을 탓하지 않았다. 오히려 프랑스 명품이니까 장미인 것을 더 좋아했다.

중국에 예수교인이 많지 않음을 그는 아쉬워했다. 그러나 그 문제는 머잖아 시간이 해결하리라는 것을 그는 확인하고 있었다. 중국의 급속한 서양화 속도가 그 근거였다. 중국혁명의 옷이었던 '인민복'은 이제 눈을 씻고 찾아도 찾을 수가 없었다. 그 속도는 자동차가 자전거를 밀어내는 속도보다 훨씬 더 빨랐다.

그가 지금 쾌재를 부르고 있는 것은 중국인들에게 불붙기 시작한 명품바람이었다. 중국은 G1의 자리를 놓고 미국을 위협하고 있는 것만이 아니었다. 이미 일본을 밀어내고 명품시장 2위 고객의 자리를 차지했고, 미국을 제치고 1위가 될 날도 몇 년 남지 않은 것이다. 중국사람들은 벌써 싹쓸이 '묻지마 쇼핑'의 시범을 보여 '명품시장의 메뚜기 떼'로 등장했다. 얼나이 많이 거느린 리완싱 사장 같은 벼락부자들이 그 선봉대였다.

이래저래 고마워서 자크 카방은 더욱 세차게 악수를 해댔다.

어떤 모국과 조국

“쿠퍼, 그 다음은 뭐가 문제죠?”

왕링링은 서류를 옮겨놓으며 치뜬 눈길로 쿠퍼 사장을 쳐다보았다. 그런 그녀의 어조나 얼굴에는 평소의 그녀 모습은 없었다. 오로지 냉정하고 엄한 기업 회장의 카리스마가 있을 뿐이었다.

“예, 일을 빨리 진행시켜야 할 상황에 철강 문제가 암초가 되고 있습니다.”

쿠퍼 사장이 새 서류를 왕링링에게 건넸다.

“암초……? 그까짓 것 빨리 정리하면 됐지 뭐가 문제길래 암초라는 말까지 쓰는 거죠?”

이상한 낌새를 눈치챈 듯 왕링링은 얼굴을 찌푸리며 받아 든 서류를 빠르게 훑었다.

"거기 간략하게 적었습니다만 두 파워가 팽팽히 맞서 있기 때문에 우리로선 좀 난처합니다. 새 지역의 업무 처리는 그 지역의 세력들과 해결한다는 원칙은 불변인데, 철강을 놓고 파워게임이 너무 치열해 해결 난망입니다."

"또 독식하려는 그놈에 꽌시 싸움인 거예요?"

왕링링이 차가운 웃음을 피식 흘렸다.

"예, 시의 행정부 라인과 검찰 라인의 대결입니다."

"그럼 철강은 똑같은 중국산이잖아요."

"아닙니다. 행정부 쪽은 중국산이고, 검찰 쪽은 한국산입니다."

"한국산? 그럼 포스코라는 거예요?"

"예 그렇습니다."

"포스코는 지난번 일본 쪽 로비에 밀렸었잖아요."

"예, 그때 당 쪽의 파워가 너무 강해서……."

"우리 입장에서 가장 무난한 해결 방법은 양쪽에 똑같이 갈라주는 거잖아요. 그러면 행정부와 사법부를 다 싸안게 되는 거니까."

"물론입니다. 그런데 그 길이 보이지 않으니까……."

쿠퍼 사장은 궁색스러운 표정을 지었다.

"포스코면 검찰을 꽌시로 동원한 한국사람이 있을 것 아니에요."

왕링링의 예리한 눈초리가 쿠퍼 사장을 쏘아보았다.

"그렇습니다만……."

쿠퍼 사장은 더 주눅이 드는 것 같았다. 나이는 비슷하게 30대 후반인데 회장과 사장이라는 직위 차이가 남자의 몰골을 영 후줄근하게 만들고 있었다. 쿠퍼 사장도 백인으로서 미남 축에 드는 인물이었다. 더구나 학벌까지도 미국에서 최고로 꼽는 두 대학 중의 하나였다.

"됐어요, 앤디 박을 부르세요."

"앤디 박을요……?"

쿠퍼 사장은 무슨 말인지 감을 잡지 못해 어리둥절해서 왕링링을 쳐다보았다.

"한국사람에겐 한국사람을 보내야 해요. 동양사람들은 민족, 피에 대한 유대가 아주 강하니까. 빨리 불러요, 앤디 박을."

왕링링이 서류를 옆으로 치우며 군대식으로 지시했다.

"긴급 상황이에요. 공사를 하루라도 빨리 시작해서 최대한 빨리 끝내야 하는데 암초에 걸렸어요. 빨리 시안으로 날아가 그 암초를 제거하세요."

왕링링이 앤디 박에게 지시했다.

"……."

앤디 박은 '그건 내 소관이 아닌데요' 하는 말이 혀끝까지 나왔지만 입술에 힘을 주었다. 왕링링의 다급해하는 모습이 사업가의 외로움으로 느껴졌던 것이다. 그리고 소관 업무 이외의 일을 시키는 것은 왕링링이 변함없이 보여온 자신에 대한 신뢰라는 생각도 들었다.

"쿠퍼, 빨리 시안의 포스코 지사 수배하고, 비행기표 준비해요. 그리고 앤디 박은 내 말 좀 들어요."

왕링링은 작전 지시를 하는 사령관처럼 두 손으로 제스처를 써가며 숨 쉴 겨를 없이 말했다.

"꼭 전쟁터의 칭기즈칸을 보는 느낌입니다."

앤디 박이 의자에 몸을 부리며 말했다.

"황송하게 칭기즈칸은……. 미안해요, 앤디 박 소관도 아닌 일을 해달라고 해서. 하지만 급해서 그러는 거니까 좀 이해해 줘요."

왕링링이 미안쩍어하며 웃음을 지었다.

"만만디에 맞춰서 일할 줄 알아야 한다고 해왔던 건 어쩌고 왜 이리 서두르는 겁니까? 중국은 앞으로 20~30년은 줄기차게 앞으로만 달릴 것이고, 우린 아직 마흔도 안 됐잖아요."

"맞아요. 허나 일이란 사안에 따라 다르니까요. 우리 자금이 투입되지 않는 관급공사일수록 신속하게 끝내야 해요. 자아, 내 말 좀 들어요."

왕링링은 책상 앞으로 바짝 다가앉으며 손짓했다.

'아니, 그게 무슨 말이오? 그 반대라야 맞지. 저런 말실수를 하는 적이 없는 사람이 어쩐 일이야? 뭐가 바쁘긴 되게 바쁜 모양이군. 아마 정부 돈 빨리 빼서 다른 데 투자할 게 있는 모양이지? 하여튼 머리가 팽팽 도는 여걸이야. 그 능력 맘껏 발휘할 수 있게 시대를 잘 타고나서 다행이야.'

앤디 박은 이런 생각을 하며 왕링링에게 직언하는 것을 피했다. 옛날에 목이 달아나고 싶으면 세 번 진언하라는 말이 있었다. 로마의 네로 황제는 자신에게 간언하는 신하들의 목을 가차 없이 쳤고, 중국의 수양제도 자신의 방탕한 생활에 대해서 신하들이 진언하는 족족 목을 베어버렸다. 기업의 오너도 직언의 대상이 아니었고, 충고의 대상도 아니었고, 토론의 대상도 아니었다. 그들은 신적 절대성과 제왕적 권력을 구사하기를 원했다. 함께 일하려면 거기에 맞춰야 했다. 그것은 또 하나의 자본의 마력, 돈의 힘이었다.

"그게 뭐냐면 말이지요……."

왕링링은 용건을 꺼냈다.

시안 공항에서 앤디 박을 맞이한 것은 김현곤이었다.

"전화 받고 놀랐습니다."

김현곤이 명함을 건넸다.

"예, 놀라신 이유가……?"

앤디 박도 명함을 건네며 웃음을 지었다. 그런데 김현곤은 그 웃음에서 다른 온도를 느꼈다. 그건 비즈니스 관계에서 의례적으로 짓는 플라스틱 웃음이 아니었다.

"예, 골드 그룹에 우리나라 사람이 사장님으로 계실 줄은 전혀 상상하지 못했습니다. 전화 받고 바로 인터넷 검색을 했지만 거기에도 안 올라 있었고……."

김현곤도 상대방을 친근하게 대하려고 마음먹으며 말했다.

"아, 그러셨군요. 저는 건축 총괄사장이라서 인터넷에는 올라 있지 않습니다. 인터넷에는 경영 쪽 사장들만 올라 있지요. 그래야 기업의 홍보와 영업에 효과가 있으니까요."

"예, 기업 경영상 그렇게 핵심을 노출시킬 필요가 있겠지요. 근데, 시안에는 여러 번 오셨습니까?"

이건 그저 형식적인 물음이었다. 김현곤은 묻고 싶은 것이 따로 있었다. 그러나 초면에 그런 걸 물으면 결례가 될 수밖에 없어서 일단 제쳐두어야 했다. 앤디 박은 사장이라는 직함이 잘못된 게 아닌가 싶을 정도로 너무나 젊었다. 아직 마흔도 안 되어 보이는 것이, 자신보다 열 살은 아래가 아닐까 싶었던 것이다.

"아닙니다. 얼마 전에 공사 현장을 둘러보러 왔었고, 오늘이 두 번째입니다. 시안은 아주 인상적입니다. 난징보다도 더 옛 모습이 많이 보존되어 있어서."

앤디 박이 질서라고는 없이 혼란스럽게 오가는 사람들을

피해 걸으며 말했다.

"예, 저도 시안의 그 매력에 반했습니다만, 우리 같은 사람들 때문에 그 앞날이 어찌 될지 기약이 없지요."

"우리 같은……?"

앤디 박의 선한 인상의 얼굴에 의문이 가득했다.

"우린 서부대개발의 물결을 타고 돈을 벌려고 시안이 와 있습니다. 그런데 그 개발은 십중팔구 시안의 옛 모습을 손상하고 훼손시키게 될 것입니다. 그러면서 우리는 긴 역사를 품고 있는 시안을 좋아하고 있습니다. 이거 참 우스운 모순 아닌가요."

"예, 그 점을 지적하시니까 저도 그 모순을 시인할 수밖에 없습니다. 지난번에 왔을 때 시안을 자세히 관찰하지 못해 뭐라고 단언할 수는 없지만, 이런 도시를 무조건 산업화 도시로 개발하는 것이 옳은가 하는 데는 계속 회의가 있었습니다. 그건 중국 전체가 안고 있는 경제발전의 숙제이기도 하고요."

"예, 지역 격차, 빈부 격차를 하루빨리 줄여 인민의 불만을 해소시켜야 하는 정치인들의 입장에서는 우리 식의 이런 발언을 제일 듣기 싫어하겠지요. 어쨌거나 중국식으로 말해서 '이상은 이상이고 현실은 현실'이니까 잘살기 위해서는 개발을 해야 하고, 거기에 전 인민이 절대적으로 지지를 보내고 있으니 망설임 없이, 거침없이 개발을 추진해 나아가는 것이 옳은 길인 거지요. 우리도 거기에 발맞추는 것이 현명한 일이고. 자아, 타시죠."

김현곤이 자동차 문을 열었다.

"말에 뼈가 들었군요."

앤디 박이 고개를 끄덕이며 중얼거리듯 말했다.

"우리 지사장님은 선약이 있어서 딴 일을 처리하고 사무실에서 기다리기로 했습니다. 다른 장소를 잡기도 마땅찮고 해서."

김현곤이 차를 출발시키며 행선지를 알렸다. 초면에 사무적인 일은 사무실에서 처리하겠다는 사무적 태도를 분명히 하고 있었다.

김현곤은 기분이 참 야릇했다. 자신을 상하이 시민에서 시안 시민으로 만들어버린 골드 그룹 사건은 아직도 생생히 살아 있는 기억이었다. 그곳에서 갑자기 전화가 왔고, 사장 한 사람을 태우고 지금 사무실로 가고 있다. 그쪽에서 전화로 한 말은 '아주 화급한 업무 때문이니 좀 만나자'였다. 막강한 골드 그룹의 뜻밖의 제안이었다. 거절할 까닭이 없었다. 그 사건 때는 접촉하려야 접촉할 수가 없었던 대상이었다. 저쪽에서 무슨 용건을 가지고 온 것인지 궁금할 것은 없었다. 시간만 기다리면 자동기계 돌듯 풀리는 것이 사무적 용건이기 때문이었다.

김현곤은 지난번 사건을 입에 올려야 하나 말아야 하나를 결정하지 못하고 있었다. 자신과 전대광 부장을 참담하게 만들었던 그 사건의 내막을 지금까지도 전혀 알지 못했다. 직접 부딪쳤던 일이 아니고 꽌시가 개입되어 있었기 때문이다. 자신들이 아는 건 결과뿐이었다. 일본에게 밀렸다는……. 그래서 참담함과 분함은 더 컸던 것이 아닌가.

김현곤은 계속 갈등하고 있었다. 그것 알면 뭘 해, 다 지나가버린 것. 아니야, 뭐가 어떻게 된 것인지 속 시원히 알아야 해. 그래서 달라질 게 뭐지? 더 속만 상하지. 두 개의 마음이 팽팽하게 살바 싸움을 하고 있었다. 그 사건을 다시 생각하자 새롭게 분이 솟고, 그 분함이 새롭게 감정을 자극하고 있었다. 이성적으로는 그럴 필요 없다고 생각하면서도 감정은 따로 작동하고 있었다. 늘 느끼는 것이지만 사람의 마음이란 참으로 복잡하고 그리고 미묘한 것이었다.

김현곤은 냉정해야 한다고 마음을 다잡았다. 골드 그룹의 사장급이 직접 찾아온 것은 오늘의 용건이 얼마나 큰 것인지 짐작케 했다. 그런 일에 맞닥뜨려 있으면서 지난 일에 신경소모를 한다는 것은 비즈니스맨의 기본에 어긋나는 일이었다. 비즈니스맨에게는 이윤 추구를 위한 냉정한 현실이 있을 뿐이었다. 최대의 이윤 창출을 위한 거래 성립, 그것만이 비즈니스맨의 윤리고, 비즈니스맨의 능력이었다. 칼날 같고, 얼음장 같은 현실과의 싸움에 혼신을 다해야 할 비즈니스맨이 과

거의 감정에 사로잡히는 것은 독배를 마시는 위험이고 어리석음이었다.

김현곤은 양복에 묻은 먼지를 털듯 그 생각을 털어내며 핸들을 다시 잡았다.

"아니, 저 사람들 저거……, 대로상에서……."

앤디 박이 갑자기 상체를 세우며 창밖을 손가락질했다.

김현곤은 얼른 고개를 오른쪽으로 돌렸다.

"뭐 말이죠……?"

김현곤은 그다지 놀랄 만한 게 없어서 심드렁하게 앤디 박에게 눈길을 돌렸다.

"저거 안 보여요, 저거……? 저 웃통 벗은 두 남자……."

앤디 박은 아까보다 더 큰 소리를 내며 빠른 손가락질로 창밖을 가리키고 있었다. 차가 지나쳐버리기 전에 김현곤에게 그 장면을 보게 하려는 다급함이었다. 그러나 김현곤은 이미 그 장면을 보았다. 다만 앤디 박처럼 놀랄 것이 없어서 뭐냐고 물었던 것이다.

"저 웃통 벗고 일하는 두 남자 말인가요?"

김현곤이 앤디 박과 눈길을 마주치며 피식 웃었다.

"아니, 대로상에서 웃통을 벗고 저게 무슨 짓입니까. 아직 날씨가 심하게 더운 것도 아닌데."

앤디 박은 마치 자기와 직접 관계되는 일인 것처럼 얼굴까지 붉히고 있었다.

"꼭 날씨가 더워야만 웃통을 벗고 일하나요. 저 사람들 오랜 습관이죠. 중국에 얼마나 되셨길래……, 저런 모습 첨 보세요?"

김현곤은 여전히 심상하게 대꾸했다. 웃통을 벗어젖힌 두 남자는 자전거포에서 한창 자전거를 고치고 있었다. 그런 모습은 시 외곽에서 흔히 볼 수 있는 장면이었다. 그건 자동차의 거센 물결에 밀려나고 있는 자전거의 신세를 보여주는 것이기도 했다.

"아니요, 베이징이나 상하이 같은 대도시에서는 사라지고 없어서 다 괜찮아진 줄 알았더니 여기서 버젓이 저러고 있으니……."

앤디 박은 고개를 내저으며 마구 혀를 찼다.

"당연하지요. 베이징에서 여기 시안까지는 몇천 리, 아니 만 리 가까이 될 테니까 완전히 근절되려면 아직 멀었지요. 중앙정부의 정책이나 지시가 지방까지 다 시행되려면 5년이나 걸린다는 걸 생각해 보세요."

'그런데 지금 몇 년이나 됐느냐'고 묻는 듯 김현곤은 실실 웃고 있었다.

"올림픽을 개최하면서 문명 개조 정책을 펴기 시작했으니까 5년이 되려면 아직 2년이나 더 남았군요. 김 부장님은 중국을 대하는 게 아주 도사급이시군요. 근데 저는 그게 안 돼요. 공중질서가 엉망인 걸 보면 직감적으로 울화가 치밀고, 지금 저런 꼴을 보면 내가 모독당한 것 같아요. 그리고 중앙정부의 정책이 5년씩이나 걸린다는 건 도대체 말이 안 돼요. 미국은 국토 넓이가 오히려 중국보다 조금 더 넓은데도 중앙정부 정책이 전국적으로 즉각즉각 시행돼요. 알래스카까지도. 하와이까지도. 그런 신속성과 통일성이 없다면 중국은 현대국가로서의 기본요건도 못 갖추고 있는 거예요. 매머드가 왜 멸종했는지 아시죠? 몸이 너무나 비대해져서 말초신경의 감각 인지기능이 떨어졌기 때문이 아닙니까. 발끝에서 일어난 사고를 뇌가 인지하는 데 2초 이상 걸리니까 그 시간 자체가 쌓이고 쌓여 매머드의 온몸은 세균들의 침투에 무방비 상태가 되어버린 거죠. 많은 인구가 일사불란하게 통제가 안 되는 중국이 바로 그 매머드 신세예요. 그걸 극복하는 방법은 딱 한 가지가 있어요. 지금의 모든 성들을 국가로 분리, 독립시키는 거예요."

앤디 박은 그런 생각을 오래전부터 해왔던 것처럼 아주 정연하게 말했다.

"박 사장님, 사장님이 지금 얼마나 무서운 말을 하신지 아십니까?"

김현곤은 순간적으로 장난기가 동해 아주 심각한 표정을

지으며 앤디 박을 쳐다보았다.

"무서운 말……?"

앤디 박은 어리둥절한 얼굴이었다.

"제가 지금 이대로 차를 몰고 공안으로 가서 사장님이 한 말을 그대로 신고하면 어떻게 될까요?"

"네에……?"

앤디 박이 소스라치게 놀랐다.

"거 봐요. 그렇게 무서운 말씀을 하셨다고요. 재수가 좋아야 추방이고, 재수가 나쁘면 실형 받아 감옥행이지요."

"아, 알아요. 중국 정부가 젤 싫어하는 게 대만 독립을 거론하는 거지요. 나라를 여러 개로 쪼갠다는 것도 그와 똑같이 생각하고, 절대 용납하지 않으려고 하는 거죠."

앤디 박이 고개를 주억거렸다.

"예, 그걸 싫어하는 건 정부만이 아니라 일반 인민 전체도 무지하게 싫어합니다. 어쩌다가 농담으로 그런 말을 하면 모두가 기절초풍을 하고, 노발대발을 합니다. 그건 애국심 때문이 아닙니다. 나라가 여럿이면 반드시 천하대란이 일어나고, 그러면 자기들은 틀림없이 목숨을 잃게 된다는 겁니다. 그러니 한 나라로 통일이 되어야 전쟁 없이 태평하게 살 수 있다는 거지요. 그들의 그런 생각은 중국의 긴 역사를 통해 경험적으로 얻은 겁니다. 중국의 역사를 한마디로 하면, 여러 나라로 갈라져 있다가, 전쟁을 하며 수없이 죽고, 통일을 하고, 다시 갈라졌다가 또 전쟁을 일으켜 죽을 만큼 죽고, 통일을 하고, 엎치락뒤치락 그 연속이었으니까요."

"예, 중국사람들이 기절초풍하고, 노발대발할 만해요. 저 2천 년 전의 춘추전국시대에서부터 서로 사생결단 싸워 진시황이 여섯 나라를 무찌르고 천하통일을 이룩한 이후 갈라지고 전쟁하고 통일하고의 반복을 마오쩌둥이 중화인민공화국을 세울 때까지 수십 차례 되풀이했으니 분열을 두려워하는 공포가 그들의 DNA가 될 만도 하지요. 인간의 역사란, 중국이나 유럽이나 가만히 들여다보면 결국 서로 죽이고 죽은 것의 기록이 거의 전부예요. 인간의 역사를 생각하다 보면 인간이란 결국 이런 정도밖에 안 되는 존재인가 하는 회의에 빠질 때가 가끔 있어요."

또 그 회의가 밀려오기라도 하는 듯 앤디 박은 어깨를 늘어뜨리며 깊은 한숨을 쉬었다.

김현곤은 앉음새를 고치며 앤디 박을 곁눈질로 내립떠보았다. 그는 한마디 말을 통해 중국 역사는 물론이고 세계 역사도 통달하고 있음을 드러냈는데, 김현곤은 그만 머릿속이 더 복잡해지고 있었다. 만날 때부터 지금까지 중국식으로 상대방의 관상을 보며 그 실체를 파악하려고 신경을 집중하고 있는데, 시간이 갈수록 어떤 형체가 잡히는 게 아니라 오히려 더 혼란스러워지고 어지러워지고 있었다.

마흔이 아직 안 된 나이와, 사장 직함과……, 여기서부터 시작된 혼란은 '역사 발언'을 거치면서 절정에 이르고 말았다. 이름이 '앤디 박'인 건 뭐며, 건축 총괄사장이면 건축과를 나왔을 게 분명한데 중국 역사를 한 줄로 꿰는 건 뭐며, 거기다가 세계 역사까지 통달한 듯이 하며 철학자 같은 폼까지 잡으시지 않는가. 도대체 그 나이에 독서량이 얼마나 많은 것인가. 아니, 그게 꼭 어려울 것은 없다. 머리만 좀 있으면 제대로 된 개론서 열댓 권만 정독하고 통독하면 어느 자리에서나 그 정도 폼은 잡을 수 있는 것 아닌가. 그건 바로 상과대학 출신인 자신이 써먹고 있는 방법이니까. 그러나 그렇다 하더라도 앤디 박이라는 존재의 실체 파악은 뿌연 안개 속이었다. 젊지만 만만한 상대가 아니다. 계속 요주의!

김현곤이 내린 중간 결론이었다.

"저는 이런 중국을 볼 때마다 어떤 불안과 위기감을 느껴요. 아마존강 원시인들은 미개하지만 그들 나름의 자연적 순수성이 있어요. 그런데 중국인들은 그들 나름의 문화는 가지고 있지만 그들만의 고질적 근대성에 파묻혀서 현대문명과 충돌하고 있거든요. 그 현실이 바로 저렇게 웃통 벗은 사람들이 G2의 나라 국민이라는 사실이죠. IMF의 전망에 따르면 앞으로 몇 년 후인 2016년쯤에 중국이 미국을 제치고 G1이 되리라고 하는데, 저런 모습으로 G1이 되면 어떻게 되는 거죠?"

앤디 박은 마치 중국을 비판하는 토론장에라도 나선 것처럼 전문용어까지 동원해 가며 진지하고도 적극적으로 말하고 있었다.

김현곤은 어떻게 할까 잠시 망설이다가 비즈니스맨의 신분을 잊지 않기로 했다.

"예, 저도 비슷한 생각입니다. 중국도 경제력이 세계적으로 확장되고 있는 것만큼 문화수준도 세계적 기준에 오르도록 빨리빨리 개선해야 되겠지요. 정부에서 앞장서고 있고, 모든 매스컴들이 나서고 있으니 아주 빠른 속도로 좋아질 거라고 생각합니다."

김현곤은 세련된 직업외교관처럼 양쪽 균형을 잘 맞춰 중립적 발언을 했다. 그러나 그는 하고 싶은 말은 가슴에 따로 담고 있었다.

'당신은 당신의 미국 이름처럼 너무나 미국의 시각에서 말하고 있다. 모든 걸 미국 기준과 수준에 맞춰놓고, 그것과 같지 않으면 미개하고 야만이라고 취급해 버리는 것 말이다. 2~3년 전에 어느 미국 기자가 중국사람들이 쥐고기로 요리해먹은 걸 기사로 쓴 일이 있었다. 사연인즉, 동물로 옮기는 전염병이 발생했는데, 특히 쥐가 문제였다. 그래서 정부는 전국적으로 쥐잡기를 실시했다. 그런데 어느 지방에서 잡은 쥐를 몇몇 행동 잽싼 사람들이 인근 대도시로 한 트럭 신고 나가 큰 식당들에게 팔아넘겼다. 그리고 식당들은 쥐고기를 요리해 별미로 잘 팔아먹었다. 미국 기자는 그 사실을 기사화하며 중국인들을 야만인 취급했고, 중국을 가망 없는 나라라고 비판해 댔다. 그러나 중국인들 입장에서는 그건 말도 안 되는 생트집이고, 일방적이고 악의적 모함이었다. 왜냐하면 그 지역에서는 전염병이 전혀 발생하지 않았고, 다른 지역에서도 전염병은 더 확산되지 않았다. 그리고 쥐도 내장과 껍질은 다 버리고 살코기만 가지고 요리를 했는데 뭐가 문제냐는 것이다. 자기와 생활습관이 다르고, 인식이 다르고, 가치관이 다르다고 해서 무조건 미개함이나 야만으로 매도하고 비난하는 건, 그런 행위야말로 미개하고 야만적인 문화폭력이 아닌가. 서양인들의 자기중심적 일방주의, 자기들만이 옳고, 모두는 자기네를 따라야 한다는 우월주의는 이제 그만 삼가야 되지 않겠느냐. 21세기의 동양은 20세기의 동양이 아니다.'

김현곤은 평소부터 생각해 온 이 말을 해버리고 싶었지만 꾹꾹 눌러 참았다.

"어떻게 한국분의 성함이……."

지사장은 명함을 교환하자마자 직사포를 쏘았다. 그건 비즈니스 고수가 구사하는 기선 제압의 한 방법이었다. '넌 누구야. 우리하고 얘기 트려면 신분부터 밝혀' 하는.

"예, 저희 부모님이 이민 가셨고, 저는 미국에서 태어났습니다."

앤디 박이 순하게 웃으며 지사장의 공격을 부드럽게 받아냈다.

"아, 미국 시민이면 당연히 이름이 이래야죠. 그런데 한국말에 전혀 잡티가 끼지 않아서 미국식 이름이 이상하게 여겨지는군요."

지사장은 또 인터넷 '신상털기' 식으로 두 번째 정면공격을 시도했다.

"예, 부모님 덕이죠. 제가 말을 시작하고, 책을 읽게 되기까지는 영어와 한국말을 동시에 가르쳤고, 초등학교에 들어가면서부터는 집에서 영어를 한마디도 안 썼어요. 그게 중국사람들 교육 방법인데, 중국사람들은 미국에 이주해서 7~8대에 이르러도 모두 중국말을 유창하게 잘하는데 한국사람들은 2대째에서 한국말을 더듬거리고, 3대에는 거의 다 잊어버리게 됩니다. 그래서는 절대 안 된다고 수없이 강조하셨지요. 그런 부모님의 생각이 옳다고 생각해요."

"아 참, 훌륭하신 부모님을 두셨습니다. 이렇게 만나게 돼서 반갑습니다."

지사장이 상쾌하게 말하며 악수를 청했다. 그건 '당신을 비즈니스 파트너로 받아들이겠어' 하는 흔쾌한 마음의 표현이었다. 그런 감정의 움직임은, 인간관계에서 한국사람들의 3대 고질병인 학연·지연·혈연 중심주의에서 혈연 작용의 효과라 아니할 수 없었다.

"예, 반갑게 맞아줘서 감사합니다."

앤디 박이 안도의 웃음을 지으며 지사장과 함께 팔을 흔들어댔다.

"자아, 차를 좀 드시지요."

드디어 김현곤은 차를 우려냈고, 지사장은 앤디 박에게 차를 권했다. 차를 아랫사람 시키지 않고 직접 우려내고, 차 대접을 하는 것은 손님을 귀하고 정중하게 맞는다는 중국식 예법이었다.

"예, 감사합니다."

그러나 이건 빈말일 뿐이었다. 그야말로 사교적인 인사말이었다. 앤디 박은 '이 차 믿을 수 있는 겁니까?' 하는 말이 곧 입 밖으로 나가려는 것을 간신히 참아내고 있었다. 중국은 여러 개의 종주국 타이틀을 가지고 있었다. 세계 3대 발명품 외에도 비단의 종주국, 도자기의 종주국, 옥공예의 종주국. 거기에 더하여 차의 종주국이었다. 그리고 차의 종류도 음식의 종류에 뒤질세라 많고도 많았다. 그러나 앤디 박은 평소에 그 유명한 중국차를 전혀 마시지 않았다. 커피를 좋아해서가 아니었다. 가짜투성이이기 때문이었다. 생산지나 품질을 속이는 가짜를 말하는 것이 아니었다. 그 어떤 것이나 전체가 농약투성이라는 점이었다. 그에 대한 대처법이 없는 게 아니었다. 물을 부어 첫 번에는 버리고, 두 번째부터 마시라는 것이었다. 그렇다고 농약이 완전 제거되는 것은 아니었다. 농약이 얼마나 무시무시한 독성 물질인데 농도가 묽어졌다고 그걸 한 방울이라도 마실 것인가.

그러나 앤디 박은 표정 관리에 애써가며 차를 한 모금 맛있는 척 마셨다. 그리고 서둘러 말을 꺼냈다. 차를 한 잔이라도 덜 마시는 방법은 일을 빨리 끝내는 것밖에 없었던 것이다.

"제 명함 봐서 이미 아시겠지만, 비즈니스는 저의 전문 분야가 아닙니다. 그러나 이번에는 특수한 사정상 제가 나서게 된 겁니다. 저는 비즈니스 테크닉도 없고 하니까 그냥 저희 회장님의 뜻을 충실히 전하는 심부름꾼 역할만 하겠습니다."

긴장한 탓으로 입속이 말라 앤디 박은 어쩔 수 없이 또 차를 한 모금 머금었다.

"여기 연구원과 연수원을 겸한 대형 빌딩 건설 계획은 이미 공개되어 많은 업체들의 납품 경쟁과 로비가 시작되었습니다. 그런데 업무 특성상 건설업체는 아직 공개되지 않았습니다. 물론 비밀 유지를 철저히 하시리라 믿고 말씀드립니다. 그 건설을 맡을 업체가 바로 우리 골드 그룹입니다."

마치 무슨 선언이라고 하듯 앤디 박은 여기서 말을 멈추었다.

"……!"

"……!"

지사장과 김현곤의 눈길은 꼭 번개 치듯 부딪치며 야릇한 빛을 내쏘았다. 그리고 앤디 박을 쳐다보며 표정이 딱 굳어졌다. 마흔이 안 되었을 그 젊은 사장이 그다지도 거한 존재일 줄이야! 두 사람의 굳어진 얼굴이 드러내고 있는 말이었다.

"저희 회장님께서는 지금 양쪽이 경합하고 있는 철강 납품 문제가 빠른 시간 안에 잡음 없이 깨끗하게 종결되기를 바라고 있습니다. 회장님께서 제시하시는 방법은 한 가지입니다. 양쪽이 똑같이 50퍼센트씩 납품하는 겁니다."

앤디 박이 지사장을 쳐다보았다.

지사장은 아무 말도 못하고 김현곤을 쳐다보았다. 그 일은 검찰과장 최상호가 꽌시로 작용하고 있었던 것이다. 조선족으로 인민해방군에 20년 넘게 근무하고 검찰 조직으로 옮겨 앉은 최상호는 그 영향력이 대단했다.

지사장이 김현곤에게 빠른 눈짓을 계속 보내고 있었다. 김현곤이 전담하고 있는 일이니 그럴 수밖에 없었다.

"예, 회장님 뜻은 알겠습니다만, 우리 쪽이 동의하더라도 저쪽에서 동의 안 할 수도 있습니다."

마침내 김현곤이 처음 책 읽기를 시작한 초등학생처럼 천천히 또박또박 말했다. 그 말 한마디, 한마디에서 바위 같은 무게가 느껴지고 있었다.

"아, 그런 염려는 마십시오. 그런 염려를 하실 것을 미리 짐작하고 저쪽은 우리 회장님이 직접 나섰습니다."

"회장님께서요……?"

"예, 우리 회장님 능력은 제가 믿습니다. 한마디로 하면 이 먼 시안의 관급 공사를 따내신 분입니다. 그런 분이 철강 문제 정도 조정하는 건 손바닥 뒤집기입니다. 그리고 회장님께서 이 말 전하라 하셨습니다. 지금은 거리가 멀어 2파전이지만, 자꾸 시간을 끌어 소문이 퍼지면 일본이 끼어드는 3파전이 될 수 있다. 그럼 또 지난번처럼 한국은 실패할 수도 있다. 왜냐하면 일본은 단순한 꽌시작전이 아니라 우리 회장님도 어떻게 할 수 없는 당 최고위층에 작용하는 정치작전을 동원해 버린다. 우리 회장님은 포스코 제품의 우수성을 믿기 때문에 이번에는 그런 일이 벌어지지 않기를 바란다고 전하라고 했습니다."

자기는 이제 할 말 다했다는 듯 앤디 박은 긴 숨을 내쉬고는 찻잔을 들었다.

지사장은 허둥거리듯 앤디 박의 빈 찻잔에 차를 따랐다. 그리고 김현곤을 향해 빠른 눈짓을 해대느라고 바빴다. 김현곤은 숨을 깊이 들이마셨다. 두 번 패배할 수는 없었다. 50퍼센트 차선이라도 10만 톤을 넘는 분량이었다.

"예, 회장님께서 그렇게 책임지시겠다면 제가 저희 꽌시를 설득시키겠습니다."

김현곤의 목소리가 떨리고 있었다. 그의 부르쥔 두 주먹도 떨리고 있었다.

"예, 이렇게 빨리 결정해 주셔서 정말 감사합니다. 며칠 사이로 결정 통보하도록 하겠습니다."

앤디 박이 더없이 환하게 웃으며 김현곤에게 악수를 청했다.

"예, 저는 회장님보다는 박 사장님을 더 믿습니다."

김현곤은 앤디 박의 손을 힘껏 맞잡았다.

"예, 감사합니다. 제 체면을 세워주신 것에 대해서 보답하는 뜻으로라도 일이 꼭 잘되도록 하겠습니다." 앤디 박은 왼손으로 김현곤의 손을 감싸 잡으며 색다른 정을 나타내고는, "저는 '체면이 선다'는 말뜻을 오늘 처음 실감했습니다. 미국에는 그런 말이 없거든요." 그는 한국사람의 냄새를 물씬 풍기고 있었다.

"오늘 여기서 주무실 거지요?"

지사장이 긴장 풀린 편안한 얼굴로 웃었다.

"아닙니다. 일이 빨리 끝났으니 마지막 비행기로 돌아가야 되겠습니다. 빨리 가야 일이 빨리 끝나니까요."

앤디 박이 시계를 보았다.

"예, 그럼 비행기표부터 체크시키겠습니다. 그리고 아직 시간 여유 있으니까 저녁식사를 하시지요."

지사장이 서둘러 몸을 일으켰다.

"공사가 시작되면 자주 뵙게 되겠지요?"

사무실을 나서며 김현곤이 물었다.

"물론입니다. 기초공사가 완료되기 전까지는 여기에 꽤 오래 머물게 될 겁니다. 그때 여기 명소 안내 잘 부탁드립니다." 앤디 박이 말했고, "그건 전혀 걱정하지 마십시오. 우리 김부장이 관광 회사를 차려도 좋을 정도로 전문가입니다. 어디를 젤 보고 싶습니까?" 지사장은 기분 좋은 것을 굳이 감추려 하지 않았다.

"예, 저는 진시황릉이나 병마용보다는 현종과 양귀비한테 더 관심이 많습니다."

앤디 박이 짓궂게 웃었다.

"아 역시 남자다운 관심입니다. 남자라면 누구나 양귀비의 미모가 안 궁금할 수가 없는 일이지요."

"글쎄 말입니다. 도대체 얼마나 예뻤으면 중국 천하를 엎어먹을 수 있는 것인지, 또 여자한테 얼마나 반했으면 당이라는 찬란한 제국을 망쳐먹을 수가 있는 것인지, 그들이 환락의 극치를 보였다는 화청지를 꼭 한번 보고 싶은 겁니다."

앤디 박은 지사장과는 꽤나 다른 관심을 드러냈다.

"무슨 음식을 좋아하십니까?"

큰길로 나서며 김현곤이 물었다.

"비싼 데 말고 깨끗하고 안심할 수 있는 데로……." 앤디 박이 주저하듯이 말했고, "아, 알겠습니다. 가짜에 대한 걱정 때문이군요. 믿을 수 있는 호텔이 있습니다." 김현곤이 미국에서 산 당신의 심정 안다는 듯 고개를 끄덕였다.

"아니, 저 사람들……."

앤디 박이 주춤 걸음을 멈추었다.

김현곤과 지사장도 걸음을 멈추었다.

"저, 저 사람들이 잠옷을……."

앤디 박이 놀란 얼굴로 말을 더듬었다.

저 앞에 나이가 꽤 듬직한 부부가 붉은 바탕에 꽃무늬가 요란한 잠옷을 입고 잦바듬한 걸음걸이로 걸어오고 있었다. 그런데 두 사람의 가슴에는 빨간 리본을 단 하얀 강아지가 한 마리씩 안겨 있었다.

"아직도 잠옷을 입고 외출하다니……."

자기가 부끄럽다는 듯 고개를 떨구며 앤디 박이 중얼거리고 있었다.

"베이징이나 상하이는 다 없어졌겠지만 여기는 아직도 저렇습니다. 애완견 키우는 건 새로 유행하기 시작한 거구요. 그냥 안 보셨다 생각하세요."

김현곤이 미안하다는 듯 나직하게 말했다.

잠옷 차림에 애완견까지 안고 그 부부는 저녁 산책을 나온 참이었다. 고급 잠옷에 비싼 애완견, 그건 재력을 드러내는 졸부들의 대표적 신분 과시였다. 잠옷이라는 것을 모르고 살아온 중국사람들이 무늬 호화로운 비싼 잠옷을 신분 과시용으로 삼아 외출복으로 입고 나선 엉뚱한 유행바람은 몇 년 전부터 일어났다. 그래서 정부는 문명 10대 개조에 '잠옷 입고 외출하지 말자'도 넣었던 것이다. 그러나 웃통 벗기처럼 그것은 아직도 내륙도시에 남아 있었다.

그리고 애완견 키우기는 무조건 한 자식 갖기의 산아제한이 불러온 필연적 결과였다. 세계적으로 부는 핵가족제도 바람이 중국을 피해갈 리 없었다. 하나뿐인 자식이 결혼해서 떠나버리면 늙은 부부는 개라도 키워 빈 공간을 채우려고 했다. 그 유행은 애완견을 '반려견'이란 명칭으로 격상시켜 주면서 날로 거센 바람을 일으키고 있었다. 그래서 애완견 상점이 신종 유망업종으로 떠오를 정도였다. 지금 벌써 2억 마리로 추산되어 세계 1위를 차지한 게 확실한데 경제 신장을 따라 얼마나 더 폭증할지는 아무도 예측할 수 없는 일이었다.

앤디 박은 사흘 만에 결정 통보를 해왔고, 김현곤네는 닷새 만에 철강 12만 톤 납품계약을 완료했다.

"김 부장, 정말 수고했소. 이게 가장 좋은 내 퇴직 선물이 될 것 같소."

퇴직을 1년 남겨놓은 지사장이 김현곤을 얼싸안았다.

김현곤은 납품에 따른 업무 처리로 며칠을 정신없이 보냈다. 바쁜데도 신명 나는 것, 그것이 월급쟁이의 보람이었다. 12만 톤이면 960억 매출이었다. 그건 한 지사가 1년 동안 달성할 매출 목표였다. 그것을 한 방에 해치운 것이다. 만루 홈런을 때린 타자의 기분이 이런 게 아닐까 싶었다. 그 행복감 속에서 자꾸 생각나는 것이 앤디 박이었다.

"아, 선글라스 없이도 눈부시지 않게 태양을 바라볼 수 있는 게 시안의 선물이군요."

시안의 지독한 매연에 대해 앤디 박이 남기고 간 명언이었다.

"선배님, 아무래도 선배님이 좀 만나보셔야 할 사람이 있습니다."

김현곤이 출근하자마자 관리부장인 후배가 와서 말했다.

"……?"

일정표를 막 살피려던 김현곤은 눈을 칩떠보며 뭐냐고 물었다.

"어떤 골치 아픈 여자가 나흘째 찾아와서 귀찮게 굽니다. 취직시켜 달라고."

관리부장의 얼굴만이 아니라 말에서도 짜증이 묻어나고 있었다.

"그걸 왜 내가……?"

김현곤이 뜨악하게 반응했다. 그가 생략한 말에는, '넌 경영관리만이 아니라 인사관리까지 책임져야 하잖아' 하는 뜻이 담겨 있었다.

"그 여자가 조선족입니다. 그래서 골치 아프고……."

"조선족……?"

김현곤이 고개를 치켜들었다.

"예. 그래서 막 대할 수도 없고……."

"여자라니? 자세히 말해 봐요."

"예, 아가씨입니다. 스물대여섯 먹은……."

"기본자격은 되는 거요?"

"예, 연변대 상대 출신이랍니다."

"연변대 출신이면 집이 연길이나 그 근방일 텐데……."

김현곤은 이제 자리를 고쳐 앉으며 고개를 갸웃거렸다.

"예, 연길에서 여기까지 일부러 찾아왔다는 겁니다."

"일부러……?"

"예, 우리 회사에 대해서 잘 아는 눈치였습니다."

"좋소, 만나봅시다."

김현곤은 그 순간 최상호 검찰과장을 생각했다.

"우리 조선족의 앞날이 참 걱정스럽소. 그 수가 자꾸 늘어나더라도 장래 보장이 문제인데, 수가 자꾸 줄고 있단 말이오. 55개 소수민족 중에서 열세 번째로 200만이 미처 못 되는

데, 개혁개방 이후 돈벌이하려고 남조선으로, 중국 천지 사방으로 흩어지고 있소. 나부터도 조선족자치주로부터 만 리 넘게 떨어져 있으니, 그러다가는 자치주 자체의 존재가 위협당할 수 있소. 그리고 더 큰 문제는 타향으로 떠난 여자들이 무작정 한족 남자들과 결혼하려는 풍조요. 자기 자식만은 조선족으로 알게 모르게 차별당하며 살게 하지 않겠다는 욕심 때문이오. 당나라 때 주변국 사람들이 당나라 백성 되고 싶어 했던 것과 꼭 같은 심리요. 그것이 몇십 년 계속되면 조선족 앞날은 어떻게 되겠소. 조선족은 언제까지나 보존되어야 하고, 그러려면 우리끼리 돕는 수밖에 없소."

최상호 검찰과장이 술 취한 가운데도 심각하게 한 말이었다. 취중 진언이더라고 그 말의 울림은 컸다.

어디 당나라 때만 그랬나. 로마 시대에도 이민족들이 로마 시민인 것을 큰 자랑으로 여기지 않았던가. 강한 쪽에 속해야만 안락하게 살 수 있다는 것을 간파한 인간들의 눈치 빠르고 얍삽한 기회주의가 아닌가. 김현곤은 이런 생각을 하며 씁쓰름하게 웃음 지었다.

그리고 술을 다섯 번째 마신 날이었다.

"당신은 남자로서 아주 됐어. 예의 잘 지키고, 말이 무겁고, 학식이 풍부하고, 그러면서도 잘난 척하지 않고 겸손하고, 일에 열성이고, 중국을 진심으로 이해하고……. 좋아, 아주 맘에 들었어. 어때, 나랑 의형제 하지 않겠는가!"

그리고 그는 의형제 형의 책무인 것처럼, 또는 '우리끼리 돕자'는 자신의 말을 실천이라도 하는 듯 이번의 골드 그룹 건을 발 벗고 나섰던 것이다.

"야 이거 샘이 나서 못 봐주겠는걸. 소개는 내가 하고 의형제는 자기들끼리 맺어버려? 사람 믿지 말라더니 두 사람 두고 한 말일세. 중매 잘하면 술 세 번 얻어먹는다는데 의형제 맺어주면 몇 번이지? 열 번? 아니야, 그건 너무 도둑놈 심보고, 양쪽에서 세 번씩, 여섯 번을 사라구, 여섯 번."

친커 과장이 이죽거렸다.

김현곤 앞에 선 아가씨는 한눈에 볼품이 없었다. 키는 작은 편이었고, 거기다가 마르기까지 해서 몸매라고는 없었고, 더구나 얼굴까지 보통 수준에도 미치지 못하고 있었다. 그런 외형조건에 치장 또한 전혀 안 되어 있어서 그 모습은 초라하다 못해 남루한 쪽으로 기울어 있었다.

영상 시대와 경쟁 시대가 맞물려 취업에 외모의 비중이 점점 커지고, 그 정글을 뚫고 살아남기 위해서 남자까지 성형수술을 감행하고, 서너 가지 화장품을 쓰는 것이 예사가 되어가는 세상이었다. 그런데 그 아가씨는 기초화장은 고사하고 싸구려 옷을 자주 빨아 입지도 않은 듯 구지레해 보였다.

면접을 볼 것도 없는 대상이었다. 그런데 그녀는 조선족이었다. 그리고 '우리끼리 도와야 한다'는 최상호 검찰과장의 말이 쟁쟁히 울리고 있었다.

김현곤은 떨구고 있던 눈길을 들었다. 그런데 그녀의 눈, 눈꼬리가 치켜 올라간 그녀의 두 눈이 이상하게 빛나고 있었다. 이쪽을 똑바로 쳐다보고 있는 그 눈빛이 맑으면서도 깊었고, 초췌한 얼굴과 함께 무슨 말인가를 간절하게 하고 있는 것 같았다.

그때, '연길에서 여기까지 일부러 찾아왔다'는 관리부장의 말이 생각났다. 김현곤은 그때서야 그녀의 몰골이 왜 구지레한지를 깨달았다. 그녀가 비행기를 타고 몇 시간 만에 왔을 리가 없었다.

"중국에는 수없이 많은 회사가 있소. 그런데 왜 하필 우리 회사에 취직하려고 하는 거요?"

'그 눈 하나 쓸 만하군' 생각하며 김현곤은 말을 꺼냈다.

"저는 조선족이기 때문입니다."

약간 떨리는 듯했지만 그녀의 목소리는 눈빛처럼 맑고 또렷했다.

"조선족이기 때문에 한국 회사에서는 무조건 받아줄 거다 그거요?"

김현곤의 어조가 비꼬였다.

"오해 마십시오. 그런 뜻이 아닙니다. 저는 조선족일 뿐만 아니라 저의 할아버지는 동북항일연군이었습니다. 그리고 포스코는 우리 민족의 희생과 피의 대가인 대일청구권자금으로 설립된 유일한 민족기업이기 때문에 저는 오래전부터 포스코에서 일하는 것이 꿈이었습니다."

'아아, 동북항일연군!'

이 생각과 함께 김현곤은 허리를 곧추세웠다. 중국공산당군과 우리나라 독립군들이 만주 일대에서 연합전선을 형성해 일본군과 싸운 역사. 그것이 동북항일연군의 존재였다. 그리고 중국공산당은 우리 독립군들의 그 업적을 인정해 중화인민공화국을 세운 다음 55개 소수민족들 중에서 맨 처음 조선족자치주를 세우게 했던 것이 아닌가.

김현곤은 자신의 앞에 앉아 있는 독립군의 손녀딸을 다시금 쳐다보았다. 새삼스럽게 그녀의 눈빛이 더 형형하게 느껴졌다.

"우리 회사가 그런 내력으로 설립된 것을 어떻게 알았소?"

"예, 그 정도는 연길 지식인들은 거의 다 알고 있습니다. 모국에 대한 관심들이 지대하니까요."

또렷또렷하고 반듯반듯한 그녀의 말은 그녀의 총명과 지적수준을 함께 말해 주고 있었다.

그녀는 다른 조선족들처럼 한국을 '모국'이라고 분명하게 구분했다. 그리고 그들은 중국을 자기들의 '조국'이라고 했다.

그들의 그 명백한 태도는 처음에 한국사람들을 얼마나 당황하게 하고, 실망시켰으며, 심지어는 배신감을 느끼게 했던가. 영원히 갈 수 없는 땅으로 여겨졌던 중국과 어느 날 느닷없이 수교가 되고, 그 물결을 따라 만주의 조선족과 남한의 한국사람들은 일순간에 한 덩어리로 뒤엉켰다.

잊을 수 없는 슬픈 역사, 민족이 강제로 이주당해 짓밟힌 땅, 독립투사들이 피 흘려 싸운 땅 만주, 거기서 힘들게 살아온 우리 민족의 성원, 독립투사들의 후손……, 이런 피의 이끌림과 역사의 책무감까지 겹쳐진 감상으로 한국사람들은 조선족들을 덥석 껴안지 않았던가. 그런데 그들의 입에서 나온 소리.

"대한민국은 나의 모국일 뿐이고, 나의 조국은 중국이다."

이 말이 자극한 감정적 배신감을 이성적 논리로 소화해 내는 데 한국사람들은 몇 년을 소모해야 했다.

"연변대 상대 출신이라고 했소?"

"네." 그녀는 재빨리 가방을 열었고, "여기 졸업증명서와 성적증명서가 있습니다." 서류봉투를 내밀었다.

김현곤은 성적증명서를 들여다보며 그녀의 눈빛을 보고 느꼈던 자신의 판단이 틀리지 않았음을 확인하고 있었다.

"우리 회사의 다른 지사들도 많은데 어떻게 이렇게 가장 먼 곳까지 오게 되었소?"

"네, 인터넷 검색 결과 가장 최근에 설립되었기에 그만큼 일자리를 얻기 쉬울 것 같았고, 또 제 능력을 발휘하기도 쉬울 것 같았습니다."

김현곤은 우문현답이 된 것을 느꼈다.

"무슨 일을 할 수 있소?"

"네, 상대 출신이니까 경리 업무부터 영업 업무까지, 회사에서 하는 일은 뭐든지, 시키는 일은 뭐든지 할 수 있습니다."

사생결단 취직을 하기로 작정을 한 대답이었다.

"영업도 할 자신이 있다는 거요?"

"네, 시켜만 주시면 자신 있습니다."

"영업이 뭔지 알고 하는 소리요?"

"네, 우리 회사 물건을 타인에게, 우리 회사와 상품에 대해 아무런 인지도도 없고 정보도 없는 제3자에게 팔아야 하는 상행위입니다."

"그건 끝없이, 인정사정없이 거절당하는 행위요. 그런데도 자신이 있다고요?"

"네, 자신 있습니다. 영업하는 자를 고무시키는 우리 민족의 좋은 속담이 있습니다. 열 번 찍어서 안 넘어가는 나무는 없다."

"그건 속담일 뿐, 스무 번 찍어도 안 넘어가는 나무도 있소."

"네, 그럴 수도 있을 겁니다. 그러나 포스코의 영업자들은 다섯 번 이내에서 나무를 넘어뜨려야 한다고 생각합니다."

"그게 무슨 소리요?"

"포스코는 이미 그 품질의 우수성을 국제적으로 인정받고 있습니다. 그런 상품을 팔면서 다섯 번을 넘겨서야 되겠습니까?"

'아하……!' 김현곤은 자신의 의식 속에서 실로폰이 딩동댕 댕댕댕…… 연달아 울려대는 소리를 듣고 있었다.

"꼭 취직을 해야 될 이유가 있소?"

"저는 급히 돈이 필요합니다. 아버지가 병을 오래 앓다 2년 전에 돌아가시고, 저는 고학을 해서 대학을 마쳤습니다. 그런데 제 아래는 남동생이 있어서 제가 학비를 대줘야 합니다. 아시겠지만 소수민족에게는 자식을 둘씩 낳게 허가했고, 어머니는 잡일 하는 것 외에는 생활력이 없습니다."

"알겠소. 지사장님과 상의해 볼 테니 내일까지 기다려보시오."

"네, 면접해 주셔서 감사합니다."

그녀는 낮은 응접용 탁자에 이마가 부딪힐 만큼 절을 하고는 나갔다.

김현곤은 그녀의 뒷모습을 물끄러미 바라보고 있었다. 그녀의 구지레한 입성이 그 어떤 성장 차림보다도 값지게 보였다.

베이징 나들이

아직 출근시간 전인데도 베이징 시내는 차들이 밀리기 시작했다. 러시아워의 살인적 정체를 피해서 미리 나온 사람들이 그리도 많았던 것이다. 러시아워의 정체를 살인적이라고 하는 것은 걸어서 10분 걸릴 거리를 30분을 넘어 1시간까지 막히는 게 예사이기 때문이었다. 그런데도 베이징의 차는 날마다 늘어나고 있었다. 차량 폭증을 막기 위해 시에서 채택한 묘수가 추첨제였다. 그러나 시민들의 '마이카 욕망'이 사라지지 않는 한 차는 날마다 불어날 수밖에 없었다. 시간 따라 달이 차오르고 기우는 것을 그 누가 막을 수 있으며, 꽃이 벙글어 만개하고 시들어 떨어지는 것을 그 누가 저지할 수 있을 것인가. 멋지고 안락한 내 차를 갖고 싶어 하는 사람들의 욕망은 그 어떤 힘으로도 꺾을 도리가 없는 일이었다.

리엔링은 또 시계를 보았다. 갈 길은 아직 멀었는데 약속시간은 다 되어가고 있었다.

"아저씨, 어떻게 빨리 좀 가보세요."

리엔링은 짜증스럽게 말했다.

"나도 신경질 나 죽겠으니까 괜히 나한테 짜증 부리지 마시오. 급하면 내려서 뛰어요. 그게 훨씬 빠를 테니까."

젊은 운전수가 백미러로 리엔링을 뒷눈질하며 거칠게 내뱉었다.

"미안해요. 아저씨한테 짜증 부린 게 아니에요. 되는대로 가세요."

리엔링은 앙칼스럽다 싶게 싸늘하게 대거리를 했다. 송재형과 함께 있을 때의 곱고 참한 모습과는 전혀 달랐다.

리엔링은 핸드폰을 꺼냈다.

"엄마, 저예요."

"응, 왔구나."

"아니에요. 차가 좀 막혀요."

"그래? 오래 걸리겠니?"

"엄마, 지금 어디예요? 내려와 계시는 거예요?"

"아니, 막 나가려고……."

“잘됐네요. 조금 더 있다 내려오세요. 전 한 10분쯤 늦을 것 같아요.”

“그래, 알았다. 난 더 오래 걸릴 줄 알고 철렁했다.”

“엄마, 그 철렁 좀 그만하세요. 걸핏하면 철렁철렁, 그러다 큰 병 된다구요.”

“아이구, 벌써 큰 병 다 돼버렸어. 그 웬수 때문에. 아이구 분해!”

퍽! 가슴팍을 치는 소리까지 들려와 리옌링은 질겁을 했다.

“엄마, 가슴은 왜 쳐요. 그렇게 세게 치다가 잘못하면 심장마비 일으켜 돌아가신다구요. 엄마가 그렇게 되면 누구 좋은 일 시키는지 아시죠?”

“걱정 마라. 그 인간 벌렁벌렁 춤추라고 내가 죽어? 어림도 없다. 그 인간이 입에서 쓴 물 질질 흘리도록 원수 톡톡히 갚으면서 백 살까지 악착같이 살아야 되겠다.”

“예에, 그렇게 마음 단단히 먹으라구요. 도착하기 직전에 다시 전화할게요.”

리옌링은 전화를 끊으며 시트에 몸을 부렸다. 이제 차야 막히거나 말거나 제가 알아서 할 것이고, 오랜만에 제값을 한 핸드폰을 내려다보며 그녀는 피식 웃었다.

핸드폰이라는 것. 셀 수 없이 많을 정도의 편리한 기능을 갖춘 충직한 비서인 반면에 온갖 폐해도 감추고 있는 흉물이

기도 했다. 그것은 돈과 너무나도 닮은 존재였다. 돈은 인간의 욕망을 해결하지 못하는 게 없으면서 인간 세상의 수많은 비극을 만들어내는 원흉이었다. 그리고 핸드폰에는 인간의 약다 못해 간교하게까지 느껴지는 이기주의가 똬리를 튼 독사처럼 도사리고 있어서 추가되는 기능을 따라 새것을 구입할 때마다 소름이 끼쳤다. 새로운 기능을 몇 가지씩 몰아서 모델을 바꿀 수 있는데도 돈벌이를 위해서 한 가지씩 분리해서 새 제품을 출시한다는 것이었다. 그런 최첨단 발명품이라는 그럴싸한 이름을 내걸고 벌이는 최악의 상업주의 퍼레이드였다.

이미 핸드폰의 그 마술 같은 온갖 기능에 중독된 많고 많은 무리들은 새 기능이 추가된 신제품이 나올 때마다 어찌 되는가. 멀쩡한 것을 미련 없이 내던져버리고 새것을 향해 허둥지둥 허겁지겁 달려가 밤샘 줄까지 서는 것을 마다하지 않는다. 세상은 스티브 잡스를 향해 21세기의 위대한 과학자라는 칭송을 아낌없이 보내지만, 그는 어찌 보면 그 누구보다도 돈을 숭배한 저급한 상업주의자인지도 모를 일이었다.

IT산업에서 스티브 잡스보다 앞서 간 아버지뻘 되는 사람이 있었다. 빌 게이츠. 먼저 된 자가 나중 되고, 나중 된 자가 먼저 되더라고 빌 게이츠는 뒤따라온 스티브 잡스에 의해 그 화려한 무대에서 사라져야 했다. 그런데 암이 발명의 천재 스티브 잡스를 저세상으로 데려간 다음에 빌 게이츠는 다시 빛의 중심에 서게 되었다. 발명 때문이 아니고 인간적인 삶의 방법을 놓고 칼럼니스트들이 두 사람을 비교하기 시작한 것이다.

빌 게이츠는 세계 1등 거부가 된 20여 년 전부터 자기 재산을 사회에 환원하기 시작했다. 그는 막대한 재산을 내놓으면서 그 돈을 미국인들만 위한 것이 아니라 세계인 전체의 건강을 위해 쓰도록 재단을 만들었다. 그리고 미국 역사상 최악의 대통령으로 낙인찍힌 부시가 미국을 수치스럽게 만든 '부자 감세'를 외치고 나왔을 때 정면으로 반대하고 나선 것이 빌 게이츠였다. "부자들은 지금보다 세금을 더 많이 내야 한다." 그가 대통령에 맞서서 외친 말이었다. 젊은 그를 응원하고 나선 또 하나의 부자가 있었다. 워런 버핏. 그 아버지뻘 되는 사람은 빌 게이츠를 말로만 응원한 것이 아니었다. 워런 버핏은 엄청난 재산을 빌 게이츠가 발족시킨 봉사재단에 기부했다.

기자들의 질문에 빌 게이츠가 대답했다. "내 자식들은 내 재산의 10분의 1만 가져도 평생 편히 살 수 있다." 그런 빌 게이츠는 중국이 G2로 부상하자 중국의 부호들에게 세계인을 위한 기부에 동참해 달라는 메시지를 보냈다. 그런데 자가용 비행기까지 가진 수백 명의 부자들은 몇 명이나 호응했을까. 단 한 명도 없었다.

중국의 부호들만 귀가 먹은 척한 것이 아니었다. 부호의 자리를 빌 게이츠와 맞바꾼 스티브 잡스도 한 푼도 내지 않았다. 그는 암 선고로 언제쯤 죽게 되리라는 것을 알고 있었고, 암 치료 때문에 피골이 상접해져 흔들리며 걸어야 하는 몸이면서도 그는 신제품 선전에만 열을 올리다가 세상을 떠나갔다. 칼럼니스트들은 동년배인 두 사람의 그 차이를 비교하면서 독자들에게 누가 더 사람의 무게가 나가는지 달아보라고 일깨우고 있었다.

리옌링은 핸드폰을 새로 바꿔야 할 때마다 그런 칼럼이 떠오르고는 했다. 신제품이 나올 때면 중국에서는 버려지는 핸드폰이 1억 대에 이른다고 했다. 단연 세계에서 1위겠지만, 전 세계적으로는 얼마나 많은 핸드폰들이 쓰레기통 신세가 되고 있을까. 핸드폰은 뇌를 손상시킬 수 있는 흉물일 뿐만 아니라 지구 자원을 막대하게 낭비하게 만드는 또 하나의 원흉이었다.

"호텔 다 왔소."

퉁명스럽게 내지르는 운전수의 말에 리옌링은 번뜩 정신을 차렸다.

"엄마, 베이징에는 왜 왔수."

엄마를 보자마자 리옌링의 입에서 나간 첫마디였다.

"왜, 만나자마자 귀찮아졌니?"

그녀의 엄마는 화가 난 척 갈퀴눈을 했다.

"흥, 내가 귀찮아지기라도 했으면 좋겠수. 기분 같아서는 학교 당장 관두고 매일 엄마랑 함께 있어주고 싶은 이 맘이 문젠걸."

리옌링은 울상을 지으며 슬픈 눈으로 어머니를 쳐다보았다.

"꿈에도 그런 소리 마라. 내가 이런 꼴 된 것도 대학 못 나와서 그렇다."

그녀가 커피숍으로 발길을 옮기며 말했다.

"그건 또 무슨 소리예요?"

리옌링은 어머니의 팔짱을 끼며 목소리가 꼬이고 있었다.

"글쎄, 그 얼나이 년들이 다 대학 출신들이시랜다." 그녀는 헛웃음을 치고는, "병신, 지도 고등학교밖에 못 나온 주제에 꼴을 떠는 것하고는……." 뇌꼴스럽다는 듯 마구 혀를 차댔다.

"엄마, 그런 걸 뭐 알아보고 그래. 전에도 말했지만 아빠만 그러는 게 아니라 개혁개방이 몰고 온 신풍조니까 속상하지 말고 마음을 닫아버려요. 그리고 저 옛날부터 권세 있고 돈 있는 남자들은 하나도 안 빼고 줄줄이 첩들을 거느렸잖아요. 이게 수천 년 된 전통, 아니 악습이라구, 악습. 그러니까 그러려니 해버려요."

리옌링은 마주 앉은 어머니를 보며 역사학도답게 말하고 있었다. 그러면서 아버지를 생각하고 있었다. 아버지는 대학을 못 나왔다. 문화대혁명 세대의 비극이었다. 왜 그런 광란의 시대가 펼쳐졌는지 지금까지도 원인이 명확히 밝혀지지 않은 그 시대는 자그마치 10년 세월이었다. 그 세월 동안 죽어간 사람들의 수도 최소 500만을 넘어 1천만이라고도 했고, 2천만이라고도 했고, 중국답게 그 수를 정확히 아는 사람이 없었다. 그 광란 속에서 문화재가 얼마나 파괴되고 불탔는지는 더구나 아는 사람이 있을 리 없었다. 다만 한 가지, 총리인 저우언라이(주은래)가 "모든 문화재는 전 인민의 피와 땀으로 이루어진 것이니 함부로 파괴하는 것을 삼가라"고 해서 좀 진정되었다는 사실이 전해질 뿐이다. 그 끔찍스러운 시대에 모든 대학은 문을 닫는 끔찍스러운 일이 벌어졌다. 그래서 문화대혁명 시대에 10대였던 세대들은 '무학의 세대'라는 상처를 안게 되었다.

아버지의 그 상처는 열등감이 되었고, 개혁개방을 따라 돈을 많이 벌게 되자 아버지는 돈의 힘으로 대학 졸업한 여자들을 얼나이로 삼아 그 열등감을 풀려고 한 거였다. 그런 아버지도 딱하고, 아들 낳은 시앗들을 보아야 하는 어머니는 더 딱하고, 리옌링은 어찌해야 좋을지 알 수가 없었다.

"니가 이 에미 속을 어찌 알겠니. 시집을 갔어도 모를 텐데, 시집도 안 간 처지니."

"모르긴 왜 몰라요. 시앗을 보면 길가의 돌부처도 돌아앉는다는 속담이 다 있는데. 세상 살 맛이 싹 떨어져버린 엄마 맘 잘 알아요."

리엔링은 어머니의 손을 끌어당겨 감싸 잡았다.

"나 있지……, 많이 생각해 봤는데……, 아무래도 이혼해야 될까 부다."

그녀는 골김에 하는 말이 아니라는 듯 딸을 바라보며 천천히 또박또박 말했다.

"엄마……!"

리엔링은 가슴이 쿵 울리는 충격을 받으며 다음 말이 막혀버렸다. 어머니는 괜히 베이징 걸음을 한 것이 아니었다. 전화를 받고 그냥 놀러 온 것이 아니라는 것은 짐작했지만, 그런 독한 마음을 품고 왔으리라고는 전혀 짐작하지 못했었다. 기껏 생각한 것이 화가 뻔친 김에 명품 사냥이나 해서 돈이나 왕창 써주겠거니 했던 것이다. 그건 아버지와 싸우고 나서 어머니가 곧잘 쓰는 방법이었다. 그런데 자신은 역시 어머니 마음에 이는 슬픔의 핵심에는 아예 이르지 못하고 그 주변에서만 에돌았을 뿐이었다. 어머니는 이혼을, 아버지와 남남이 되기를, 자신을 낳아준 두 분이 남남으로 갈라서는 문제를 생각하고 딸을 만나려고 왔는데, 딸인 자신은 명품 사냥이나 해서 풀릴 마음으로 여기고 있었던 것이다.

"엄마, 아빠가 이혼하재요?"

"아니……."

"그럼, 엄마 혼자 생각이에요?"

"아무래도 분해서 못 살겠다."

"분한 것 알아요. 근데, 엄마가 이혼하면 좋아지는 건 누구죠?"

"……?"

"엄마는 호적에서 지워져 없어지고, 그 자리를 누가 차지하게 되냐구요?"

"……!"

"엄마, 정신 차려요. 엄마가 자선사업가예요? 왜 엉뚱한 여자 좋은 일 시켜주려고 그래요?"

"……."

"그리고 엄마, 엄마가 이혼하면 내가 어떤 신세가 되는지 생각해 봤어요?"

"……?"

"엄마가 버티고 있을 때하고, 엄마가 없어지고 딴 여자가 아들을 데리고 집안에 들어왔을 때하고, 내 처지가 어떻게 되겠어요. 그리고 아빠가 날 어떻게 대하겠어요."

"……!"

그때 리옌링은 번뜩 떠오르는 새 생각이 있었다. 재산 문제! 거기에도 치명적인 불이익이 닥칠 수 있었다. 3분의 1로 줄어드는 게 아니라 몇십 분의 1로 쪼그라들 수도 있었다. 리옌링은 몸이 달았다. 어떻게 해서든 이혼을 막아야 했다.

"글쎄 말이다, 그것까지는 미처 생각해 보지 않았다." 그녀는 미안쩍어하며 어색스러운 웃음을 짓고는, "그래도 넌 다 커서 괜찮잖아" 하며 얼굴이 다시 냉정해졌다.

"좋아, 엄마가 이혼하고 싶으면 엄마 맘대로 해요. 그치만 나는 그날로 죽어버리고 말 테니까!"

리옌링은 표독스러울 만큼 독기를 내뿜었다.

"뭐, 뭐라구?"

"베이징에 높은 빌딩이 좀 많아요. 뛰어내리면 깨끗이 죽게 돼요."

"어머나, 너 미쳤니. 그런 무서운 소릴 막 하구. 알았다, 내 잘못했다. 다시는 그런 생각 안 할 거야. 다시는 안 해. 그러니까 너두 그런 못된 생각 하지 마. 알았어?"

그녀는 눈물이 글썽글썽해져 딸의 손을 끌어당겼다.

"엄마……, 힘을 내. 억지로라도 힘을 내요."

리옌링도 울먹거리며 목이 메었다.

"힘을 내야 하는데……, 널 봐서라도 당당하게 버티고 살아야 하는데……, 이제 무슨 재미로……."

"엄마, 남들이 사는 대로……, 엄마만 당하는 일이 아니잖아요. 남들처럼 돈 자꾸 많이 받아내서 명품 쇼핑도 하구, 친구들하고 해외여행도 다니구, 그리고……, 맘에 드는 남자가 있으면 새 기분으로 연애도 하구 그래요. 육십에 20년 연하의 남자와 연애하는 세상인데, 엄마 나이 마흔여덟은 그런 사람에 비하면 시퍼런 청춘이라구요."

리옌링은 흔하게 듣보아온 그대로를 말하고 있었다.

부부가 맞바람을 피우는 일은 흉일 것 없는 흔한 일이었고, 어머니들이 열대여섯 살 먹은 아들을 데리고 애인을 만나는 것도, 고급 관리가 젊은 얼나이를 끼고 앉아 여러 사람 앞에서 자랑하는 것도 아무 흠일 것 없는 세상이었다.

"너 철 다 들었구나. 그래, 벌써 4학년이니."

그녀는 딸의 손등을 쓰다듬으며 중얼거렸다. 그 손이 자신의 처녀 적 손과 똑같다고 생각하며.

"엄마, 당장 오늘부터 혁명적 생활을 시작해요. 가요, 명품 사냥하러."

리옌링은 상큼하게 생기 있게 말하며 몸을 일으켰다.

"명품은 무슨……."

"엄마, 제발 이러지 말아요. 엄마는 속으로 부러워만 했지 돈 아끼느라고 그동안 제대로 된 명품을 얼마 못 가졌잖아요. 기껏해야 짝퉁이나 들고 다니고. 엄만 그렇게 아끼는데 아빤 어떻게 했죠? 얼나이들한테 돈 펑펑 써대며 엄마한테 배신 때렸잖아요. 이젠 엄마가 갚아줄 차례예요. 엄마가 아무리 맘껏 써대도 아빤 끄떡없으니까 제발 궁상스럽게 굴지 말아요. 그것도 무시당하는 이유가 된다구요. 참, 엄마는 아빠 재산이 얼마나 되는지 알아요?"

리옌링은 문득 생각이 나서 물었다.

"재산……? 글쎄에……, 몰라, 잘 몰라."

그녀는 어리둥절한 표정으로 느리게 고개를 저었다. 갑작스런 질문을 받고 주먹구구로 황급히 계산을 해보지만 잘 짐작이 안 되는 눈치였다.

"앞으론 그거나 좀 챙겨보시구요."

"넌 좀 아니?"

"아니요. 나도 이제부턴 관심을 좀 쓰려구요."

"그래 잘 생각했다. 그대로 뒀다간 얼나이 자식들 좋은 일 다 시킨다."

리옌링은 아버지를 생각했다. 지금까지 자신을 무척이나 사랑해 준 아버지였다. 그러나 앞으로는 어떻게 변할지 알 수가 없는 일이었다. 변하지 않을 수도 있었지만, 변할 위험도 얼마든지 있었다. 그 위험을 생각하면 그녀의 불안은 고무풍선처럼 자꾸만 부풀어 올랐다. 아들이라는 게 무엇인지, 남자들은 무작정 아들을 좋아했다. 남아선호, 붉은색 좋아하고 용 좋아하는 것처럼 중국사람들이 몇천 년에 걸쳐서 줄기차게 좋아해온 것이 아들이었다.

수천 년 동안 뿌리내려온 모든 악습을 단칼에 쳐 없앴던 마오쩌둥도 남아선호만큼은 고치지 못했다. 마오 주석은 중화인민공화국을 건설하자마자 남존여비를 없애고, 여필종부를 없애고, 전족을 없애 진정하고 완벽한 여성해방을 이룩하고, 남녀평등을 실현했던 것이다. 그러나 남아선호 사상을 없애지 않은 것은 그야말로 옥에 티였다. 그러나……, 그건 마오의 실수도, 미처 깨닫지 못한 것이 아닐 수가 있었다. 일부러 뺀 것일 수 있었다. 마오도 남자이기 때문에 '남아를 선호'했을 수 있었다.

그 남아선호 때문에 세상에 태어나고서도 호적에 오르지 못한 여자아이들이 1억이 넘는지 2억이 넘는지 정확히 아는 사람이 없는 채 풍문만 무성했고, 심지어 4억으로 추측하는 외국신문들도 있었다. 정부에서는 한 자녀만 갖기의 계획생육 정책으로 인구 4억 증가를 억제한 효과가 있었다고 선전하고 있었다. 그러나 외국신문들의 추측이 맞다면 어찌 되는가. 계획생육은 완전히 실패한 정책이 되는 셈이었다.

그런데 호적 없는 여자아이들은 사람 취급을 못 받는 유령인간이어서 불쌍한 것만이 아니었다. 진짜로 사람이 아닌 짐승으로 취급되는 일이 벌어지고 있는 모양이었다. 끊임없이 퍼지고 번지고 있는 인신매매의 소문과 풍문이었다. 나이에 따라, 생김에 따라 1천 위안에서 2천 위안까지 거래된다고 가격까지 알려질 정도였다.

어느 산골 벽돌공장에 그렇게 팔려 온 여자아이들 수백 명이 벽돌 나르는 일에 혹사당하고 있었다. 평균 열네다섯 살 된 그 아이들은 잘 먹지도 못하면서 강제노동만 당하는 것이 아니었다. 외출이라곤 없이 감시당해야 했고, 얼굴이 좀 괜찮은 아이들은 성폭행까지 당했다. 이런 사실을 폭로하려고 한 신문사 기자가 그 공장에 접근했다. 그러나 그 기자는 반죽음이 되도록 폭행을 당하고 쫓겨올 수밖에 없었다.

이런저런 소문들이 끊이지 않았지만, '매사에 나서지 말고[凡事不當頭] 돈 안 되는 일에 참견하지 마라[少管閑事]'를 생활신조로 익힌 중국사람들은 남의 일에 전혀 관심을 두지 않았고, '런타이둬'가 입버릇이 된 그들에게 그런 소문은 그저 스쳐가는 바람결인지도 몰랐다.

아직까지 남아선호가 얼마나 심한지는 농촌으로 갈수록 많이 펄럭이고 있는 플래카드가 잘 보여주고 있었다.

'從我做起關愛女孩.'

붉은 글씨의 이 여덟 글자(나부터 여자아이를 아끼고 사랑하자)는 무호적자를 막고, 계획생육 정책의 효과를 높이려는 정부의 절실한 심정을 담고 있었지만 그 효력이 얼마인지 아는 사람은 아무도 없을 거였다. 더구나 농부들 중에는 그 글자를 읽지도 못하는 까막눈이 수두룩한 형편이었다. 중국의 문맹은 5천만을 넘어 그것도 세계 1위일 수밖에 없는데, 그들은 거의가 농부였다.

여자는 시집을 가면 친정 호적을 파가지고 시집의 호적으로 옮겨 앉는다. 그러면 친정 호적에는 빨간 ×(가위표)가 질러진다. 그 표시는 죽은 자와 똑같다. 그러니까 여자가 시집을 간다는 것은 친정에서 보면 죽은 자가 되는 것이다. 이러니 종족보존의 본능에 사로잡혀 있는 남자들이 기를 쓰고 아들을 좋아하는 것은 어쩌면 지극히 자연스러운, 하늘이 시킨 일이기도 했다.

이러한 사실들을 재삼 확인하며 리옌링은 자신의 앞날에 대한 불안이 더욱 커지고 있었다.

리옌링은 몇 명인지 모를 아버지의 얼나이들과 그녀들이 낳은 자식들을 생각하면서 그동안 명품 욕구에 걸어왔던 제동을 완전히 풀어버렸다. 어머니를 배신한 아버지에 대한 앙갚음으로, 아버지 돈을 물 쓰듯 한 얼나이들에게 복수하는 기분으로 명품 사냥을 하리라 마음먹었다.

"우리 아버지 부자 아니야. 그냥 중산층일 뿐이지. 내가 결혼하면 아파트 한 채 사줄 수 있는."

송재형이 한 말이었다.

'그래, 시집보고 사달래기 어려운 형편이니까 미리미리 확보해 두는 것은 얼마나 현명한 일이냐. 음, 엄마가 잘 오셨어. 아주 잘 오셨어.'

리옌링은 어머니의 팔짱을 끼고 호텔을 나섰다.

"엄마, 엄마도 짝퉁 핸드백 같은 거 있지요?"

"으응, 그런 거 한두 개 없는 여자가 어딨어."

"엄마, 오늘 날짜로 짝퉁이란 짝퉁은 싹 다 버리세요."

"아니, 왜에……? 우리 중국 짝퉁은 얼마나 기막히게 잘 만드는지 진짜하고 구별할 수가 없이 좋아서 홍콩에 여행 오는 일본이나 한국사람들이 얼마나 많이 사가는데 그래."

"엄마, 엄마가 짝퉁 인간이우?"

"무슨 소리야? 내가 왜 짝퉁?"

"그래요, 엄마는 진짜 인간이죠? 그러니까 오늘부터 명품도 진짜만 가지라구요. 아빠 얼나이들은 홍콩 드나들며 진짜로만 치장하는데 엄마는 왜 짝퉁이냐구요. 무슨 말인지 알죠?"

리옌링은 어머니를 똑바로 쳐다보며 무슨 잘못을 잡도리하듯 채근했다.

"그래, 그래. 니 말이 옳다." 그녀는 무언가를 깨달은 눈빛으로 고개를 끄덕였고, "됐어요, 오늘부터 엄마의 새 인생 시작이에요. 그리고 아빠에 대한 복수전 시작이구요. 우리가 기운 센 아빠를 패줄 수가 있어요, 물어뜯을 수가 있어요. 복수하는 건 돈을 써주는 것밖에요." 리옌링은 어머니의 팔짱을 더 꽉 끼었다.

"니가 없었더라면 내가 어떡할 뻔했니. 딸이 크면 친구가 된다더니 바로 이런 걸 말하는 거였구나. 그래, 니가 내 보물이다."

그녀는 목소리가 잠기며 딸의 손등을 쓰다듬었다.

"엄마, 엄마가 새롭게 사는 방법은 명품으로 치장하는 것도 아니고, 나하고 친구가 되는 것도 아니에요. 그런 건 다 부차적인 것이고, 진짜는 아까 말한 대로 새 애인을 갖는 거예요. 왜냐면요, 엄만 지금, 난 남편한테 버림받았다, 난 여자로서 매력이 다 없어졌다, 이런 상처를 받고 여자로서 자신감이 없어져 있어요. 그건 여자로서 아주 위험한 일이에요. 세상 살맛도 없고, 살고 싶은 희망도 없고, 모든 게 싫증 나고, 모든 게 짜증 나고, 아무하고도 말하고 싶지도 않고……, 결국 아주 위험한 우울증에 빠지게 돼요. 거기서 자기를 구해내는 가장 좋은 방법이 새 애인을 갖는 거라구요. 내 말이 어때요?"

"어머나, 어머나! 족집게 점쟁이가 따로 없구나. 아니, 어쩜 그렇게 용한 점쟁이, 용한 의사처럼 내 가려운 데 아픈 데를 그렇게 콕콕 찝어내냐 그래. 내 맘이 꼭 니가 말한 그대로다. 니는 대학 공부 참 잘했구나. 사람 맘을 그렇게 환히 뚫어보는 기술까지 갖게 됐으니. 하이구, 내 딸 참 장하다."

그녀는 자신의 마음을 너무 잘 알아주는 딸에게 감동하고 고마워 눈물까지 글썽글썽해져 딸의 손등을 더 세고 빠르게 쓰다듬어댔다.

그러나 리엔링은 꼭 어머니를 위해서만 그런 처방을 한 것이 아니었다. 어머니가 자신에게 너무 의지해 오면 그것도 문제였던 것이다. 어머니가 베이징에 오래 머물며 계속 친구 해주기를 바라면 송재형과의 사랑생활에 바로 지장이 생기게 되었다. 그녀는 이번 기회에 송재형의 존재를 노출시킬까도 생각해 보았다. 그러나 아무래도 마땅치가 않았다. 정신적으로 불안정 상태인 어머니가 어떻게 반응할지 불안했던 것이다. 어머니는 엉뚱하게 송재형에게 자기 감정을 풀려고 덤빌 수도 있었다. 또는 자기의 유일한 의지처인 딸을 빼앗긴다고 생각해서 송재형을 무조건 거부할 수도 있었다.

해가 바뀌어 4학년이 되면서부터 리엔링은 가슴 한구석에 고민의 샘이 생기게 되었다. 국적이 다르다는 것, 처음에는 전혀 의식하지 않았던 그 문제가 부모에게 알려야 하는 시점에 가까워질수록 문제로 느껴지기 시작했다. 시간이 갈수록 송재형과의 사랑은 깊어지고, 결혼으로 그 사랑의 완성을 이루고 싶은 마음이 굳어질수록 그 고민의 샘도 깊어지는 것이었다. 자신이 송재형을 소개하고 결혼 의사를 밝혔을 때 아버지와 어머니가 흔쾌하게 받아들일 것 같지 않은 예감이 지배적이었다. 그 확실한 근거는 없었다. 그러나 막연한 근거는 수없이 많았다. 중국사람들은 '나는 중국사람이야' 하는 우월의식이 터무니없이 강했다. 그것도 서양사람들이 아니라 같은 동양사람, 특히 주변국들에게. 그리고 서양사람들을 향해서는 그 우월의식이 정반대로 열등의식으로 바뀌었다. 또한 국내적으로는 한족들이 다른 소수민족들을 향해 무한한 우월감을 행사했다. 그건 저 유명한 맹자가 주변국 민족들을 오랑캐라 부르며 하시하고 천시했던 때부터 2,400여 년의 전통을 가지고 있었다.

그리고 중국사람들은 한국사람들에 대해 이상야릇한 이중감정을 가지고 있었다. 중국이 개혁개방을 시작하면서 모델로 삼았던 나라가 싱가포르와 한국이라는 것은 널리 알려진 일이었다. 특히 한국의 경제발전을 높이 평가한 것은 6·25 전쟁으로 전 국토가 초토화된 데다가, 남과 북이 대치하고 있는 최악의 상황 속에서도 최단기간에 이룩해 낸 성공이었기 때문이다. 그리고 반쪽 난 그 작은 나라에서 올림픽을 성공적으로 개최하는 것을 보면서 중국사람들은 완전히 기가 질리고 말았다. 그때 중국은 개혁개방 9년차로 전 인민의 밥 세끼를 해결하는 데 급급하고 있던 형편이었다. 그리고 수교가 되자 한국의 중소기업들이 쓰나미 덮쳐오듯 칭다오를 중심으로 해서 위아래 연안도시들로 밀려들었다. 그때 잘살고 싶은 욕망에 들끓고 있던 중국의 남녀 젊은이들은 그 많은 한국 공장들로 몰려갔다. 그들은 농사 아닌 새 일을 익히며 '월급'이라는 것을 받게 되었고, 작은 나라 한국이 얼마나 큰 나라인지를 실감했다.

그리고 한국이라는 나라에 더욱 놀란 것은 텔레비전 드라마 방영이었다. 그 한류는 순식간에 중국 천지를 뒤덮었다. 중국사람들은 남녀노소 없이 한국 드라마에 홀려 텔레비전에서 눈을 떼지 못했다. 모두 마약에 취한 듯한 그런 현상에 대해 신문만 보도하는 것이 아니었다. 소설가들이 소설에도 쓸 정도였다. 그렇게 한국에 흠뻑 빠져 있으면서도 중국사람들은 한편으로 한국사람들을 삐딱하게 생각했다. 손바닥만 한 나라 것들이 좀 먹고살게 됐다고 건방을 떤다, 기술 좀 있다고 너무 거만하다, 이런 비난을 하고는 했다.

그리고 세월이 더 흘러 중국이 G2가 되면서 중국사람들의 태도는 완전히 달라졌다. 한국, 뭐 볼 거 있어? 조그만 나라가 힘써봤자지. 여전히 드라마는 좋아하고, 한국 배우들이 하나같이 잘생겼다고 부러워하면서도 그런 부정적인 이중 감정을 가지고 있었다. 특히 자신의 아버지처럼 벼락부자가 된 사람들이 그 증세가 더 심했다.

"엄마, 어느 명품점부터 갈까요?"

리옌링은 명품거리로 접어들며 어머니를 다정하게 쳐다보았다.

"루이비통!"

묻기를 기다리기라도 했다는 듯 그녀는 대답했다.

"이쪽 길에 쭉 줄 서 있으니까 가보고 싶은 데 미리 말해요."

"으응, 그 담엔 구찌."

"네, 그 담엔?"

"까르띠에."

"그 담엔?"

"그 담엔 더 볼 것 없다."

"왜에?"

"값비싼 명품이면 딱 봐서 명품 표가 확 나야 명품이지, 다른 것들은 명품인지 뭔지 표가 잘 안 나잖아."

"후후후, 우리 엄마도 알 건 환히 다 아신다니까. 그래요, 명품은 누가 봐도 명품 표가 딱 나야 명품 든 기분이 나요."

리옌링은 얼굴에 생기가 돌며 맞장구를 쳤다.

"그렇구말구. 그래, 어디부터 갈래?"

"루이비통!"

"그래, 빨리 가자. 전부터 내가 사고 싶은 것이 있었다."

"엄마, 나두. 나두 요새 유행하는 어깨걸이 큰 핸드백 사고 싶어."

"그래, 얼마든지 사. 느네 애비한테 복수도 하구 멋도 내구 하는 건데 좀 좋으냐. 빌어먹을, 얼나이 얻고 싶으면 얼마든지 더 얻어라. 처음 하나가 문제지 그 담부턴 열이고 백이고 그게 그거지. 난 그동안에 맘껏 못 쓴 돈에 원수나 갚아야겠다."

그녀는 중국여자답게 큰 소리로 외치듯 하며 힘차게 걷고 있었다.

톈안먼 광장은 무작정 크고, 넓고, 높은 것 좋아하는 중국 사람들의 광장답게 넓고도 넓었다. 그 드넓은 광장의 중심은 이름 그대로 '톈안먼'일 수밖에 없었다. 그리고 그 주인은 딱 한 사람, 톈안먼 정중앙에 자리 잡고 있는 사람, 마오쩌둥이었다. 그의 거대한 초상화는 광장 어디에서나 볼 수 있었다. 근엄하면서도 자애로운 얼굴에 엷은 미소가 감도는 듯한 그 초상화는 사시장철 광장과 광장에 모여든 사람들을 굽어보고 있었다.

대낮인데도 광장에는 사람들이 많았다. 여름에 파리의 샹젤리제 거리에 있는 건 다 촌놈들이고, 남산 케이블카나 한강 유람선 타는 것도 다 촌놈들이라는 우스갯소리가 있었다. 대낮에 톈안먼 광장에 모여든 많은 사람들이야말로 중국의 촌놈들이거나 외국 관광객이었다. 예수교인들의 평생소원이 이스라엘의 성지순례고, 이슬람교도들의 평생소원은 메카 순례였다. 중국사람들에게도 그런 평생소원이 있었다. 베이징에 와서 톈안먼 광장을 보고, 톈안먼과 마주 보고 있는 '마오 주석기념당'에 들어가 배례실에 안치되어 있는 마오 주석의 시신을 단 몇 초 동안이나마 알현하는 것이었다. 그 몇 초를 위해서 중국사람들은 서쪽 끝의 쓰촨성 어느 산골에서, 동쪽 끝 헤이룽장성 외진 마을에서도 만 리 넘는 길을 허위허위 찾아오는 것이다. 마오쩌둥은 세상을 떠난 이후 36년 동안 방부 처리된 시체로 수정관에 누워 있는 것이 아니었다. 해가 갈수록 중국사람들이 진정으로 우러러 받드는 신성한 존재가 되어 중국사람들의 마음속에 살아 있었다. 그 자발적 신앙성은 논리로 풀 수 없는 현대 중국의 수수께끼였다.

"얘 재형아, 저 왼쪽에 붙은 중화인민공화국 만세는 알겠는데, 오른쪽에 붙은 세계인민대단결 만세는 무슨 뜻이냐?"

송재형의 외할아버지가 눈을 가늘게 뜨고 톈안먼을 바라보며 물었다.

"에이, 외할아버지 다 아시면서……."

송재형은 어리광스럽게 외할아버지에게 눈을 흘기며 얼버무렸다. 그 묻는 의도가 무엇인지 얼핏 잘 잡히지 않아 실수하고 싶지 않았던 것이다.

"인석아, 알긴 뭘 알아. 그러니까 저게 말이다, '세계 인민들이여 대단결해서 사회주의 세상 만드세' 하는 뜻 아니겠냐?"

송재형의 외할아버지 입가에는 쓴웃음이 어려 있었다.

"예, 그런 뜻이라고 할 수 있죠."

송재형은 고개를 끄덕이며 픽 웃었다. 또 할아버지의 고질병인 반공주의가 도지고 있다는 신호탄이었던 것이다.

"요런 정신 나간 사람들이 있나. 사회주의 하다가 굶어 죽게 생겨서 그것 때려치우고 자본주의 해서 먹고살게 된 것들이 저 무슨 말도 안 되는 소리를 지껄이고 그래."

외할아버지는 중국사람들 찜 쪄 먹을 만큼 큰 소리를 질러 댔다.

"아이고 엄마……." 송재형이 귀를 막으며 신음하듯이 어머니 쪽으로 돌아섰고, "아빠, 왜 또 그러세요. 여긴 한국이 아니라 중국이라구요. 중국에서도 북경 한복판 천안문 광장이구요." 그의 어머니 전유숙이 아버지를 붙들며 울상을 지었다.

"내가 뭐 틀린 소리 했냐. 사실을 사실대로 말한 것뿐이지." 외할아버지가 불퉁스럽게 말했고, "아빠, 어제는 중국이 생각보다 대단하게 발전했다고 인상이 좋아지시더니 오늘은 왜 또 그러세요. 이 세상에 사회주의는 껍데기뿐이고 다 자본주의 돼버렸으니까 아빠도 제발 그 반공주의 좀 버리세요." 송재형의 큰이모가 큰딸의 위력을 보이듯 거세게 말했고, "하이고, 이 주책바가지 영감탱이, 어찌 그리 6·25때 기억을 못 잊고 그래요. 옛날은 옛날이고 오늘은 오늘이지. 아들놈이 중국에서 밥벌이하고 있고, 외손자가 중국 대학을 다니고 있는 판에 정신 좀 차려요. 괜히 애들 불편하게 만들어 괄시당하지 말구." 송재형의 외할머니가 남편의 팔을 쥐어지르는 시늉을 했다.

"아니에요, 외할아버지 말씀도 맞아요. 저 구호의 뜻을 알고는 비웃는 외국사람들이 많아요. 그렇지만 공산당이 지배를 하고 있으니까 저걸 떼어낼 수도 없잖아요. 이럴 수도 저럴 수도 없는 중국의 고민이 바로 저거라고 생각하고 보면 저것도 관광거리잖아요."

송재형이 외가 식구들을 둘러보았다.

"아하, 우리 재형이 참 똑똑하다. 그래, 그래, 그렇게 생각하는 게 좋겠다. 녀석, 아주 제대로 공부하고 있구만그래."

외할아버지가 흔쾌하게 웃으며 외손자의 등을 두들겼다.

"얘 재형아, 저 중국 국기 말이다, 저 별 다섯 개는 무슨 뜻이니? 미국 성조기의 별들은 미국 전체의 각 주를 나타내는 거지만."

송재형의 작은이모가 턱짓을 했다.

"아, 저거요. 네 개의 별 중에서 위에서부터 노동자 계급, 농민 계급, 소자산가 계급, 그리고 맨 끝이 민족자산가 계급을 의미해요. 그리고 따로 떨어져 있는 가장 큰 왕별은 중국 공산당이구요."

"에계계, 그럼 중국 공산당이 최고라는 뜻이네?"

"그런 셈이죠. 공산당이 신중국을 건설했으니까요."

"그래도 그건 너무했다. 국민들보다 당을 더 높이 떠받든다는 게."

"그러니까 공산주의가 나쁘다는 게야."

송재형의 외할아버지가 불쑥 내쏘았다.

"영감, 또, 또!"

송재형의 외할머니가 눈을 흘겼다.

"중국은 우리나라하고는 많이 달라요. 그냥 그러려니 하세요. 나라마다 다 그 나름의 특색이 있으니까요."

송재형이 외할아버지에게 눈을 찡긋찡긋했다.

"녀석 참, 소견 다 트인 것처럼 말하는 것하고는. 네가 어느새 어른이 다 되었구나. 아장아장 걷던 때가 꼭 엊그제 같은데. 이렇게 번개같이 커버리니 우리가 안 늙을 수가 있겠냐. 세월 참 무상타."

외할아버지는 외손자가 대견해 죽겠다는 듯 또 송재형의 등을 쓰다듬고 토닥거리고 했다.

"외할아버지, 그 세월을 무상하다고만 생각지 마시고 문학적으로 운치 있게 표현하면 그 반대로 유상이 돼요."

"그게 무슨 소리냐……?"

외할아버지가 외손자를 쳐다보며 눈을 껌벅껌벅했다.

"들어보세요. 할아버지의 무상한 세월은 손자에게로 가 유상이 된다."

"옳거니! 그 말 한번 멋지구나."

외할아버지는 추임새를 넣듯 하며 손바닥으로 허벅지를 쳤다. 그 얼굴에는 그지없이 행복한 웃음이 넘쳐나고 있었다.

"어머나 쟤 좀 봐. 손자 노릇을 어쩜 저렇게 잘하니. 아빠 저렇게 행복하게 웃으시는 거 몇 년 만에 첨 봐." 막내이모가 말했고, "얘, 너 전공 바꿨다고 조금치도 서운해하지 말아라. 저렇게 공부 착실히 잘하고 있는데 무슨 걱정이냐." 큰이모가 동생인 송재형의 어머니에게 눈을 흘겼다.

"근데 재형아, 그 옛날에도 여기가 이렇게 넓었을까? 사신들이 오가고 할 때 말이다."

외할아버지가 물었다.

"아니에요. 이 광장은 신중국을 수립하고 건국식을 하기 위해서 새로 넓힌 거예요. 그 당시 쏘련의 크렘린 궁 앞 붉은 광장을 본떠서요. 근데 이 자금성에 이르는 저 앞길은 10리가 가까웠다고 해요."

"아이구 10리나……?"

"예, 그러니까 각 나라 사신들이 외성을 거쳐 내성에 들어와 저 10리 길을 걸어 들어오는 동안에 기 다 죽고, 완전히 주눅 들어버리는 거지요. 그리고 아까 보신 것처럼 자금성에 들어가서도 몇 개의 궁가(宮家)를 거쳐서야 황제 앞에 엎드렸어요. 외할아버지, 혹시 삼궤구고두라는 것 아세요?"

"아니. 삼궤……, 뭐라구?"

"예, 그게 황제 앞에 올리는 절인데, 참 어이없고 기가 막혀요. 그게 뭐냐면요, 삼궤(三跪), 세 번 무릎을 꿇고, 구고두(九叩頭), 그때마다 세 번씩, 아홉 번 머리를 바닥에 조아려 큰절을 올려야 하는 거예요."

"어머나 세상에!"

"하이고 기막혀라."

"아니, 그게 무슨 짓이래니."

"웃기지도 않아."

송재형의 이모들은 앞다투어 어이없어하고 기막혀하기에 바빴다.

"어쩌겠냐, 나라 작고 힘 약해 당한 설움인 게지."

외할아버지가 쯧쯧쯧쯧 혀를 차대며 자금성을 등지고 돌아섰다.

"사진도 다 찍었으니 다음 코스로 가자, 재형아."

작은이모가 송재형의 등을 밀었다.

"다음 코스가 뭐죠?"

"뭐긴. 이모들이 젤 가보고 싶어 하는 곳이잖아."

"거긴 꼭 가야 해요?"

"어머머, 얘 오리발 내미는 것 좀 봐." 작은 이모가 화들짝 놀랐고, "얘, 너 어제 친구 작은아버지한테 부탁한다고 했잖아. 뭐가 잘못됐니?" 막내이모가 송재형의 팔을 흔들었다.

“난 여자들을 이해할 수가 없어요. 그까짓 짝퉁을 뭐하러 사려고 안달인지.”

송재형이 얼굴을 찌푸리며 투덜거렸다.

“그러게 말이다. 그러니까 턱에 수염이 안 나는 게야.”

외할아버지가 송재형을 거들고 나섰다.

“아니, 당신은 왜 끼어들어요, 끼어들길.”

외할머니가 남편에게 퉁을 놓았다.

“얘, 뭐가 잘못됐니? 친구 작은아버지가 말을 안 들어줘?”

송재형의 어머니가 걱정스런 기색으로 아들을 쳐다보았다.

“아니요. 그 양반은 어차피 똑같은 값에 장사하는 건데요 뭘. 얘긴 다 해놨어요.”

“어머나, 어머나, 얘 능청 떠는 것 좀 봐. 짝퉁 산다고 슬쩍 한 방 먹이는구나.” 작은이모가 빈 주먹질을 했고, “아유 얄미워. 이모들을 아주 가지고 놀아라, 놀아.” 막내이모가 송재형의 팔을 꼬집는 시늉을 했다.

짝퉁시장 슈수이제(秀水街) 앞은 그 어느 곳보다 번잡스러웠다. 짝퉁시장에 크고 작은 차들이 몰려든 데다 많은 사람들이 뒤죽박죽 뒤엉켜 있었었다. 또 중국 차들은 어디에서나 클랙슨을 마구 울려대기 때문에 소란스러움은 더 확대되고 있었다. 잠시를 못 참고 요란하게 클랙슨을 울려대는 것을 보면 중국사람들이 만만디라는 건 헛소리였다. 그들은 돈 앞에서

만 콰이콰이가 되는 것이 아니었다. 모든 자기 이익 앞에서는 콰이콰이가 되는 것 같았다. 그들은 클랙슨 울려대는 것만 못 참는 것이 아니었다. 엘리베이터 문이 닫힐 때까지도 참지 못하고 닫힘 단추를 방정맞을 정도로 다급하게 눌러댔다.

"이 6층 건물 전체가 짝퉁시장이에요."

송재형은 매끈한 현대식 건물을 올려다보며 손가락질했다.

"어머나, 이건 짝퉁시장이 아니라 짝퉁백화점이라고 해야겠네."

"그러게. 원 세상에나 시내 한복판에 이리 큰 짝퉁시장을 버젓이 차려놓고 있다니."

"글쎄 말야. 저 멋진 건물을 보고 나니 더 안 믿겨져."

"올림픽 때 각국 대통령이나 총리들이 여길 쇼핑 왔다는 거야?"

"중국사람들의 이런 배짱은 어디서 나오는 거래?"

"부럽다, 이런 배짱 부러워."

"근데 왜 우린 못하는 거지?"

송재형의 이모들은 건물을 올려다보며 그 감상을 한마디씩 하기에 바빴다.

"히야아, 거 참 명필이다. 일필휘지, 아주 멋들어지게 잘 쓴 명필이야."

뒷짐을 지고 건물을 올려다보며 외할아버지는 글씨 감상

에 취해 있었다.

건물에는 '秀水街'라는 붓글씨 간판이 커다랗게 붙어 있었다.

"자아, 지금부터 원하시던 짝퉁시장으로 들어갑니다. 그런데 정신 바짝 차리고 조심해야 할 게 있습니다. 저 안에 들어가면 정신이 하나도 없을 정도로 사람들이 북적북적해요. 우리나라 백화점들 세일할 때처럼. 그 와글와글한 인파 속에는 뭐가 많을까요? 쓰리꾼이에요. 싸구려 가짜 사는 데 정신 팔고 있다가 여권이고 돈 다 잃어버린 사람이 한둘이 아니에요. 돈도 돈이지만 여권 잃어버리면 어떻게 되는지 아시지요? 집에 못 가요. 대사관 찾아가 여권 새로 내는 것이 얼마나 복잡하고 까다로운지 경험해 보고 싶지는 않으시죠? 절 따라서 모두 함께 다녀야 해요. 혼자 떨어지면 정말 위험해요."

송재형이 이모들에게 잔뜩 겁을 먹였다.

"어머 얘, 너 가이드 아르바이트 해서 학비 버는 것 아니니?"

"그러게, 아주 청산유수로 줄줄이야."

"그래, 중국물 먹더니 사람이 아주 달라졌어."

송재형은 이모들의 말을 못 들은 척하며 건물 안으로 들어섰다. 왁자지껄한 소란함과 함께 사람들의 훈기가 확 끼쳐왔다. 그 탁한 공기에는 사람들의 냄새까지 끈적하게 배어 있었다.

세 사람이 나란히 걷기에도 좁은 통로를 가운데 두고 가게들은 서로 마주 보며 촘촘히 이어져 있었다. 그 가게들은 4~5평 정도로 좁았고, 가게 앞에는 약속이나 한 듯이 꼭 두 명씩의 점원들이 나서서 손님들을 부르고 있었다. 그 아가씨들은 하나같이 스무 살이 될까 말까 한 앳된 얼굴들이었다. 그들도 농촌에서 도시로 모여든 '농민공'으로 분류되는 사람들이었다.

한 아가씨가 그들 일행을 향해 일본말을 던졌다.

"우린 일본놈들이 아니고 한국사람이야."

송재형이 기세 사납게 내질렀다. 그는 유창한 중국말로 '르번구이쯔(일본놈들)'라고 했다. 그건 일본에 대해 중국말로 할 수 있는 가장 심한 욕이었다.

"아, 죄송합니다. 서로 다 비슷비슷해서요. 난 일본사람이 싫고 한국사람을 좋아합니다." 당황스런 기색으로 아가씨가 황급히 말하고는, "들어와. 여기 아주 싸." 배우처럼 표정을 바꿔 활짝 웃으며 한국말을 했다.

그 아가씨가 '서로 다 비슷비슷해서'라고 한 말을 송재형은 이해할 수 있었다. 그건 중국·일본·한국을 두고 하는 말이었다. 아시아 여러 나라들 중에서도 그 세 나라 사람들은 유난히도 어슷비슷해서 한눈에 식별하기가 쉽지 않았다. 그러나 느낌이 없는 것은 아니었다. 느낌으로는 다른 점이 잡히는데 그것을 꼭 꼬집어 말하기에는 마땅한 말이 떠오르지 않았다.

송재형은 그 옷가게를 지나쳤다.

"손님, 이리 와. 여기 싸."

다음 가게 아가씨는 거침없이 한국말을 구사했다. 돈을 벌기 위해서 곤두서 있는 모든 감각기관은 송재형네 일행이 어느 나라 사람인지를 순식간에 간파한 것이었다. 그 무선통신은 끝이 아득하게 긴 통로가 끝날 때까지 예민하게 주파수를 맞추게 되어 있었다.

"우리 물건 최고야. 들어와."

다음 가게에서 또 아가씨가 외쳤다.

"어머, 우리나라 말을 어쩜 이리 잘하니."

핸드백을 겨드랑에 바짝 낀 작은이모가 말했다.

"얘네들이 최소한 5개 국어를 해요."

"뭐어? 5개 국어?"

"예. 영어, 불어, 독어, 일어, 한국어."

"얘네들 학벌은 낮을 거 아냐?"

"그렇지요. 기껏 높아야 고졸이겠지요. 먹고살려고 장사에 꼭 필요한 말들만 배운 거예요."

"에이, 이것들 다 틀려먹었다. 말을 배우려면 한마디를 배워도 제대로 배워야지, 버르장머리 없게 모두가 반말지거리 아니냐."

외할아버지가 언짢은 기색을 드러냈다.

"아빠, 촌티 내지 마세요. 여긴 어떡해서든 물건만 팔면 되는 시장바닥이지 예의범절 차리는 곳이 아니라구요. 대만도 터키도 다 저런 식의 한국말이에요."

큰딸이 여행 다닌 경험을 앞세워 아버지의 트집 잡는 말을 막으려는 듯했다.

"얘, 얘, 눈치를 모르면 말을 말아라. 버르장머리 어쩌고 하는 건 그냥 핑계고 속셈은 따로 있는 게야. 느네 아버지가 젤 싫어하는 게 뭔지 몰라? 그게 싫어서 벌써 역정 내시는 것 아니냐."

외할머니가 끌끌 혀를 찼다.

"아빠, 그러시면 약속 위반이시잖아요. 우리가 하는 대로 다 따르겠다고 하시구선."

막내딸이 콧소리로 아양을 떨며 아버지의 팔짱을 끼었다.

"아니다, 아니다, 난 괜찮다. 어서어서 구경들이나 많이 해라. 난 평생 느네 엄마 따라다니느라고 이골이 났다. 난 괜찮아."

할아버지는 시침을 떼며 딸들을 향해 시원스레 팔까지 저어 보였다.

송재형은 그런 할아버지를 옆눈길로 보며 딱하기도 하고, 걱정스럽기도 했다. 이모들은 물 만난 고기지만, 할아버지는 지루하기 짝이 없는 영화를 보아야 하는 기분일 거였다.

송재형은 자신의 마음 같아서는 이남근의 작은아버지와

약속해 놓은 2층 상점으로 직행해서 핸드백만 하나씩 사게 해서 나가고 싶었다. 그러나 그건 이모들의 말폭탄 세례나 실컷 당하고 끝날 일이었다. 어떤 여자는 이틀 동안의 베이징 관광을 포기하고 여기서만 보냈다고도 했고, 또 어떤 여자는 현찰 200~300만 원을 다 쓰고도 또 200만 원어치 카드를 긁었다는 소문이 나기도 한 곳이었다. 견물생심, 여자들의 충동구매를 간질간질 자극하기 딱 좋은 온갖 세계적 명품들의 짝퉁이, '봐, 내가 진짜하고 뭐가 달라. 검사원도 구별 못하면 그게 바로 진짜란 보증 아냐? 내가 바로 그런 몸이라구. 언니한테 잘 어울려, 최고로 잘 어울려. 사, 빨리 사. 지금 안 사고 지나가면 기회는 없어. 평생 후회하지 말고 빨랑 사.' 소곤거리고 쏘삭거리고 있었다.

그 좁고 긴 통로는 몇 겹이었다. 그러니까 한 층에 촘촘히 들어선 가게들이 몇 개인지는 셀 수가 없을 지경이었다. 그 가게마다 각 품종에 따른 가지가지 상품들이 삼면 벽에 빈틈이라곤 없이, 그리고 겹겹이 진열되어 올라가 천장까지 꽉 차 있었다. 좁은 면적을 최대한 이용해서 비싼 가겟세의 부담을 줄이고자 하는 상술이었다.

"어찌 이리 코쟁이들이 많으냐."

할아버지가 찌푸린 얼굴로 외손자에게 나직하게 물었다.

"예, 언제나 그래요. 서양사람들도 진짜 명품은 비싸서 못

사겠고, 남들 앞에 폼은 잡고 싶고 하니까 여기서 사가는 거지요."

"그래서 가짜 걸치고 진짜입네 빼긴단 말이냐?"

"그렇지요. 워낙 잘 만들어서 서양 촌놈들이 깜빡 속을 테니까요."

"참, 여기나 거기나 속 빈 인종들은 많기도 하구나."

외할아버지는 쩝쩝 마른 입맛을 다셨다.

송재형은 지루하실 외할아버지를 어떻게 위로해 드릴 방법을 생각하고 있었지만 마땅하게 떠오르는 것이 없었다. 남자와 여자의 생리는 어찌 이리도 다른지 그는 다시금 느끼고 있었다. 시장 따라다니는 것을 외할아버지만 싫어하는 것이 아니었다. 아버지도 싫어했고, 자신도 싫어했다. 이번에 여행 가이드로 나선 것은 순전히 친정 식구들에게 어머니의 체면을 세워드리고, 전공을 바꾸면서 속 썩였던 것을 사죄하기 위함이었다.

"얘 재형아, 저게 뭐냐?"

외할아버지가 걸음을 멈추었다.

"뭐요, 외할아버지?"

"저 앞에 저것 말이다. 빨간 저 네 글자가 품질보증 아니냐?"

외할아버지는 정면 저 멀리를 향해 손가락질하며 팔을 뻗치고 있었다. 송재형은 그 손가락 끝이 가리키고 있는 곳으로 눈길을 보냈다. 아아! 그는 깜짝 놀랐다.

"예, 맞아요. 품질보증이에요."

송재형은 대답을 하며 뒤죽박죽, 복잡 미묘한 심정이 되고 있었다. 짝퉁시장에서 품질보증이라니!

"저게 도대체 무슨 뜻이냐? 여기가 전부 가짜시장이래며?"

외할아버지가 어처구니없다는 표정으로 외손자를 빤히 쳐다보고 있었다.

"외할아버지, 그동안 제가 여기 열 번 넘게 왔는데도 저건 오늘 첨 봐요. 참 기가 막히네요. 저 뜻 그대로 하면 '여기 있는 모든 물건들은 진짜 가짜임을 보증함'이 되잖아요. 아이구 중국사람들, 참 대책이 없어요."

송재형이 연달아 헛웃음을 쳤다.

"허허허허……, 참 좋은 구경거리다. 이런 배짱이 바로 중국인 모양이구나. 모르겠어, 잘 모르겠어."

외할아버지도 계속 헛웃음을 쳐댔다.

"아니, 할아버지 손자 간에 뭐가 그리 재밌수?"

외할머니가 말했고, 이모들도 다 모여들었다.

"예, 저 앞에 저기 보세요. 빨간 글씨로 크게 써 붙인 것 있잖아요." 송재형이 손가락질했고, "품질보증? 저게 뭐지?" 큰이모가 조카를 쳐다보았고, "짝퉁을 품질 보증한다는 거야?" 막내이모가 눈이 커졌고, "어머, 어머, 이 사람들 좀 봐. 진짜 가짜라고 보증한다는 거야?" 작은이모가 어이없다는 듯 헛웃음을 쳤고, "정말 웃긴다 이 사람들. 무슨 속셈인지 알 수가 없어." 송재형의 어머니가 고개를 저었다.

"얘야, 여기 화장실 있겠지?"

외할아버지가 손자에게 귀엣말을 했다.

"그럼요. 잠깐 기다리세요."

송재형은 어머니한테 알리고는 외할아버지를 부축하고 걷기 시작했다.

"외할아버지는 6·25 때 기억이 뭐가 그리 오래 남아 있는 거예요?"

송재형은 외할아버지와 단둘이 되자 묻고 싶었던 말을 꺼냈다.

"무슨 기억이냐고?" 외할아버지는 손자를 지그시 쳐다보고는, "니가 알 리가 없지만……, 60년이 넘은 일인데도 생각만 하면 지금 바로 눈앞에서 벌어지고 있는 일처럼 끔찍스럽고 소름 끼친다." 그는 부르르 떠는 듯하고는, "지독하게 추웠던 그해 겨울 내내 우리 국군과 유엔군들은 중공군의 인해전술에 걸려 고전에 고전을 거듭하며 날마다 후퇴할 수밖에 없었지. 인해전술, 그거 정말 무시무시해. 거친 파도가 끝없이 밀려오듯이 무기도 별로 없는 중공군들이 끝없이 죽으며, 끝없이 밀려오고 또 밀려오는 거야. 중공군들이 얼마나 많이 투입

되었으면 그럴 수 있는 것인지 지금까지도 의문이 풀리지 않는다. 그때 나는 인해전술 포위망에 걸려 가까스로 살아났지. 그때부터 그 무시무시한 기억이 평생을 따라다닌다. 그런 중공군을 보낸 원수의 나라 중국에 내가 이렇게 올 줄은 몰랐구나." 그는 긴 숨을 내쉬었다.

"그런 일을 겪으셨군요. 전 그러신 줄 전혀 몰랐어요."

송재형은 외할아버지를 더 바짝 부축했다.

"그래, 그런 끔찍한 얘긴 너희들은 모르는 게 낫지. 다 어쩔 수 없이 저질러진 지난 일이니까."

"예 외할아버지, 베트남도 우리하고 화해하고 수교했잖아요. 우리도 중국하고 그랬고요. 외할아버지도 이번 여행으로 그 끔찍한 기억 씻어버리세요. 중국은 앞으로 우리하고 더욱 친하게 지내야 할 사이예요."

"그래, 이 할애비도 대충 눈치로 알고 있다. 잊을 건 잊고, 덮을 건 덮고 해가며 사는 게 인간사지. 넌 중국 역사 공부해서 밥벌이는 하고 살겠냐?"

"그럼요. 아무 걱정 마세요."

"그래, 그래. 잘해라."

화장실 앞에 이르러 송재형은 외할아버지의 부축을 풀었다. 외할아버지는 외손자의 널따란 등을 쓰다듬었다.

송재형의 의식 속에 선명하게 떠오르는 사실이 있었다. 몇 년 전 큰 홍수가 났을 때의 일이었다. 홍수 피해는 날마다 커지고 있었다. 줄기차게 퍼부어대는 비로 인명 피해와 이재민이 속출했다. 그런데 한 지역의 오래된 제방이 범람 위기에 몰려 있었다. 엄청난 양의 물이 범람하게 되면 그 힘에 노후한 둑이 터질 위험이 컸다. 물이 범람하는 것도 무서운데 둑까지 터지면 그 인근 도시의 피해는 상상을 초월하게 된다. 그에 대비해서 정부가 세운 비상대책은 인민해방군 30만 명 동원이었다. 30만 명의 인민해방군들은 제각기 모래주머니를 어깨에 메고 폭우가 쏟아지는 속을 여러 방향에서 내달리기 시작했다. 사력을 다해 줄줄이 뛰는 인민해방군들은 그 모래주머니를 물속에 던져 넣었다. 그리고 수많은 군인들은 물속에서 그 모래주머니들이 쌓이는 것을 조정하고 있었다. 그 무모해 보이는 돌격작전, 인해전술은 마침내 성공해 제방이 무너지는 것을 막아냈다. 그것을 텔레비전 화면으로 보면서 느꼈던 중국의 면모는 이미 60여 년 전에 한국전쟁에서 선보였다는 사실이었다.

돈 놓고 돈 먹기

전대광은 하경만 사장에게 못내 미안했다. 중국 전역에 체인을 가진 월마트에 그의 액세서리들이 납품되었더라면 그의 사업은 새롭게 도약하는 계기를 잡을 수 있었을 것이다. 망망대해와 같은 중국 내수시장이 순풍을 타며 찰랑거리기 시작하기 때문만이 아니었다. '자본주의 사회에서는 남자가 버는 돈의 90퍼센트는 여자가 쓴다'는 말이 있다. 아무리 '중국식 자본주의'라 해도 자본주의는 자본주의인데 그 원칙에서 벗어날 리 없었다. 그것은 시장을 장악한 것은 여자들이고, 여심을 사지 못하면 큰돈을 벌 수 없다는 의미였다.

더구나 하 사장의 액세서리야말로 모든 여성들의 치장 욕구를 자극하고, 구매력이 무한한 최적의 상품이었던 것이다. 구슬이 서 말이라도 꿰어야 보배더라고 아무리 좋은 상품도 판로를 확보하지 못하면 무용지물이 되고 만다. 그래서 중국 천지 방방곡곡에 대형 매장들을 갖춘 월마트와 하 사장네의 15만 종이 넘는 액세서리는 그야말로 찰떡궁합이었던 것이다.

그러나 가세가 서로 팽팽해서는 혼사가 잘 이루어지기 어렵듯이 찰떡궁합이 될 수 있는 쌍방의 호조건 때문에 그 상담은 결국 버그러지고 말았다. 천웨이의 친척인 월마트 영업이사는 자기네 판매망의 우월함을 과시해 너무 지나친 욕심을 부렸고, 하경만 사장은 이미 확고한 기반을 잡은 상태에서 자기 상품을 헐값 취급하는 이익금 침해를 용납하지 않았다.

종합상사원의 첫 번째 별명은 '유목민'이었다. 풀이 있는 곳이면 어디든지 양 떼를 몰고 가는 유목민처럼 일거리를 찾아서 가지 않는 곳이 없기 때문이었다. 그리고 두 번째 별명이 '질긴 중매쟁이'였다. 사자에서부터 뱀까지 이빨을 가진 모든 동물들은 한 번 입에 문 사냥감을 놓치지 않듯이 종합상사원도 일단 일으킨 상담은 어떻게 해서든 성사시키려고 입에 침이 마르고, 발바닥에서 불이 났다. 그러나 아무리 질긴 중매쟁이라도 성사시키지 못하는 혼사가 있게 마련이었다. 이번 하 사장 일이 그랬다.

"우리 매장이 몇 개인 줄 몰라요? 한 매장에서 하루에 50개만 잡아요. 그럼 한 달이면 얼마고, 1년이면 얼마요? 황금어장이란 바로 우리 유통망을 두고 하는 말 아니겠소? 무슨 말인지 못 알아듣는 모양인데, 싫으면 관두세요. 할 사람들이 줄을 서 있으니까. 처음부터 별 마음이 없었지만 외사촌 천웨이 부탁이라 어쩔 수 없이 시작했던 일이었어요."

천웨이의 외사촌이 요구하는 자기 몫은 '매출액의 3퍼센트'였다.

"그 친구 그거 완전히 정신 나가지 않았어요? 아무리 돈이면 환장하는 중국사람이라 하더라도 이건 도대체 상식 이하예요. '납품액의 3퍼센트'로도 할 둥 말 둥 한데 매출액의 3퍼센트라니, 저희들이 이익 남겨먹는 25~30퍼센트의 마진에 대해서까지 나보고 3퍼센트를 내놓으라고 하다니, 이게 말이 됩니까. 시쳇말로 누구는 땅 파서 장사하는 것도 아니고, 중국 땅에 와서 재주는 곰이 넘고 돈은 왕 서방이 다 챙기는 꼴로 당할 수는 없지요. 우리 상품이 소문난 명품은 아니지만 그렇다고 마구 카피해 먹는 길거리표가 아니거든요. 엄연히 디자이너들이 공들인 작품들이에요. 아무래도 이번 일은 연이 안 닿는 것 같군요."

하 사장의 자존심은 그의 생김처럼 꿋꿋했다.

"전 부장님, 양쪽에서 절반씩 양보하도록 어떻게 절충 좀 해보세요. 그게 중간에서 전 부장님이 해야 할 일이잖아요. 저쪽을 내가 모르니 내가 나설 수도 없고, 외사촌은 내가 책임질 테니 전 부장님은 저쪽을 꼭 설득시키세요. 이건 돈 문제가 아니에요. 내가 시작하는 첫 번째 일이 기분 좋게 성사되지 않고 깨지면 그거 재수 없어서 어떡해요. 이번 일 꼭 성사시켜야 해요."

천웨이의 조바심이었다.

자신의 마음은 천웨이보다 더 했다. 상사원으로서 일이 잘 되고, 안 되고는 병가상사지만 그래도 실패하고 나면 그 허탈은 쉽게 가시지 않는다. 깊이 들이쉰 숨을 멈추고 정조준을 했지만 사냥감을 놓치고 만 사냥꾼의 허탈함 같은 것일까. 전대광은 하경만 사장에게 너무 미안해서 미안하다는 마음을 제대로 표현하지 못한 것이 더더욱 미안했다. 만들어내기 바쁘게 수출 잘하고 있는 사람에게 괜히 내수시장 시대 운운해가며 신경 소모하게 한 것이 그렇게 미안할 수가 없었다.

"그 친구 그거 돈독이 올라도 단단히 올랐어요. 모든 품목마다 그런 식으로 돈을 챙기면 그 친구 엄청난 부자 될 거예요. 그 친구 요구대로 한다고 손해 볼 건 없지만, 그런 자존심 없는 짓은 부도 직전에나 하는 막장드라마인 거지요. 그나저나 전 부장님은 언제까지 월급생활하실 겁니까? 그야말로 내수시장 시대에 직장 말고 직업을 가져야 되지 않겠어요?"

하 사장이 일을 정리하며 전화로 남긴 말이었다.

'직장 말고 직업을 가져야 되지 않겠어요…….'

그 말이 어찌 그리 긴 메아리로 가슴 골짜기 골짜기를 울리는지 모를 일이었다. 자신에게 그 말은 어떤 명언보다도 명언이었다.

그리고 한없이 부러운 사람이 하 사장이었다. 자신이 독일 기계들을 소개할 때만 해도 그의 사업은 오르막길을 힘겹게 오르고 있는 상태였다. 그런데 몇 년 사이에 정상에 오른 튼튼한 모습을 보여주고 있었다. 칭다오 일대에 진출한 수많은 기업들이 여러 가지 어려움들을 겪으며 재편되는 가운데 이룬 정상 정복이라 그의 성취는 더욱 값지고 돋보였다.

"제 밑에 사장이 열댓 명 됩니다. 회사마다 회장, 회장 하는데 진짜 회장은 바로 저 같은 사람 아니겠어요?"

어떻게 이렇게 이룰 수 있었느냐고 물었을 때 그가 장난스럽게 한 대꾸였다.

그러나 그가 시도한 경영 혁신은 결코 장난스러운 게 아니라 위험을 무릅쓴 도전이었고, 확신하기 어려운 결단이었다. 그러나 회사를 안정시키고, 생산력을 높이면서, 효율적인 인력관리를 하는 데는 그 길밖에 없었다. 그가 과감하게 생산품의 종류별로 사장을 선정하고, 40~50명 단위로 사원들을 분리시켜 독립경영을 하게 했다. 그리고 자신은 회장으로서 상품 판매를 전담했다. 그 경영 방법은 회사를 급속도로 발전시켰다. 사장에 따라 사원들의 월급이 달라졌고, 상호 경쟁은 노동의 질과 함께 생산성을 높였고, 다른 회사들보다 많은 월급에 이직자가 거의 없이 회사가 안정되었다.

"그거……, 내가 조금 적게 벌면 되는 거지요 뭐. 욕심 부린다고 많이 벌리는 게 아니잖아요. 잘못하면 문 빨리 닫고 말지요. 직업은 죽을 때까지 보람 있게 해나가는 일 아닌가요?"

하 사장이 씨익 웃으며 한 말이었다.

그리고 그는 또 말했다.

"우리나라 중소기업들이 지난 4~5년 동안에 문 많이 닫았지요. 그리고 작년부터 예고된 4대보험 실시에 대해 야단법석 아우성들이죠. 중국 정부가 한국기업 다 망치려고 든다. 한국기업들 다 내쫓으려고 한다. 그리고 우리나라 신문들까지 흥분해서 그렇게 막 써대고 있잖아요. 그건 참 잘못된 거예요. 딴 나라 기업들도 다 똑같이 당하는 일이잖아요. 중국 정부 입장에서는 우리한테 얼마나 배신감 느끼겠어요. 지난 20년 동안 땅 싸게 빌려주고, 세금 감면 많이 해주고, 탈세 적당히 눈감아주고, 많은 특혜를 줬는데 그런 것 싹 입 닦아버리고 생소리, 억지소리 해대고 있으니 말이에요. 인건비 상승, 노조 결성, 4대보험 실시 같은 것은 중국 경제가 성장하면서 당연히 생기게 되는 현상 아닌가요. 우리가 옛날에 그랬듯이 말입니다. 왜 중국이 20년 전과 똑같아야 한다고 생각하나요. 그런 뻔뻔스럽고 탐욕스러운 생각이 어디 있어요. 우리나라가 몇 푼 안 되는 월급 주는 것만도 감지덕지하며 하루 14시간의 중노동을 감수했던 1960년대부터 시작해서 경제가 발전해 갈수록 임금이 상승했듯이 중국도 똑같은 거지요. 중국은 지난 20년 동안에 고층 빌딩 짓는 것, 고속도로 뚫는 것, 고속철 놓는 것, 가전제품 만드는 것, 자동차 만드는 것 등등 거의 모든 분야에서 세계적 수준을 확보했어요. 고급기술이 그런 정도인데 우리 중소기업들의 단순기술을 2~3년 사이에 습득해서 도전자로 변하는 것을 배신이라고 욕하는 것도 참 어리석은 짓이구요. 그동안 번 돈 빼돌리지 말고 재투자해 가며 새로운 길을 찾았어야지요. 제가 보기로는 아직까지도 중국만큼 사업하기 좋은 곳도 없어요. 중국은 앞으로도 30년 동안은 이런 사업 끄떡없이 해나갈 수 있는 쓸 만한 곳이에요."

하경만 사장은 남자다운 웃음을 환하게 피워냈다.

'나는 저 사람 나이에 어떤 웃음을 웃게 될까…….'

전대광은 그와 헤어지며 이런 생각을 했었다. 다시 생각해도 자신은 그런 웃음을 웃을 수 있을 것 같지 않아 문득 우울해졌다.

핸드폰이 울렸다.

"나 샹신원이오."

기다리고 있던 전화라 전대광은 얼굴이 밝아졌다.

"그 일로 오늘 저녁에 만납시다. 7시에 거기."

샹신원의 전화는 언제나 이런 식이었다. 꽌시라는 위치 때문만이 아니었다. 언제나 공안을 의식하는 탓이었다. 공안은 방귀 소리, 트림 소리까지도 다 듣고 있다고 하는 판에 베이징에서부터 인터넷 실명제도 실시되기 시작했던 것이다.

전대광은 일손이 잡히지 않았다. 이번 일은 성사되기만 하면 엄청난 것이었다. 액수도 컸지만, 꺾게 될 상대가 거물이었다. 그는 설레는 마음으로 준비해 둔 서류를 다시 점검했다.

전대광은 한동안 사무실 안을 이리저리 왔다 갔다 하다가 밖으로 나섰다. 이런 때 시간을 죽이기 딱 좋은 데가 있었다. 발마사지실이었다.

발마사지는 가장 중국적인 특색을 갖춘 유행업이었다. 중국이 자랑하는 한방의 설에 의하면 사람의 발바닥 부분부분은 오장육부와 연결되어 있었다. 그런 주장은 한방의 신비를 한껏 높여주다 못해 미신적으로 들렸고, 더 심하게는 '아쭈 공갈 염소똥' 하는 식으로 터무니없는 허풍으로 들리기도 했다. 그런 의문스러워함이나 의심스러워함에 적극 대응하거나 그런 생각들을 일소시키려는 듯 발바닥 부위와 오장육부의 연결을 표시한 도표는 숱하게 나돌고 있었다.

그런 건 믿거나 말거나쯤으로 취급해 버리더라도 어쨌거나 발마사지를 하고 나면 발바닥만이 아니라 전신이 시원해지는 느낌으로 피곤이 풀리는 것은 분명하고, 마사지하는 동안으레 한숨 자게 되어서 그런지 기분까지도 개운해지는 것이었다.

지루한 시간 보내기 딱 좋고, 기분까지 상쾌하게 해주는 그것이 고작 25위안, 한국돈 4,500원이었다. 그런데 한국에서는 그 열 배인 평균 5만 원이었다. 그러니 아직도 중국을 돈 가치 있는 천국이라고 하는 한국사람들이 있는 건 당연한 일일 것이다.

전대광은 사무실에서 가까운 단골집으로 갔다. 발마사지실이라고 해서 방 몇 개가 있는 것이 아니다. 7~8층짜리 건물 전체가 식당인 중국식의 거대한 스케일처럼 발마사지실도 대형 건물 전체를 차지하고 있는 데가 숱했다. 단돈 4,500원씩 받아도 수많은 사람들이 습관적으로 해대니까 큰 돈벌이가 되는 것이었다. 그런 큰 규모의 발마사지실도 점심시간에는 늘 빈자리가 없었다. 스트레스 많이 받는 샐러리맨들의 휴식처로 그보다 더 좋은 곳이 없었던 것이다. 중국의 산업화에 따른 도시화가 급속히 이루어지면서 그것은 에누리 없고, 현찰만 받는 신종 업종으로, 유행할 수밖에 없었다.

그리고 중국 여행객이 세계적으로 폭증하면서 발마사지의

호황은 더욱 날개를 달게 되었다. 패키지 여행단의 필수코스 중의 하나가 발마사지였던 것이다. 발바닥의 신경들이 오장육부로 연결되어 있다는 한방의 설을 그 무슨 황당무계한 궤변이냐고 펄쩍 뛸 서양사람들도 일단 발마사지를 받고 나서는 하나같이 엄지손가락을 세우며 원더풀을 연발했다.

'이게 얼마나 알짜배기 사업이면 이 큰 빌딩 전체를 차지하고 있겠어. 박리다매는 역시 최고 상술인 거야.'

전대광은 고개가 뒤로 발딱 젖혀지도록 8층 건물을 올려다보며 현관으로 들어갔다.

"짱탕탕!"

전대광은 카운터에 앉은 여자에게 손가락 인사를 하며 단골 마사지사의 이름을 댔다.

"네, 마침 쉬고 있어요."

여자가 안내를 나서며 방긋 웃었다.

전대광이 마사지복을 갈아입고 앉기 바쁘게 물통을 든 여자가 나타났다.

"안녕하세요, 선생님."

여자가 물통을 내려놓으며 예의 갖춘 진중한 목소리로 인사했다. 중국에서 '선생님'이란 최대의 존칭이었다.

"샹이는 잘 있어요?"

전대광은 언제나처럼 이 말로 인사를 받았다. 샹이는 마사

지사의 딸이었다.

"네, 선생님께서 염려해 주셔서 무사히 잘 지냅니다."

여자는 또 머리를 조아리며 공손하게 대답했다.

전대광이 여자에게 '선생님'으로 떠받들려지는 것은 순전히 그녀의 딸 샹이에 대한 관심 때문이었다.

짱탕탕, 그녀는 도시의 하급 일터에서 흔히 볼 수 있는 수많은 농민공들 중의 하나에 지나지 않았다. 그저 펑퍼짐한 인물에 궁기 낀 촌티까지 묻히고 있는 그녀는 흔한 마사지사일 뿐이었다. 그런데 우연히 그녀의 입에서 흘러나온 한마디가 전대광의 관심을 끌게 되었다.

"딸을 낳았다고 딸하고 함께 쫓겨났습니다."

서부 저 산골 쓰촨성에서 일어날 법한 일이었다. 남아선호가 절대신앙처럼 되어 있는 시골 농촌에 딸이 태어났으니 그런 날벼락이 어디 있겠는가. 자식을 하나 더 낳자면 가난한 집안 거덜 나게 세금을 내야 하고, 방법은 오로지 하나, 며느리를 손녀와 함께 내쫓을 수밖에. 농촌에서 이런 일이 벌어지니 '나부터 여자아이를 아끼고 사랑하자'는 플래카드를 정부에서 안 내걸 수가 없는 일이다.

그녀는 눈물을 글썽거리며 말했다.

"저는 두 가지 일 때문에 악착같이 돈을 벌어야 합니다. 신세 불쌍하게 만들었으니 딸을 꼭 대학까지 보내줘야 하고, 호적에 못 올랐으니 호적을 만들어주려면 큰돈이 필요하거든요."

"무슨 소리요? 호적을 만들어주다니……."

전대광으로서는 모를 소리였다.

"그게 그러니까……, 관리한테 돈만 주면 죽은 사람의 호적을 이어받을 수가 있습니다."

본능적으로 주위를 두리번거린 그녀의 목소리는 잔뜩 움츠러들어 있었다.

'아하, 중국! 그것이면 안 되는 것이 없는 중국…….'

전대광은 또다시 새로운 것을 알게 된 중국에 탄복하지 않을 수가 없었다. 중국이라는 나라는 새로운 사실들로 가득 찬 수천 페이지짜리 백과사전을 한 장, 한 장 넘겨가는 기분이었다. 살아갈수록 끝도 없이 새로운 것이 나타나는 나라, 그래서 살아갈수록 그 실체가 알쏭달쏭 모호해지는 대상. 그래서 중국 생활 6개월이면 중국 전체에 대해서 아는 척하고, 1년이면 자기 분야에 대해서만 아는 척하고, 10년이 넘으면 아무 말도 안 한다는 말이 생겨났는지도 모른다.

전대광은 그녀의 가엾은 딸이 대학 공부는 잘 모르겠으나 호적을 만드는 데는 조금이나마 도움이 되고 싶어서 그다음부터 그녀를 단골로 삼았다. 그리고 꼭 5위안씩을 팁으로 따로 주었다. 중국에서는 상품의 포장과 고객에 대한 서비스 개념이 전혀 없었던 것처럼 '팁'이라는 사회제도도 있을 리 없었다. 그 마음을 고마워해 그녀는 전대광을 꼭 '선생님'으로 존칭했다.

발마사지가 시작되었다.

'샹신원……, 샹신원……, 그의 욕심은 어디까지일까. 그의 욕심이 큰 만큼 그는 좋은 꽌시다. 좋은 학벌과 높은 직책과 많은 돈으로 안 통하는 데가 거의 없다. 그가 지금 가지고 있는 재산은 얼마일까. 그의 얼나이들 수가 얼마인지 알 수 없듯이 그의 재산도 얼마인지 알 도리가 없다. 전혀 낌새를 보이지 않지만 그는 나의 꽌시 노릇만 하는 것이 아니다. 돈 욕심이 많은 만큼 많은 사람을 거느리고 있을 것이다. 그것도 다만 숫자를 확인할 수 없을 뿐이다. 그는 지금 한창 모든 중국사람들의 입길에 오르내리고 있는 보시라이만큼 많은 돈을 갖고 싶어 했을지도 모른다. 만약 그랬다면 완전히 몰락한 보시라이를 바라보는 그의 심정은 어떨까. 보시라이……, 그 사람 참 똑똑한 바보다. 키 크고, 인물 잘생기고, 추진력 강하고, 충칭을 4개 직할시 중의 하나로 승격시켜 서부대개발의 깃발을 들어 올린 그는 충칭 당서기에서 도약해 공산당 권력의 핵인 상무위원이 될 인물로 꼽혀오지 않았던가. 그런 그가 어마어마한 부정부패와 타락한 생활로 모든 권력을 잃고, 체포되기까지 했다. 그는 13억 달러(약 1조 5천억 원) 이상을 해외에 도피시켰다고 외신들이 보도했다. 다른 언론들은 그보다 훨씬 더 많은 액수를 폭로하기도 했다. 그리고 미국에 유학 중인 그의 아들은 300만 달러(약 33억 원)가 넘는 자동차 람보르기니를 타고 다닌다는 보도까지 잇따랐다. 범죄와의 전쟁을 선포해 조폭들을 소탕하고, 너무 타락하고 나태해진 현실을 바로잡기 위해 마오쩌둥 시대의 혁명정신을 되찾아야 한다고 외쳐 전 인민적 인기를 끌었던 것이 보시라이 아닌가. 그가 그렇게도 겉과 속이 다른 인간일 줄이야. 그러나 그만 그런가. 지금 중국사람들은 끼리끼리 모여 앉으면 수군수군 소곤소곤 입길하기에 신 나고, 바빴다. 보시라이만 그러겠느냐. 상무위원이 아닌 보시라이가 그 정도 먹을 수 있었는데 정작 상무위원들은 어떻겠느냐. 다 똑같은 놈들이다. 믿을 놈 하나도 없다. 그런 불신은 막연한 것이 아니라 구체적 근거를 가지고 있었다. 총리 원자바오의 재산이 27억 불(약 3조 원) 정도라고 또 외신이 보도했던 것이다. 5년 전에 입었던 허름한 점퍼를 다시 입은 모습이 매스컴에 크게 보도되어 '서민 총리'로 칭송받는 사람이 원자바오 아니었던가. 열 길 물속은 알아도 한 길 사람 속은 모른다는 속담이 괜히 있는 것이 아니었다. 이런 사태들을 보면서 샹신원은 어떤 심정일까. 기가 죽을까……, 아무 감각이 없을까…….'

전대광은 이런 생각을 하면서 시름시름 잠이 들었다.

그는 짱탕탕이 깨워서야 눈을 떴다. 사무실에 들러 서류를 챙겨가지고 샹신원을 만나러 나갔다.

"이것이 국제인증서입니다."

전대광은 두 장의 서류를 샹신원 앞으로 조심스레 내밀었다.

"두 장이오?"

"예, 이것은 미국 것이고, 이것은 유럽 것입니다."

전대광은 말에 따라 한 장씩을 샹신원 앞으로 조금씩 더 밀어놓았다.

"흠, 미국 것과 유럽 것이 모두 독일 제품과 성능이 똑같다고 인정했다?"

샹신원이 서류 두 장을 번갈아가며 들여다보았다.

"예, 국제 공인입니다."

"국제 공인은 좋은데……." 샹신원은 서류를 한 번씩 쓰다듬고는, "이거 혹시……." 그가 전대광을 똑바로 쏘아보았다.

"아, 절대 염려 마십시오. 이 공인증은 한국 정부기관의 엄밀한 검사를 통과해서 획득한 공인증을 근거로 하여 다시 검사를 거쳐 발부된 것입니다. 한국에서 이런 서류 위조란 상상할 수도 없는 일입니다."

샹신원의 의심을 이해하며 전대광은 자신 있게 말했다. 중국은 온갖 서류의 위조 또한 그 솜씨가 기막혀 가짜 여권으로 공항 검사대를 무사히 통과할 정도였다.

"됐소. 한 장도 아니고 두 장이니 저쪽을 물리칠 무기가 완벽해진 셈이오. 쩡 사장도 이걸 보면 아주 기뻐할 것이오. 마음 놓고 거래처를 바꿀 수 있게 됐으니."

샹신원은 서류를 접어 넣으며 드디어 만족을 표시했다.

"일이 잘 풀려가면 한국 공장의 사전 답사도 하겠지요?"

전대광은 일을 하루라도 빨리 진행시키라는 말을 이렇게 에둘러 했다.

"물론이오. 가게 되면 최대한 빨리, 쩡 사장이 직접 갈 것이오."

"사장님이 직접이오?"

전대광은 놀라지 않을 수 없었다. 그 회사는 엄청나게 컸고, 그 부품은 자동차 전체로 볼 때 아주 하찮은 것이었다.

"그게 쩡 사장이 큰형인 회장한테 인정받은 최대 강점이오. 그런 열성 없이 어떻게 회사의 핵심 중에 하나인 구매 총괄 사장이 됐겠소."

"예, 사장님이 직접 가시면 모셔야 하는 데는 신경이 많이 쓰이겠지만, 일 추진에는 그보다 더 좋을 수가 없지요."

전대광은 벌써 긴장하고 있었다. 그건 어차피 자신이 맡아야 될 일이기 때문이었다.

"그거 별로 신경 쓸 거 없소. 한국 고급 술집에는 가짜 양주가 거의 없고, 예쁜 아가씨들 많고 한데 뭐가 걱정이오. 전 부장은 한국 쪽 사장이 눈치껏 잘할 수 있도록 사전에 이것

저것 다 빈틈없이 지시하고 점검해 두시오."

"예, 알겠습니다."

"뭐 베테랑이라 잘 알겠지만, 비즈니스란 것이 꼭 제품이 우수해서만 성사되는 건 아니잖소. 조건이 같으면 그다음엔 무엇이 결정 요인이 되는지는 잘 알지요?"

샹신원의 얼굴에 피어나는 비릿한 웃음이 나머지 말을 대신하고 있었다.

"예, 잘 알겠습니다. 최고로 잘 모셔서 일이 바로 성사될 수 있도록 최선을 다하겠습니다."

"그래요, 난 언제나 전 부장을 믿어요. 여태까지 실수하거나 부족하게 느낀 적이 없었으니까."

"과분한 말씀입니다."

전대광은 고개까지 숙여 예의를 갖추었다. 예의 잘 갖춰 싫어하는 사람이 있으랴만 멘쯔 좋아하는 중국사람들은 특히 좋아했다. 자기들이 존대받고 우대받고 있다고 여기기 때문이었다. 샹신원의 칭찬도 다분히 비즈니스적인 것이지만 전대광은 결코 기분이 나쁘지 않았다. 그게 얄팍한 사람의 마음 아니랴.

"자아, 용건 잘 끝냈으니 이젠 저녁식사 맛있게 합시다."

으레 그렇듯 샹신원은 샤스핀(상어 지느러미 요리)으로부터 시작되는 이 식당 최고의 코스 요리를 시켰다. 돈을 안 내면서도 그렇게 당당할 수 있는 건 모든 꽌시들이 거침없이 행사하는 특권이었다.

그런 고급 요리값은 대개 1인당 1천 위안 정도였다. 그건 고급 관리들을 접대하는 평균 수준이기도 했다. 서민과 농민공들이 사 먹는 아침 한 끼는 1위안이 보통이었다.

중국사람들이 첫 손가락으로 꼽는 가장 큰 소망은 부자 되는 것이었다. 그리고 가장 즐거움을 누리는 첫 번째는 맛있는 고급 요리를 먹는 것이었다. 그래서 그들의 생활의 3개 요소의 순서는 식·주·의였다. 한국의 의·식·주와는 영 달랐다. 그래서 그들은 음식을 먹는 데는 돈을 아끼지 않으면서 입성들은 구지레한지도 몰랐다.

그리고 고급관리들은 자기네 단골식당을 가지고 있었다. 그러니까 그들과 약속을 할 때 이쪽에서 먼저 장소를 정해버리는 것은 중국사람들의 몐쯔를 깎는 일을 저지르는 것만큼이나 어리석은 짓이었다.

그들이 꼭 자기 단골집을 찾아가는 것은 두 가지 이유가 있었다. 공안의 눈길을 피함과 동시에 사례금 받기를 편케 하기 위해서였다. 식당에서는 손님을 데려온 단골들에게 전체 식대의 10퍼센트를 은밀하게 건네는 것이 관례였다. 1인당 1천 위안짜리 식사를 10명이 했으면 대접받으신 관리는 따로 또 1천 위안까지 은근슬쩍 챙기시는 것이다. 그건 돈의 액수가 크고 작음이 문제가 아니었다. 직위상, 거래상 인사를 차려야 하는 관계에서 건건마다 크든 작든 인사를 차리지 않으면 자기네가 무시당하거나 모독당했다고 생각하는 것이 중국사람들이었다. 괜히 중국사람들이 이재에 능하다고 하는 게 아니었다. 그리고 그런 관행을 뒤늦게 알게 된 자본주의 사회 사람들은 중국이 '자본주의보다 더 자본주의'라고 혀를 내두르는 것이다.

샹신원은 고급 요리에 곁들여 마신 독한 백주에 거나하게 취했으면서도 이혼한 아내 천웨이의 버그러진 그 일에 대해서는 입도 뻥끗하지 않았다. 천웨이의 말로는 그 해결책을 찾아보려고 샹신원에게 의논했다고 했었다. 전대광은 샹신원이라는 사람의 냉정함을 다시금 가슴 서늘하게 느끼고 있었다.

"며칠 걸리지 않을 거요. 언제든지 한국으로 떠날 수 있는 준비를 갖춰놓고 기다리시오."

샹신원은 낚시에 걸린 월척을 빨리 손아귀에 잡고 싶어 하고 있었다.

"당신, 무슨 걱정 있어요?"

잠자리에서 일어나며 아내가 물었다.

"아니……."

전대광은 마음이 뜨끔하면서도 짐짓 시치미를 뗐다.

"아니긴요, 밤새 잠을 통 못 자는 눈치던데. 뭐 잘 안 풀리는 일 있는 거예요?"

아내가 그의 속마음을 헤집듯 빤히 쳐다보았다.

"관심 꺼. 결국 해결될 거니까."

그는 속마음을 들킨 것이 달갑잖아 퉁명스럽게 대꾸했다.

"머리를 짜야 무슨 궁리고 해결책이 나오긴 하겠지만 너무 그리 잠 못 자면서 몸 상하도록 하진 말아요. 옆에서 보기에 딱하고 숨 가빠요."

"알았어. 다 사람이 하는 일이니까 뚫리고 열리는 길이 있겠지."

전대광은 아내의 따뜻한 마음을 느끼며 침대에서 몸을 일으켰다. 숙취 때보다도 더 머리가 띵하고 묵직했다. 아무도 모르게 감쪽같이 해결해야 하는 데다, 처음 시도하려는 일이라 묘책 찾기가 감감했다.

전대광은 일단 출근을 한 다음 사무실을 나왔다. 한참을 걸어 조용한 찻집을 찾아 들어갔다.

"이 사장님, 그 일이 결정 단계에 와 있습니다. 최종적으로 확인할 사항이 있습니다. 급히 여길 좀 다녀가셨으면 하는데, 어떠신지요?"

핸드폰을 거는 전대광의 목소리는 어느 때 없이 느릿하고 무게가 실려 있어서 거만기까지 띠고 있었다.

"아 예, 가지요. 당연히 가야지요. 두 시간밖에 안 걸리는데 당장 비행기표 알아보고 전화 드리겠습니다."

이 사장의 목소리는 전대광과는 정반대였다. 그 말의 다급함에는 그가 의자에 앉아서 전화를 받지 못하는 모습을 환히 보여주고 있었다.

"예, 빠를수록 좋지요. 그럼……."

더 무게를 실어 끝말을 생략하고 전대광은 먼저 전화를 끊었다.

이 사장은 몸이 달 수밖에 없었다. 경기는 장기불황이었다. 경쟁사들은 많았다. 국내 납품은 이미 한계상황이었다. 돌파구는 해외 개척뿐이었다. 그 길만 열리면 사업은 '심봤다!'를 외치게 되어 있었다. 그런데 바로 그 기회가 눈앞에 닥쳐와 있었다.

"차암……, 기막힌 세상 됐네……."

전대광은 핸드폰을 내려다보며 중얼거리고 있었다.

밤낮없이 세계 어디에나 통화가 되는 핸드폰이라는 놈의 맹랑한 기능이 이런 때 새삼스럽게 감동스러워지는 것이었다. 그런 데다 한국에서 중국 상하이까지는 2시간밖에 걸리지 않았다. 이건 또 비행기란 놈이 발휘하는 출중한 마력이었다. 첫 비행기로 와서 일 보면서 점심 느긋하게 먹고 일 마무리하고 막비행기로 떠날 수 있는 시대였다. 중국은 우리나라와 그렇게 가까이 있는 실체고, 현실이었다.

전대광은 '서호 용정(西湖 龍井)' 차를 한 모금 입에 머금었다. 눈을 지그시 내려 감으며 숨을 느리게 들이마셨다. 상큼한 듯 고소름한 듯 풋풋한 듯 가녀리고 그윽하고 깊은 향기가 아슴푸레한 아득함으로 가슴 깊이깊이 스며들어 퍼져나갔다. 수많은 중국차들 중에서 우리나라 녹차를 가장 많이 닮았으되 그 특유의 오묘한 맛을 지닌 중국의 녹차가 용정차였다. 녹차도 생산지에 따라 그 종류가 많고 많았지만 자신의 마음을 붙들고 놓지 않은 것이 용정차였다. 10년을 훌쩍 넘긴 중국생활이 준 선물이었다. 용정차를 한 모금 머금으면 그윽하고 오묘한 향미가 마음을 쓰다듬듯 가라앉히고 생각을 빗질하듯 깊게 이끌었다. 커피의 되바라진 맛으로는 도저히 이르지 못하고 이끌 수 없는 그윽한 신비스러움이었다.

전대광은 차를 느리게 머금고 다시 머금고 하여 몇 가지 생각을 차근차근 정리해 나갔다. 이 사장에게 전화를 하고 나자 그동안 얼키설키 얽혀 있었던 생각들이 풀리기 시작했다.

이 사장은 오후 4시에 상하이에 도착했다. 그가 호텔에 투숙할 때까지 전대광은 전혀 알은체하지 않았다. 우월적 지위를 가진 이쪽에서 할 일이 아니었고, 그런 냉정한 무관심이 바로 상대의 기를 꺾는 비즈니스 방법 중의 하나였다. 비행기 좌석 체크에서부터 상하이 호텔 투숙까지, 여행사에게 돈만 주면 일사불란하게 처리해 버리는 기본업무였다. 돈의 힘은 언제나 어디서나 그렇게 매끈매끈하고 보들보들했다.

"예에, 바, 방금 도착했습니다."

비행기 안에서도 뜀박질을 한 것처럼 이 사장의 목소리에는 불이 붙어 있었다. '예, 곧 가지요' 하는 이쪽 말을 고대하는 것처럼.

"예, 알겠습니다. 그 건으로 지금 누굴 만나고 있습니다. 6시 반쯤 갈 테니까 그동안 샤워나 하고 한숨 주무시지요. 아무리 시간이 짧아도 비행기 타면 피곤하니까요. 그럼……."

전대광은 반가운 기색이라고는 전혀 없이 냉랭하게 말했다. 그는 지금 지루한 시간을 죽이기 위해서 발마사지를 받으며 누워 있었다.

퇴근을 한 전대광은 두어 군데 들러 호텔로 갔다. 정확하게 6시 30분에 이 사장의 방문을 노크했다.

"혹시라도 남들 눈에 띄면 좋을 게 없어서 멀리 갈 필요 없이 이 호텔 식당에다 예약해 뒀습니다."

서로 인사를 끝낸 다음 전대광은 전화할 때와 다름없이 건조하게 말했다.

"예, 예, 그럼요. 아주 잘하셨습니다. 지킬 비밀은 철저하게 지켜야지요. 예, 그럼요."

이 사장은 듬직한 몸집에 어울리지 않게 굽실굽실했다. 그는 전대광보다 대여섯 살은 더 많아 보였다. 두 사람의 모습은 시쳇말로 '갑과 을의 관계'가 어떤 것인지를 여실하게 보여주고 있었다. 외국의 대기업에 납품의 길을 열어줄 종합상사의 부장이란 존재는 중소기업 사장에게는 생사여탈권을 가진 염라대왕이나 다를 것이 없었다.

"자아, 용건부터 끝낸 다음에 식사하도록 하지요."

전대광은 찻잔에 차를 따르며 말을 꺼냈다.

"예에……, 무슨 말씀이든지……, 예, 다……, 말씀만 하십시오."

이 사장의 굽실거림은 더 심해지고 있었다.

"중국 비즈니스에서 꽌시의 역할이 얼마나 중요한 것인지는 대충 알고 계시지요?" 전대광은 상대방을 내립떠보는 눈길로 말했고, "예, 잘 알고 있습니다. 절대적이라는 것……." 이 사장이 머리를 조아렸다.

"나와 맺어져 이번 일을 추진하고 있는 꽌시는 전적으로 나하고만 통하는 꽌시예요."

"아 예……, 그러시군요."

이 사장이 엉덩이까지 들썩하며 또 머리를 조아렸다.

"그분과 나는 10년 세월 동안 수십 건의 큰 프로젝트들을 아주 멋지게 성공시켜 왔어요. 이번 건도 그분이 95퍼센트 완료시켜 놨고, 나머지 5퍼센트는 내가 결정해야 할 게 남아 있어요."

"아 예……."

"내가 결정해야 할 5퍼센트란 다름이 아니라, 지금 경합사는 사장님을 포함해서 셋. 절대조건인 품질공인서는 다 갖추었으니까 더 볼 게 없고, 나머지는 지금과 같은 최종 면담이지요."

"아 예……, 저는 무조건 제일 좋은 조건으로 부장님을 모시겠습니다. 꽌시, 그분한테 부장님 체면이 당당하게 서야 하니까요."

전대광은 자신의 귀를 의심했다. 상대방은 너무 쉽게 자신이 원하는 말을 술술 풀어놓고 있었다. 제조업체 사장치고는 비즈니스 솜씨가 보통 능란한 게 아니었다.

"먼저 알아볼 게 있소. 거래량이 얼마 정도였으면 좋겠소?"

"예 죄송합니다만, 다다익선 아니겠습니까."

"다다익선, 그건 사업가로서 당연한 욕심이오. 허나, 첫 거래로써 희망하는 것이 얼마냐는 거요."

"예, 최소……, 10만 개면……."

이 사장은 비로소 전대광을 똑바로 쳐다보았다.

"허……, 이 사장님 배짱이 생각보다 작군요." 전대광은 피식 웃음을 흘리고는, "그 다섯 배면 어떻소?" 하며 상대방에게 눈화살을 쏘았다.

"예에……? 오, 오, 오십만……."

이 사장은 소스라치게 놀라며 심하게 말을 더듬었다.

"왜 그리 놀라십니까. 그만한 생산능력이 없는 겁니까?" 전대광은 슬쩍 눙치고 들었고, "아, 아닙니다. 생산능력은 그 두 배도 문제없습니다. 첫 거래에 하도 많아서……." 이 사장의 얼굴은 벌겋게 상기되어 있었다.

"내 꽌시의 능력은 보통 그 정도지요. 그런 정도니까……."

"전 부장님, 저를 밀어주십시오." 이 사장은 전대광의 손을 덥석 잡으며, "제가 1퍼센트를, 매출액의 1퍼센트를, 모든 마진이고 리베이트하고는 별개로 부장님께 보너스로 올리겠습니다. 저를 밀어주십시오. 평생의 은인으로 모시겠습니다." 그의 손도 목소리도 부들부들 떨리고 있었다.

"이번 거래가 성사된다면……, 앞으로 얼마나 갔으면 좋겠소?"

"그야……, 그야……."

이 사장은 아까는 쉽게 했던 '다다익선'이라는 말을 이번에는 못하고 있었다.

"독일 회사가 10년 넘게 독점해 오던 것을 이번에 내 꽌시가 절반을 뚝 잘라낸 게 50만 개요."

"아이쿠……, 전 부장님, 제발 저를 좀 밀어주십시오. 1퍼센트를 틀림없이 올리겠습니다."

"글쎄요……, 개당 120불에 50만 개면……, 그리고 1퍼센트면……."

"예, 그건……."

전대광은 검지손가락을 세워 입술에 댔다. 그리고 천천히 차를 한 모금 마시고는, "말이란 뜬구름 같고, 바람결 같고……." 그는 보일 듯 말 듯 고개를 저었다.

"아 예, 알겠습니다. 틀림없는 약속으로, 법으로 꼼짝 못하는 것으로……, 그것, 현금보관증을 당장 쓰겠습니다. 저는 쩨쩨한 놈이 아닙니다. 저한테 이익을 준 사람한테는 꼭 의리를 지킵니다. 여기 사람 좀 불러주십시오. 종이 좀 가져오라고."

이 사장은 양복 속주머니에서 볼펜을 꺼냈다.

"허, 사장님 성질도 참……."

전대광은 못 이기는 척하며 식탁 위의 벨을 눌렀다. 그는 그동안 얽히고설켰던 혼란한 생각들이 드디어 가지런하게 간추려지는 것을 느꼈다. 그리고 산 정상에 올라 가슴 터지도록 숨을 들이켜는 성취감에 취하며 담배에 불을 붙였다.

전대광이 담배를 반쯤 태웠을 때 이 사장은 현금보관증을 완성했다.

"이거 어쩌죠? 도장이 없는데. 그냥 싸인해도 되겠지요?"

"아니요. 도장 금방 새겨 와요. 종이에 이름 써주고, 300위안만 주세요. 그럼 심부름값으로 절반 먹고, 우리가 식사 끝날 때쯤이면 한국에서는 20만 원이 넘을 옥돌에 새긴 괜찮은 도장을 가져올 겁니다."

전대광은 다시 벨을 눌렀다.

몇 년 전에 한국에서 있었던 일이다. 어떤 부자가 어느 대학에 전재산을 사후 희사하기로 기증서를 썼다. 그 사람이 떠나자 대학에서는 재산 환수에 나섰다. 그런데 자식들이 펄쩍 뛰었다. 금시초문이라는 거였다. 대학에서는 당당하게 고인의 자필 기증서를 내보였다. 자식들은 그 기증서를 인정하지 않았다. 자기네 아버지가 정신이 흐린 상태에서 판단력 없이 이루어진 일이라는 것이었다. 그리고 자식들은 소송을 냈다. 옥신각신 끌던 소송이 끝났다. 대학 측 패소였다. 기증서에 도장이 찍히지 않았다는 것이 그 이유였다. 자필 서명은 도장의 위력 앞에 그렇게 무력했다.

일주일이 지나 전대광은 쩡 사장을 모시고 한국행 비행기를 탔다.

"공장부터 가봅시다."

공항에 내려 이 사장과 인사를 나누자마자 쩡 사장이 한 말이었다.

"아니, 피곤하실 텐데……, 오늘은 쉬시고 공장은 내일……."

이 사장은 당황한 기색이었다.

“왜, 보일 준비가 덜 됐소?” 전대광이 낮은 목소리였지만 싸늘하게 내쏘았고, “아닙니다, 그게 아니고…….” 이 사장이 더 당황스레 손까지 저었고, “됐어요. 허를 찌르겠다는 거니까 평소의 작업 상황 그대로를 보여주면 돼요. 억지로 꾸미는 표 내는 건 오히려 마이너스예요. 공장에 빨리 연락하세요.” 전대광은 빠르게 말을 해치웠다.

화성 공장에 이르는 동안 쩡 사장은 한마디 말도 하지 않았다. 그러니 옆에 앉은 이 사장이 입을 열 수 없는 일이었고, 앞자리에 앉은 전대광도 그저 침묵을 지킬 수밖에 없었다.

‘흥, 기를 팍 죽이겠다는 전략이군. 누가 손자병법 나라 인민 아니랠까 봐. 그래, 비즈니스에서 침묵전술은 꽤나 효과가 좋지. 무게도 잡고, 주눅 들게도 만들고. 제법이군…….’

전대광은 이런 생각을 하며 아슴아슴 밀려드는 졸음을 쫓고 있었다.

“아아, 정말 공장이 깨끗하군요. 공장이 깨끗해야 제품의 질도 높아진다는 사장님의 지론에 전적으로 동감합니다. 공장에는 대만족입니다.”

공장을 다 둘러본 쩡 사장이 흡족함이 넘치는 얼굴로 환하게 웃으며 이 사장에게 악수를 청했다.

전대광도 공장을 보고 꽤나 놀랐다. 공장이란 으레 어수선하고 지저분하고, 특히 쇠붙이 종류를 다루는 공장들은 그 정도가 좀 더 심하기 마련이었다. 그런데 이 사장네의 머플러 제작 공장은 좀 과장해서 말해 말끔하게 청소된 큰 거실 같았다.

중국에서는 지저분한 것이 별 흉이 아니었다. 길바닥에 휴지와 개똥들이 널려 있는 가운데 노점 간이식당을 에워싸고 간편의자에 앉아 사람들은 음식을 맛있게 먹어대고, 그 앞을 행인들은 가래침을 시원스레 내뱉으며 지나간다. 그런 중국을 보고 서양 기자들은 경기를 일으키듯 정신없이 기사를 써댄다. 중국은 가망이 없는 나라라고. 그런데 그런 모습들이 차츰차츰 사라져가며 중국은 G2까지 되었다. 그러나 시골로 갈수록 그런 지저분하고 때 꼬질꼬질한 모습은 여전히 건재하고 있었다. 공개된 일상생활이 그러니 남들의 눈이 먼 공장들은 어떨 것인가. 쩡 사장이 감동하듯이 '대만족'을 표시한 것은 너무 당연한 일이었다.

"공장이 됐으니까 나머지 일도 시간 끌 것 없어요. 오늘 저녁에 비즈니스 끝냅시다."

쩡 사장이 공장을 나서며 한 말이었다.

그건 이 사장이 가장 듣고 싶어 하는 말이었다. 이 사장은 삼궤구고두를 하듯이 쩡 사장 앞에 머리를 조아리고 또 조아렸다. 돈은 마치 황제의 권력처럼 그렇게 절하게 만들고 있었다.

쩡 사장에게 호텔 방을 안내한 다음 전대광은 좀 쉬고 싶었다. 오래 긴장한 탓으로 못내 피곤했다. 몸이 발마사지를 부르는 중국병이 깊었다. 그러나 그 꿈을 이루기에는 중국은 너무 멀었고, 이 사장은 너무 가까이 있었다.

"시간이 아직 좀 남았는데 그동안 저랑 커피나 한잔 하시지요."

이 사장이 불안한 기색으로 허둥거리듯 했다.

"무슨 하실 말씀이라도……." 전대광은 샤워라도 하고 좀 누워 있고 싶어서 마뜩잖게 대응했고, "예에……, 특별한 말은 아니지만……, 예, 중국사람은 처음이고 해서 뭐든 도움되는 말씀을 좀 해주십사 해서……. 피곤하시겠지만 좀 도와주십시오." 이 사장은 뒤로 갈수록 힘을 넣더니 끝말에다 아주 못을 쳤다.

"중국사람이 처음이시라……." 전대광은 속주머니 지갑의 저 깊이깊이 간직한 현금보관증을 생각하고는, "예, 주의할 점이 없지는 않지요. 가십시다." 쉬고 싶은 유혹을 뿌리치며 마음을 다잡았다.

"저어……, 첫 고개는 넘은 것 같은데……, 이제 본게임이 전개되는데 뭘 주의하고, 어떻게 해야 하는지……."

이 사장은 무슨 말이든지 해달라는 간절한 눈길로 전대광을 쳐다보고 있었다.

"예, 중국사람들이 흔히 하는 말에 이런 말이 있어요. '차라리 목숨을 버릴지언정 돈을 놓치지 말아라[寧捨命 不捨錢].' 앞에 남은 일은 바로 그 돈을 놓고 벌어지는 한판 싸움입니다. 흔히 중국사람들을 말할 때 만만디다, 의뭉하다, 겉 다르고 속 다르다, 하고 말합니다. 그러나 그 말은 맞기도 하고, 영 틀리기도 합니다. 경우에 따라서, 형편에 따라서 그때그때 달라진다는 거지요. 자기와 아무 상관이 없을 때 중국사람들은 만만디입니다. 그러난 자기 잇속과 연결되면 정반대로 콰이콰이가 됩니다. 오늘 쩡 사장이 하는 걸 보십시오. 재빠르다는 우리나라 사람들을 찜 쪄 먹을 정도잖아요. 그리고 머플러 한 가지 구매처 정하는데 사장이 직접 나서는 거 보세요. 우리나라 같으면 그러겠어요? 부장이나 상무, 기껏 올라가봤자 전무에서 끝날 일감이죠. 의뭉스럽다거나 겉 다르고 속 다르다는 것도 그래요. 우리도 비즈니스할 때 속마음 착 감추고 꿍수 쓰고 눙치고 하지 않습니까. 다 똑같지요. 딱 한 가지만 놓치지 않으면 됩니다. 비즈니스란 그 흔한 시쳇말로 '돈 놓고 돈 먹기' 담판입니다. 적게 주려 하고, 많이 받으려 하고. 그 줄다리기와 저울질은 그때그때 눈치껏 요령껏 해나갈 수밖에 없지 않습니까. 쩡 사장이 뜻밖의 요구나, 저돌적인 공격을 해올 수도 있습니다. 가격 할인을 놓고 말입니다. 그 사람 능구렁이고, 베테랑이고, 고수이니까요. 허나, 아무 걱정 마세요. 내가 겪어보니 사장님도 신출귀몰하시고, 백전노장이시던데요 뭘. 그런 식으로 대응해 나가면 일 쉽게 풀릴 테니 너무 신경 쓰지 마세요."

전대광은 오랜만에 비즈니스적인 표정을 풀고 정다운 웃음을 지었다.

"이놈에 사업이라는 게 물건 만들어내는 일보다는 팔아먹는 게 더 진땀 나니, 이건 참 해먹기 어렵습니다. 근데 말입니다, 중국사람들이 흥정에는 아주 능하다는데, 처음 가해올 공격이 가격 후려치기 아닐까요? 그걸 어느 선에서 막아야 할지, 큰 고민입니다."

이 사장이 구체적인 고민을 꺼냈다.

"예, 당연히 나올 문제죠. 그러나 급하게 생각해서 밀리면 안 되고, 이 사실을 명심하세요. 독일제는 개당 200불에 고정입니다. 근데 사장님네는 개당 120불에, 할인이 가능하다는 조건입니다. 그런데 품질과 성능은 동일합니다. 이런 조건에서 유리한 위치를 점한 건 누굽니까? 쩡 사장이 아니라 이 사장님입니다. 쩡 사장 쪽은 가격을 더 못 깎더라도 사장님네 것을 선택해야 합니다. 개당 80불에, 50만 개, 그럼 그 이익이 얼맙니까? 그러니 부릴 배짱 부리며 거래하는 여유를 가지라는 거지요."

"예, 맞습니다. 바로 그런 점을 지적해 달라는 겁니다."

이 사장은 손바닥을 맞때리려다가 질겁을 했다.

세 사람은 호텔의 중국음식점 별실에 자리 잡았다.

"잘 아시겠지만……, 성사 여부를 떠나 비즈니스의 비밀이 잘 지켜지기를 바랍니다. 그건 기본 상도의니까."

쩡 사장은 이 사장과 전대광을 응시하며 글자를 한 자, 한 자 새기는 느낌으로 천천히 또박또박 말했다.

전대광은 그 말을 명확하게 통역했고, "예, 영원히 비밀로 하겠습니다. 비즈니스의 비밀은 보고도 못 본 척, 들어도 못 들은 척, 알고도 모르는 척해야 한다고 알고 있습니다. 그 점을 그동안 한 번도 어긴 적이 없습니다." 이 사장이 정중히 예의를 갖춰 말했다.

이 사장의 뜻밖의 대응에 전대광은 마음이 환해지며 안심이 되었다. 기싸움에서 이 사장은 오히려 기선을 잡고 있었던 것이다.

"아, 좋소. 그 말 마음에 들었소." 쩡 사장은 '제법인데' 하는 느낌으로 웃으며 이 사장을 지그시 쳐다보더니, "우리 중국이나 한국은 상거래에서 에누리하는 걸 기본으로 하는 동질의 문화를 가지고 있소. 개당 120불, 최대한 얼마까지 에누리할 수 있소. 실랑이 오래 하지 맙시다, 피곤하게." 그는 첫 방부터 스트레이트를 내질렀다.

"예, 물건을 에누리하는 맛에 산다는 우리나라 속담이 있습니다. 한국은 정찰제를 실시한 지 40년이 넘었습니다. 그에 따라 저희 회사 상품도 정찰제입니다. 그러나 사장님께서 말씀하셨으니 말대접을 하는 게 예의일 것입니다. 5퍼센트를 할인해 드리겠습니다."

이 사장이 또 머리 숙여 예를 갖추며 핑퐁공을 쳐 넘겼다.

"5퍼센트를 깎으려면 말을 꺼내지 않았소. 내가 직접 여기까지 올 필요도 없었고. 10퍼센트로 하시오."

쩡 사장은 표정도 목소리도 단호했다. '이 조건 아니면 더 얘기 안 해' 하는 기세를 내뿜고 있었다. 전대광은 목덜미가 화끈해지고 가슴이 쾅쾅 울리는 소리를 듣고 있었다. 가슴에 고이 품고 있는 현금보관증이 휴지가 될 수 있는 위기였던 것이다. 쩡 사장이 저렇게 강수로 나오다니……, 이 사장이 어떻게 대응할 것인지……, 차라리 통역을 하고 싶지 않았다.

"예……, 좋습니다. 사장님께서 말씀하신 것보다 두 배까지 해드릴 수 있습니다. 20퍼센트로." 이 사장은 쩡 사장의 눈 속으로 파고들어가듯이 똑바로 쳐다보며 한마디, 한마디를 잘근잘근 씹는 것처럼 말하고는, "단, 조건이 있습니다. 50만 개가 아니라 전량 100만 개를 우리 제품으로 바꿔주십시오." 그는 소리 나게 숨을 깊이 들이켰다가, '내 할 말 다 끝났다'는 듯 소리 내서 숨을 길게 내뿜었다.

아아……, 전대광은 소리 나지 않게 신음을 씹었다. 저따위로 무지막지하게 대응을 하다니. 이건 깨진 판이었다. 입속이 쓴 것을 참아내며 겨우 통역을 했다.

"20퍼센트라고 했소?"

전대광은 통역을 했다.

"예, 20퍼센트입니다."

전대광은 또 통역을 했다.

"리베이트가 따로 있다는 것 알고 있소?"

"예, 통상 2~3퍼센트입니다."

"100만 개 납품이 자신 있다는 거요?"

"남아일언 중천금입니다."

"하! 만약 납품 실수가 생기면?"

"통상 2~3배가 아니라 10배 위약금을 물겠습니다. 계약서를 그렇게 쓰겠습니다."

"하! 자신만만이시군. 리베이트는 얼마로 생각하고 있소?"

"예, 100만 개니까 5퍼센트까지 인상하겠습니다."

"하, 이거 보통 배짱이 아니시군. 좋소, 그럼 내가 마지막으로 한 가지만 더 제시하겠소. 이건 이 사장의 손익과는 아무 관계가 없는, 사무 처리의 협조요. 리베이트 5퍼센트 중에서 회사 앞으로는 2퍼센트만, 그리고 남은 3퍼센트와 할인한 20퍼센트는 홍콩의 내 개인계좌에 입금시켜 주시오. 전 부장, 이 부분 똑바로 통역하시오!"

'아아. 날강도가 따로 없구나. 큰형 회사 돈을 그런 식으로 해먹다니. 이 조그만 품목 하나로 네가 해먹는 액수가 도대체 얼마냐. 넌 도대체 전 재산이 얼마인 거야. 해먹어도 나처럼 회사에 일절 피해를 입히지 말아야 인간이지.'

전대광의 머릿속에 번개 치듯 스쳐간 생각이었다.

"예, 모든 걸 지시하신 대로 하겠습니다."

이 사장이 벌떡 일어나더니 쩡 사장에게 허리가 반으로 굽히도록 절을 했다.

"아하하하……, 내가 오랜만에 남자 중의 남자, 관우 같은 호남아, 장비 같은 쾌남아를 만났소. 좋아요, 좋아. 내일 당장 계약 체결이오!"

쩡 사장이 이 사장의 손을 잡고 흔들어대며 상체가 뒤로 젖혀지도록 헌걸차게 웃어대고 있었다.

'저런 걸물이 있나. 사람은 열 겹, 스무 겹이라더니 바로 이 사장, 저 인간을 두고 한 말 아냐. 그 배짱, 놀랄 일이야, 정말 놀랄 일이야. 근데 말이야, 내 현금보관증은 어찌 되는 거지? 100만 개로 두 배가 늘어났으니 그것도 두 배로 고쳐야 하는 것 아냐? 그렇지만 저 머리 빨리 도는 인간이 50만 개 더 늘린 것은 순전히 자기가 한 일이니 괜히 넘보지 말라고 안면 몰수해 버릴 수 있잖아. 그럼 괜히 쪽팔리고 폼만 구기는 건

데. 어쩌지……, 이걸 어쩌지…….'

전대광은 기쁨이 넘쳐 있는 두 사람을 멀거니 바라보며, 몇 억의 돈뭉치가 오락가락하는 머릿속이 혼란스럽기만 했다.

그래, 나는 아빠지!

호텔 로비에서 서하원은 두 아이를 얼싸안았다. 딸과 아들은 이제 한 아름으로 안아지지 않았다. 서하원은 자신의 두 손끝이 닿지 않는 것을 느끼며 그동안 아이들이 또 부쩍 자란 것을 실감하고 있었다. 가뭄 속에서도 식물들이 성장하듯 아이들은 어려워진 형편 속에서도 그렇게 커나가고 있었던 것이다. 서하원은 아이들을 꼭꼭 껴안으며, '미안해, 미안해' '고마워, 고마워' 속말을 하면서 목이 메고 가슴이 저리고 있었다.

아내에 대한 미안함과 아이들에 대한 미안함은 그 농도와 온도와 정도가 완연히 달랐다. 아내에게 그지없이 미안하면서도 아내가 이해하고 자신을 떠받치는 것을 느끼며, 위로를 받을 수 있었다. 그러나 두 자식을 생각하면 그와 반대의 느낌이 가슴을 눌렀다. 무능한 애비로 무시당할 것 같았고, 고생시키는 애비로 원망의 대상일 것 같았고, 해명도 변명도 할 수 없는 죄의식만 커져갔다.

갑자기 지방으로 전세살이를 보낸 것보다 더 큰 죄의식은 전학을 시켜야 했던 일이었다. 전학을 하고 두 아이가 겪어야 했을 고통은 얼마나 힘겨웠을까……. 그 생각을 하면 가슴이 쓰라리다 못해 찢어지는 아픔으로 신음해야 했다. 자신이 고등학교 때 겪었던 전학의 경험이 되살아나면서 연상되는 고통이었다. 그 고통은 고스란히 용서받을 수 없는 죄의식이 되었다.

'전학하는 것은 아이들이 새로 태어나는 것이다.'

페스탈로치의 이 말을 의대에 가서 알았다. 그 말을 대하는 순간 전학해서 당했던 온갖 일들이 일시에 떠오르며 그 말이 얼마나 명언인지 실감했었다. 그래서 결혼하면서 스스로 다짐한 삶의 실천 사항 몇 가지 중에 자식들을 절대로 전학시키지 않는다는 조항을 넣었던 것이다.

중국에 와서 주말마다 아내한테 편지를 쓰면서 빼놓지 않았던 것이 아이들의 새 학교 적응 문제였다. 왕따와 학교폭력이 텔레비전의 주요 뉴스로 자리 잡은 지 오래였고, 여학생들

마저 조폭식으로 폭력을 휘두르는 모습이 예사로 텔레비전 화면을 장식하고 있는 시대였다. 그런 상황에서 전학생이야말로 가장 좋은 왕따의 표적이고, 학교폭력의 먹잇감이었다.

아내의 배려였을 것이다. 딸과 아들은 번갈아가며 편지를 보내왔다. 왕따도 학교폭력도 당한 일이 없노라고. 저희들은 씩씩하게 학교 잘 다니고 있으니 아빠나 건강하시라고. 아빠와 함께 살 날이 어서 오기를 손꼽아 기다린다는 대목에서는 어김없이 눈물이 솟구치고는 했다. 전학의 어려움을 그리도 잘 이겨낸 딸과 아들이 얼마나 고마운지 몰랐고, 그 고마움은 그대로 죄의식이 되고는 했다. 그 사죄 의식으로 마련한 것이 이번의 여름방학 여행이었다.

"아빠가 공항에 나오실 줄 알았는데……."

딸이 뾰로통해져 눈을 흘겼다.

"응, 나도 나가고 싶었는데 예약 환자들이 밀려서 어쩔 수 없었다. 그게……."

서하원은 말을 멈추었다. 아들이 끼어들었기 때문이다.

"누난 바보야? 환자들을 빨리빨리 치료해 버려야 아빠가 우리랑 휴가를 즐겁게 보내실 수 있잖아."

"어머나, 어머나, 니 참 잘나셨어요. 서준일 씨, 요놈아!" 딸 지연이 동생에게 눈을 희게 흘겼고, "에헴, 한 방 먹고 약 오르는 기분이 으떠셔?" 아들 준일이가 누나를 향해 용용 죽겠지를 했다.

"욕지기나게 남자가 어찌 그리 아부 체질이니. 니가 내 동생인 게 치욕스럽다." 지연이가 주먹을 치켜들었고, "여자가 어찌 그리 센스가 철판인 거야? 서지연이 내 누난 게 치욕스럽다." 준일이가 혀를 날름 하며 방어자세를 취했다.

"아서 아서, 그러다가 또 정말로 쌈 된다."

서하원의 아내 유은선이 두 아이의 사이를 벌리며 가운데로 들어섰다. 서하원은 행복이 넘치는 얼굴로 두 아이를 바라보며 빙그레 웃고 있었다. 중학교 2학년인 딸아이는 어느덧 엄마 키를 넘을 듯하며 처녀티가 나고 있었고, 초등학교 6학년인 아들은 벌써 변성되기 시작하는 목소리로 누나에게 맞서 문자 써가며 잘난 척하기에 재미를 붙이고 있었다.

"너희들, 더운데 우선 찬 것부터 좀 먹을까?"

서하원이 바야흐로 아빠 노릇을 시작했다.

"아빠, 나 아이스크림." 딸이 어리광부리듯 말했고, "난 얼음 가득 채운 콜라." 아들이 신바람 나게 외치듯 했고, "얘들아, 호텔은 지독하게 비싸!" 엄마가 질겁을 했고, "여보, 안 그러기로 했잖아." 서하원이 아내의 손을 가만히 잡았다.

"치이, 엄만 분위기 깨는 덴 뭐가 있어." 딸이 입을 삐죽했고, "그치? 엄만 언제든지 엄마 존재감만 내세워." 아들이 쓴 표정으로 고개를 저으며 금세 누나와 한통속이 되었고, "요

것들이 좀 컸다고 시건방진 소리들은 도맡아서 다해." 엄마는 눈을 부라리는 듯했고, 서하원은 넉넉하게 웃으며 로비 라운지로 걸음을 옮기기 시작했다.

서하원은 중국말로 주문하기 시작했다.

"아니, 재 콜라는 안 돼요."

유은선이 잽싸게 남편을 막았다.

"엄마, 또오!" 딸이 재빨리 동생 편을 들고 나섰고, "너도 차라리 아이스크림을 먹어라." 유은선이 아들을 쏘아보았고, "엄마, 지금은 여행 중이에요. 딴 때는 다 말 들었으니까 여행 중에는 내 자유를 막지 마세요." 아들이 탄식하듯 말했고, "그래, 우리 아들 말이 맞다. 여행 중에는 자유다!" 가장의 엄숙한 선언이었고, "아이고 의사 선생님, 왜 이러세요. 콜라는 한 방울도 안 된댔는데. 이빨 썩고, 내장 썩고, 뼈도 삭아 내린다는데." 유은선이 주문 외우듯 했고, "최고, 최고. 우리 아빠 최고." 아들이 엄지손가락을 세워 마구 흔들어댔다.

"아빠가 최고인 건 그게 아니고 딴 거다."

지연이가 동생에게 말했다.

"응? 딴 거 뭐?"

준일은 어리둥절했다.

"중국말 끝내주시잖아. 1년쯤 더 됐을 뿐인데 꼭 중국사람 같잖아. 우리 아빤 정말 천재다."

"아빤 원래 아인슈타인이시잖아. 그쵸, 아빠."

"아이고 애들아, 자꾸만 아빠 비행기 태우지 말아라. 너희들이 몰라서 그렇지 아빠가 중국말 잘하는 게 아니다. 겨우겨우 쉬운 말만 조금 하는 것뿐이야. 환자들하고 말이 통해야 하니까."

서하원이 쑥스러워하며 두 손을 내저었다. 그러나 그건 겸손이었다. 그는 지난 1년 동안 틈만 나면 중국어 공부에 열중했었다. 그건 가장 강한 생존의 무기이기 때문이었다.

"여름인데도 환자가 많아요?"

유은선은 두 아이가 먹고 마시는 것에 정신이 팔리는 것을 보고는 남편에게 나직하게 물었다.

"응, 이 사람들 최대 명절인 춘절 기간 15일 동안은 아무 일도 안 하고 그저 먹고 마시며 쉰다고 알려져 있는데, 오히려 그때 더 밀려들어. 남들 눈 피해 표 안 내고 고칠 수 있으니까. 여름방학 시즌도 그런 똑같은 효과가 있으니까 환자가 줄어들지 않지."

"당신은 힘들겠지만 그래도 참 다행이에요."

"그래, 중국이 성형시장으로 망망대해라고 하더니 그 말이 이제 실감 나. 어쨌거나 중국은 잘 온 것 같애."

서하원은 애들의 눈치를 살피며 탁자 아래로 아내의 손을 잡았다.

"아빠, 여기 상하이하고 베이징하고 어디가 더 좋아요?"

아이스크림을 절반쯤 먹은 지연이가 더위를 좀 식혔다는 듯 궁금증을 드러냈다.

"글쎄에……, 중국에 처음 오는 사람들은 곧잘 그렇게 묻는데, 그거 한마디로 딱 잘라서 말하기가 곤란한 문제로구나. 왜냐하면 두 도시가 서로 다른 특색을 가지고 있거든. 흔히 이렇게들 말한다. 베이징은 중국의 정치 수도고, 상하이는 중국의 경제 수도다. 그러니까 베이징은 중국 대륙 전체를 다스리는 권력의 중심지이고, 상하이는 중국의 경제발전의 중심지로 돈이 제일 많다는 뜻이지. 그래서 베이징사람들과 상하이사람들은 서로 자기네 자존심을 내세우며 입씨름을 하고는 하지. 그 사람들이 서로 뭐라고 흉보고 헐뜯는지 아니? 베이징사람들은 '상하이 것들은 돈밖에 모른다'고 하고, 상하이사람들은 '베이징 것들은 감투밖에 모른다'고 한단다. 그러면 베이징사람들은 또 '상하이 것들은 다른 데 사람들을 모두 촌놈 취급한다'고 하고, 상하이사람들은 '베이징 것들은 중국사람들을 다 저희들 부하로 생각한다'고 맞대거리를 한다. 이런 형편이니 외국인인 아빠가 어디가 더 좋다고 하기가 어렵지 않겠니? 이번에 상하이 거쳐 베이징까지 여행하면서 네 눈으로 직접 살펴보고, 비교해 가면서 어디가 더 좋은지 가려보려무나. 그게 여행하면서 얻게 되는 가장 큰 공부고, 가장 큰 의미 아니겠니?"

서하원은 다정하기 그지없이 웃어가며 아빠 노릇을 하고 있었다. 유은선도 그런 남편과 딸애의 모습을 바라보며 행복감 넘치는 정겨운 웃음을 꽃피우고 있었다.

"아빠, 그럼 중국에도 지방색이 있는 거네요?"

지연이가 앉음새를 가다듬으며 놀란 표정으로 물었다.

"지방색? 너 그런 걸 어떻게 알아?"

서하원은 딸보다 더 놀란 얼굴이 되었다.

"네에, 사회 시간에 배웠어요." 딸이 왜 놀라냐는 듯 대꾸했고, "선생님이 뭐라고 가르치셨니?" 아빠가 약간 다가앉으며 관심을 드러냈고, "으음……, 그러니까 그게……, 네, 뭐랬냐면은요, 우리나라가 남북으로 분단되어 있는 것도 비극인데 지방색으로 동서가 또 분단되다시피 해서는 나라가 망할 징조다. 절대 그래서는 안 된다, 그러셨어요." 딸이 초롱초롱한 눈으로 또렷또렷하게 답했고, "으음, 아주 잘 가르치셨구나." 아빠가 고개를 끄덕이며 중얼거렸고, "선생님이 잘 가르치는 것이야 당연한 거지만, 그걸 저렇게 확실하게 기억하고 있는 우리 딸이 진짜 잘 배우고 있는 것 아니에요?" 엄마가 거들고 나섰고, "엄마, 왜 그래. 닭살이야, 닭살!" 딸이 질색을 하며 손부채를 부쳐댔고, "아니다, 정말 우리 딸 장하고 똑똑하다." 아빠가 신 나게 맞장구를 쳤고, "개뿔!" 아들이 시샘하듯 퉁명스럽게 내쏘는 바람에 부부는 서로 마주 보며 터지는 웃음보를 걷잡지 못했다.

'아아, 여행이란 이다지도 좋은 거로구나. 이렇게도 편안하고 아늑한 행복감을 주다니…….'

서하원은 아내와 두 애들을 바라보며 끔찍스러웠던 작년의 기억에 휘말려 들고 있었다. 쫓기듯 도망치듯 중국에 올 때 이런 날을 꿈꿀 수나 있었던가. 그 캄캄하고 깊은 절망에는 한 오라기의 빛도 없었다. 그런데 기적처럼 이런 날이 다시 온 것이다.

"서 박사님, 이제 그만 가장 노릇 할 때가 됐잖아요?"

어느 날 전대광이 불쑥 한 말이었다.

"……?"

서하원은 전대광을 멀뚱히 쳐다보기만 했다.

"이번 여름방학에 가족들 중국 여행 좀 시켜주세요. 아직 그럴 여유가 없다고 말하지 마세요. 여유는 마음이 만드는 거지 돈이 만드는 게 아닙니다. 지난 1년 동안 박사님은 꼭 소처럼 일했습니다. 아닙니다. 소한테도 겨울 농한기의 휴식이 있습니다. 그런데 박사님은 농한기는커녕 중국의 긴 연휴 기간에도 허리를 펴지 못했습니다. 그렇게 열심히 일해서 위기는 일단 벗어나셨잖아요. 이쯤 해서 가족여행을 마련하면 그 효과가 이중, 삼중, 그야말로 복합 효과, 다목적 효과가 나지요.

가장으로서 체면 서고, 부인을 위로하고, 아이들에게 중국 문화를 체험시키고, 집안의 안정이 회복되었음을 확인시키고……, 뭐가 또 있지요? 인생이 뭐고, 사는 게 뭡니까. 인생이란 추억 만들기고, 사는 건 때때로 무슨 계기 찾아가며 즐거움 만들어가는 것 아니던가요? 공자 앞에서 문자 한마디만 쓸까요? 박사님 가족 전부는 지금쯤 심리치료를 한 차례 받을 필요가 있어요. 그게 중국 여행입니다."

과연 전대광은 얼마나 현명한 심리치료사였던가. 서하원은 전대광에게 진정한 고마움을 느끼고 있었다.

"아, 모두 무사히 오셨군요. 좀 늦었습니다."

전대광이 서두르는 몸짓으로 나타났다.

"여보, 인사드려. 전대광 부장님."

서하원이 벌떡 일어나며 아내에게 눈짓했다.

"안녕하세요, 유은선입니다. 남편한테 부장님 말씀 많이 들어서 이미 구면 같습니다. 큰 도움 주셔서 정말 감사합니다."

두 손을 모아 잡은 유은선은 다소곳이 말하며 머리를 깊이 숙여 깍듯이 예의를 갖추었다.

"아닙니다. 제가 한 일은 별로 없습니다. 서 박사님께서 남자답게 굳세게 열성적으로 일 많이 하셨지요. 제가 옆에서 배운 바가 많습니다."

전대광도 깊이 절하며 가장 서하원의 체면을 세워주었다.

서하원은 딸과 아들도 인사시켰다.

"제가 식사라도 한번 대접하고 싶어도 2박 3일 짧은 일정에 괜히 귀한 시간 빼앗는 것 같고, 특히 따님과 아드님은 너무 재미없어할 것 같아서 이것으로 대신하고자 합니다. 애들 맛있는 것 사주십시오."

전대광은 새빨간 봉투를 유은선에게 내밀었다. 그 빨간 봉투는 춘절에 상대방의 행운을 빌며 세뱃돈을 넣어주는 훙바오였다.

"뭐 이런 걸 다……."

그녀는 남편을 쳐다보며 머뭇거렸다.

"괜찮아, 여보……."

서하원이 웃으며 전대광을 쳐다보았다.

"얼마 안 되니까 흉이나 보지 마세요."

전대광이 봉투를 유은선의 손에 갖다 댔다. 그녀는 봉투를 받지 않을 수 없었다.

"너희들, 이 아저씨가 여행 계획을 다 짠 걸 알고 있니? 중국은 구경할 데가 많고 많지만 우선 급한 대로 상하이하고 베이징, 두 군데만 봐도 중국 절반은 보는 셈이다. 프랑스 파리와 이태리 로마를 보면 그 나라 엑기스를 거의 다 보게 되는 것처럼 말이다. 아주 소중한 여행이니까 즐겁고 값지게 잘 보내라."

전대광은 두 아이와 악수를 나누고 돌아섰다.

"저 아저씨 아주 멋지게 생겼어요." 준일이가 엄지손가락을 세우며 말했고, "얘 좀 봐. 돈 냄새 맡더니 너무 야하게 아부한다 얘." 지연이가 눈을 흘기며 입을 삐쭉했다.

"그래, 저 아저씨가 마음씨가 아주 고우신 고마운 분이다. 저런 분들 때문에 우리나라 경제가 날로 발전하고 있는 거야. 다른 나라에 와서 고생들 많이 하신다."

서하원은 멀어져가는 전대광의 뒷모습을 바라보며 아이들에게 진지하게 말하고 있었다.

"자아, 지금부터 상하이 여행 계획을 세우자. 아빠하고 여기서 보낼 수 있는 시간은 2박 3일. 오늘 하루가 가고 있으니까 2박 2일이 남았고, 떠나는 날도 오전까지뿐이니까 정확하게 따지자면 관광할 수 있는 건 2박 1일인 셈이다. 그러니까 짧은 시간을 최대한 효과적으로 써야 해. 아빠가 가이드하고 대충 의논을 해놨는데, 지금부터 이 안내 팸플릿을 보고 서로 구경하고 싶은 걸 체크해 봐."

서하원은 양복 속주머니에서 안내 팸플릿을 꺼내 애들에게 하나씩 주었다.

"여보, 시간 낭비니까 그럴 것 없어요. 봐봤자 애들이 아무것도 모르니까 당신 계획대로 하세요."

유은선이 냉정하다 싶게 말하며 커피잔을 들었다.

"아유 질려. 저 엄마 독재!"

딸 지연이가 톡 쏘아붙이듯 했다.

"맞어, 엄마는 여자 히틀러야."

아들 준일이가 맞장구를 쳤다.

"그래, 엄마 말씀도 일리가 있지. 아빠가 상하이에서 가장 재미있고, 꼭 보아야 할 것들을 골라 최대한 많이 보여주도록 할 테니까 너희들은 맘 푹 놓고 기다려라. 자아, 지금 몇 시냐. 음, 오후 5시면 지금 나서야겠다. 상하이는 서울보다 다섯 배는 차가 더 막힌다. 자아, 출발이다."

서하원이 모두 일어나라는 손짓을 하며 몸을 일으켰다.

"아빠, 어디로 가요?" 아들이 아빠 옆으로 다가섰고, "응, 와이탄이라구, 상하이에 오면 꼭 보아야 할 데다. 설명은 가서 해줄게." 서하원이 아들의 머리를 쓰다듬었다.

그들이 현관문 가까이 가자 한 남자가 뛰어왔다.

"출발하시게요?"

"예, 와이탄으로 갑시다." 서하원이 남자에게 말하고는, "너희들은 가이드 아저씨하고는 구면이지?" 그는 두 아이를 번갈아 쳐다보며 계속 벙글거렸다.

"조선족이시래요."

준일이가 공항에서 호텔까지 데려다 준 가이드에게 친밀감을 느끼는 듯 말했다.

"그래, 저 만주땅 멀고 먼 데서 오신 분이지."

서하원은 아들의 손을 잡았다. 그런데 딸이 다가서더니 아빠의 다른 손을 말없이 잡았다. 서하원은 두 자식의 손을 양쪽에 잡고 호텔을 나섰다. 하늘은 여전히 우중충하게 매연이 끼어 있었다. 그런데 그는 푸르른 하늘을 보고 있었다. 그 하늘이 다른 날과는 다르게 푸르고 푸르렀다.

"와이탄으로 모시겠습니다."

가이드가 밴을 출발시켰다.

와이탄에 도착했을 때는 서하원이 예정한 시간대로 석양빛이 뉘엿뉘엿 저물고 있었다. 더위도 한풀 가시고, 와이탄과 그 주변을 두루 관광하기에 안성맞춤인 해질녘이었다.

"자아, 여기가 상하이 심장부로 꼭 보아야 하는 곳이다. 이곳은 상하이라는 도시의 170년 역사를 한눈에 보여주고 있다. 지금 우리는 세 가지 풍경을 한꺼번에 보고 있는 거다. 왼쪽의 거리, 그리고 오른쪽의 거리, 그 가운데를 흐르고 있는 강. 이 도시의 모습이 상하이 170년 역사다. 무슨 말인지 알겠어?"

서하원은 딸과 아들을 번갈아 쳐다보았다.

"……."

딸은 검지손가락 끝을 이 사이에 문 채 아빠를 빤히 쳐다보고 있었다. '아빠, 우리 그런 질문에 질린 것 모르세요?' 하는 표정으로.

"저기……, 양쪽 건물들이 달라요."

아들이 별로 자신 없는 소리로 말했다.

"그래, 우리 준일이가 잘 봤다. 바로 그거야. 왼쪽과 오른쪽의 건물들이 모양도, 크기도, 높이도 다르다. 그게 170년의 차이란다. 무슨 말이냐 하면, 지금 우리가 서 있는 왼쪽 건물들이 옛날 것들이고, 강 건너 오른쪽 건물들이 개혁개방 이후에 집중적으로 지어진 최신식 건물들이다. 중국은 170여 년 전에 영국 프랑스 독일 등 서양 강대국들의 힘에 밀려 강제로 항구들을 개방하고 외교관계를 맺게 됐어. 그때 상하이도 개항했고, 이 왼쪽이 외국인 거주 지역으로 내준 조계야. 강제로 중국땅을 차지하게 된 서양 여러 나라 사람들은 서로 다투듯 건물들을 지어대기 시작했지. 아무 보잘것없는 시시한 어항이 갑자기 서양의 신식 도시로 바뀌기 시작한 거야. 자아, 잘 봐라. 저 건물들이 얼마나 웅장하고, 멋지고, 튼튼하게 생겼는지. 왜 서양사람들은 남의 땅에다가 저렇게 건물들을 잘 지었을까?"

서하원이 다시 두 아이를 쳐다보았고, 그의 아내는 옆에서 빙그레 웃고 있었다.

"그거 뻔하잖아요. 즈네들이 영원히 차지하려는 심보루요."
딸이 대답했고, "맞어." 아들이 고개를 끄덕였다.

"그래, 둘이 잘 맞혔다. 모두 그런 속셈을 가지고 있었던 거야. 그러나 2차 세계 대전이 끝나고 전 세계적으로 식민지 갖는 게 폐지되면서 모두 물러가게 된 거지. 그러니까 저 건물들 나이는 평균 백 살 이상 된 거야. 그리고 저 강이 황푸 강이고, 저 건너 오른쪽 지역이 소문 많이 나 있는 푸둥 지구다."

"아이고 무서워라. 어찌 저리 높게만 지어댄데요. 이렇게 멀리서 봐도 어지러운 것 같고, 속이 메슥거리려고 해요. 우리나라가 심한 줄 알았는데 여긴 비교가 안 되게 훨씬 더 심하군요. 왜 저러지요?"

유은선이 찌푸린 얼굴로 고개를 저었다.

"응, 중국사람들은 저걸 발전이라고 생각해. 아까 그 전 부장님 얘기 들으면 중국의 모든 큰 도시들은 다 상하이를 부러워해서 서로 대형 빌딩 지어대느라고 정신이 하나도 없다더군. 중국사람들이 워낙 큰 것, 거창한 것 좋아하는 습성도 있고."

서하원이 씁쓰름하게 웃었다.

"이 사람들, 우리나라 사람들 못지않게 미국이라면 환장을 한다던데, 저게 뉴욕 흉내 내려는 것 아니겠어요? 어때요, 땅이 곧 푹 꺼져 내려앉을 것 같은 게. 뉴욕보다 훨씬 더 심하지 않아요?"

"그럼, 심하구말구. 당신 느낌이 아주 족집게 점쟁이네. 그렇잖아두 어느 일부분에 지반 침하 현상이 시작되고 있다는 말이 있어. 해변인 데다 암반이 약한 평지에 거대한 초고층 빌딩들이 너무 많이 들어선 탓이지. 그런데도 그런 건 아랑곳않고 초대형 빌딩들은 계속 지어지고 있어. 그게 둔감해서 그런 건지, 배짱이 좋아서 그런 건지 알 수가 없어. 그런 염려에 대해 중국사람들은 뱃속 편하게 그저 "메이관시, 메이관시(괜찮아, 괜찮아)" 하고 넘겨버려. 그 메이관시는 중국사람들이 입에 달고 사는 몇 가지 말 중에 하나야. 그 느긋하고 태평스러운 게 우리하고는 많이 달라."

"아빠, 저 강이 왜 저래요? 강물이 꼭 똥물처럼 탁하고 무슨 냄새가 나는 것 같아요."

왜 우리 버려두고 둘이서만 얘기하냐는 듯 아들이 부부 사이로 끼어들었다.

"응, 넌 아직 모를지 모르겠는데 중국에는 끝없이 길고 긴 두 개의 강이 지형이 높은 서쪽에서부터 지형이 낮은 동쪽으로 흘러내리고 있지. 북쪽에 있는 것이 황하고, 남쪽에 있는 것이 장강, 곧 우리나라에서는 양자강이라고 부르는 강이야. 그 장강의 동쪽 끝이 바로 저 황푸 강이란다. 근데 이 상하이에 이런 우스갯소리가 있지. 중국이 경제개발을 시작하면서 시골 농촌 사람들이 가난에서 벗어나 잘 살아보고 싶은 희망으로 무작정 도시로 몰려들기 시작했어. 그런데 그 사람들은 배운 게 없고, 특별한 기술도 없으니까 날품팔이나 막노동을 하며 살 수밖에 없지. 그런 사람들을 농민공이라고 부르는데, 경제 수도 상하이에는 그런 사람들이 특히 많이 몰려들었어. 저 많은 고층 건물들이 20여 년 사이에 저렇게도 빽빽하게 지어질 수 있었던 것도 다 그 사람들이 싼 인건비로 밤낮없이 일했기 때문이야. 그 사람들은 그렇게 공을 세웠는데도 특수 기술이 아니고 잡일이고, 돈 없이 가난했기 때문에 좀 잘사는 상하이사람들한테 형편없이 무시당하며 살아야 했어. 상하이사람들은 그 사람들을 향해 '산에서 내려온 것들'이라고 깔보고 업신여겼고, 그 사람들은 '상하이 것들은 우리가 싼 오줌과 목욕한 물을 먹고 산다'고 맞받아쳤단다. 무슨 말인지 알겠니? 이 상하이에 모여든 농민공들은 대개 양자강 상류의 저 높은 산악 지대인 쓰촨성 시골에서 물길 따라 온 사람들이거든. 그러니까 우리 아들이 저 물을 똥물같이 느낀 것은 아주 정확하게 말한 거야. 쓰촨성 사람들이 싼 오줌과 목욕한 물이 섞인 거니까."

"어머, 어머, 아빠 농담 느셨어요." 딸이 입을 가리며 호호호 웃음을 터뜨렸고, "나 마침 소변 보고 싶은데 저기다가 오줌 쫘악 깔겨버릴까!" 아들이 지퍼를 내리는 시늉을 하며 크크크크 키들거렸고, "그래라, 시원하게 오줌 한 번 싸고 2주 동안 유치장에 갇힐 각오만 하면 된다." 아빠가 자식들과 함께 어깨 들먹이며 웃어댔고, 엄마는 식구들의 그 모습을 눈물 글썽한 눈으로 바라보며 한없이 행복한 웃음을 짓고 있었다.

"아빠, 오줌 한 번 쌌다고 2주씩이나 유치장에 가두는 건 너무 심하잖아요? 우리나라는 벌금 조금 내거나, 마음씨 좋은 경찰아저씨 만나면 그냥 봐주기도 하는데."

아들이 뚱하게 한 소리였다.

"아니다, 2주 동안 유치장 신세가 되는 건 음주운전을 했을 때 당하는 거고, 내가 2주라고 한 건 중국이 자랑하는 대도시 상하이 한복판, 그것도 여러 가지로 이용되는 강물에다 오줌을 쌌으니 음주운전처럼 엄히 다스릴 거라는 생각에서다. 허나 중국에서도 길가에서 소변 보는 것은 아무 단속도 안 할 뿐 아니라 똥을 맘대로 눠도 괜찮다."

"똥을요!"

아들과 딸이 질겁을 하며 합창을 했다.

"응, 이런 대도시에서가 아니고 고속도로 여기저기에서 소변을 보는 건 예사고, 장거리를 달리는 대형 화물트럭 운전수들은 휴차공간에 차를 세워놓고 운전대와 화물칸 사이의 그 공간에 앉아 점잖게 대변 보는 모습을 흔히 볼 수 있지. 그런 걸 보고도 공안은 단속을 안 하고 딴 데로 눈을 돌려버린단다."

"오줌도 아니고 똥인데두요!"

아들이 소리쳤고, 딸은 눈을 질끈 감으며 바르르 떨었다.

"생각해 봐라. 무거운 짐들을 싣고 수천 리를 며칠이고 달리는 사람들이 배탈이라도 나면 고속도로에서 변소를 찾을 데가 없잖니. 급하니까 누가 보거나 말거나 실례를 할 수밖에. 공안은 그런 형편을 봐주는 거지."

"아주 인간적이잖아요. 중국 괜찮은 나라네요."

유은선이 고개를 주억거렸다.

"응, 중국은 그런 데가 있는 나라야. 문제 삼지 않으면 아무 문제가 없는데 문제 삼으니까 문제가 된다는 원칙에 따라."

"그게 무슨 소리예요?"

유은선이 의아스럽게 남편을 쳐다보았다.

"응, 이 말 아주 재미있는 말이야. 중국 사회를 이해하는 열쇠가 될 수 있는데, 가만히 생각해 봐. 모든 일에 아주 그럴듯하게 적용되는 중국식 편의주의야. 문제 삼지 않으면 아무 문제가 없는데 문제 삼으니까 문제가 된다."

남편을 따라 그 말을 뇌어나가던 유은선이 피식 웃었다.

"그 말 참 희한하네요. 알쏭달쏭하기도 하고, 그럴듯하기도 하고, 스님들 선문답 같기도 하고, 무슨 일이든 다 해결할 수 있는 해결책 같기도 하고……, 중국은 참 복잡하면서도 매력적인 나라 같아요."

"그래, 당신 말이 맞아. 살아갈수록 흥미롭고, 특히 '문화의 깊이'라는 것이 무슨 말인지 조금씩 깨닫게 되는 것 같아. 나는 그런 것과는 너무 멀게 살아온 사람인데도 말야."

서하원은 가까이 다가서는 아들의 귓불을 어루만졌다.

"아빠, 아빠는 의학박사만이 아니라 중국박사세요. 중국에 대해서 모르는 게 아무것도 없으시잖아요."

아들이 아빠를 올려다보며 해맑게 웃었다.

"아니야, 아니야. 중국에 대해서 진짜 많이 아는 분은 아까 그 전 부장님이시다. 그분이 백 가지를 알면 아빠는 겨우 한 가지 정도, 그저 쬐에끔 알 뿐이야."

서하원은 '쬐에끔'에 맞추어 아들의 눈앞에 새끼손가락의 끝끝을 엄지손가락 끝으로 짚었다.

"그 말 안 믿겨요. 아빠가 이렇게 많이 아시는데 아빠보다 100배라면……, 중국에 대해서 알아야 할 게 그렇게나 많아요?"

딸이 정말 믿을 수 없다는 표정으로 아빠를 쳐다보았다.

"그럼. 확실하지는 않지만, 전 부장님이 알고 있는 것도, 중국에 대해서 알아야 할 전체 양에 비하면 100분의 1, 아니 1,000분의 1이나, 10,000분의 1도 안 될지도 몰라. 중국은 우리나라하고 비교를 할 수 없을 정도로 국토가 어마어마하게 넓고, 인구도 엄청나게 많거든."

"네, 알아요. 출발하기 전에 누나하고 함께 인터넷 포털 네이버에 들어가 검색해 봤어요."

아들이 자랑하듯이 말했다.

"그거 잘했다. 여행하기 전에 미리 여행지의 지식이나 정보를 알아두는 것은 아주 좋은 일이지. 자아, 그럼 지금부턴 저 푸둥 지구로 건너갈까. 거기 가서 세계적으로 유명한 상하이 야경을 구경하며 저녁 식사를 할 좋은 데가 있단다."

서하원은 아들과 딸의 손을 잡았다. 그의 아내도 아들의 손을 잡았다. 손에 손을 잡은 네 사람은 세종로 광장만큼 넓은 와이탄 대로를 걷기 시작했다. 차가 안 다니는 인도인 그 길에는 많은 사람들이 끼리끼리 쌍쌍이 한가하고 평화롭게 오가고 있었다.

서하원은 얼마쯤 걷다가 자신도 모르게 콧노래를 흥얼거리기 시작했다. '나의 살던 고향은 꽃 피는 산골…….' 그 노랫가락에 딸의 콧소리가 합해졌고, 이어서 아들의 콧소리가 섞여들었고, 그리고 아내의 콧소리도 한데 어우러졌다. 뉘엿뉘엿하던 석양빛이 시나브로 사위어지면서 실안개 퍼지듯 어스름의 휘장이 드리워지고 있었다. 그 그윽한 저녁빛을 따라 드높은 건물들이 하나 둘 불을 밝히기 시작했다. 소문난 상하이 야경이 꽃피움하기 시작하는 것이었다. 그 고즈넉한 분위기의 아름다운 저녁빛 속을 그들 네 식구는 콧노래를 흥겹게 부르며 걸어가고 있었다.

그들은 와이탄 대로가 끝나는 지점에서 걸음을 멈추었다. 거기서 가이드의 밴이 기다리고 있었다.

"배고프지? 조금만 기다려라. 다리 하나만 건너가면 되니까."

차가 출발하자 서하원은 애들에게 말했다. 와이탄을 본 느낌을 물어보고 싶었지만 애들이 부담스러워할까 봐 그냥 참기로 했다. 아까 보았던 딸애의 얼굴이 떠올랐던 것이다. 괜한 것 자꾸 물어 여행 기분 깨버리면 여행하지 않음만 못한 일이었다.

"저기가 저녁 먹을 곳이다."

서하원은 차에서 내려 동방명주를 가리켰다.

"저게……, 뭐가 저렇게 생겼어요?"

아들이 눈을 뚱그렇게 떴다.

"그렇지? 아주 괴상하게 생겼지? 사다리를 세워놓은 위아래에 커다란 공 두 개를 연결시켜 놓은 것 같은 데다, 높기는 또 무지무지하게 높고 말야. 건물 같지도 않고, 무슨 탑 같지도 않고, 마치 외계인들이 사는 집 같기도 하고, 하여튼 요상스럽지? 그런데 저기서 저녁을 먹게 된다 그런 말씀이다."

어떠냐는 듯 서하원은 잦바듬하게 폼을 잡았다.

"아빠, 저거 뭔지 알 것 같아요. 저 끝에 솟은 뾰족한 것이 답이죠?" 딸이 목까지 늘여 눈길을 길게 꽂은 채 말했고, "어허, 눈치 한번 빠르기는! 그래, 뭔지 맞혀봐라." 서하원은 딸의 영특함에 신이 났다.

"우리 남산에 있는 것 같은 방송 송수신탑이에요." 딸이 야무지게 말했고, "예, 맞혔습니다. 정답입니다." 서하원은 중국

사람들의 버릇을 익혔다는 듯 거침없이 큰 소리로 외쳐댔다. 그의 아내가 화들짝 놀라며 질겁을 했다.

"저게 상하이를 대표하는 랜드마크고, 이름은 동방명주다."

"그게 무슨 뜻이에요?"

아들이 물었다.

"응, '동양의 빛나는 진주'라는 뜻인데, 옛날에 서양사람들이 상하이를 자기네들 마음에 들도록 잘 꾸며놓고 그런 애칭을 붙인 거란다. 그런데 저게 왜 상하이의 랜드마크인 줄 아니? 거기에는 분명한 이유가 있다. 저게 100퍼센트 중국 기술로 만들어졌고, 저 속에는 세계에서 제일 빠른 엘리베이터가 있어서 기네스북에 오른 거야."

"얼마나 빠른데요?"

아들이 대뜸 반응했다.

"응, 우리가 저녁을 먹게 될 회전 레스토랑 바로 아래에 있는 제2전망대까지가 263미터다. 그 높이까지 얼마가 걸리느냐. 단 40초다!"

"우와, 40초에 263미터!" 아들이 벌린 입을 다물지 못했고, "아이구야, 그거 어지러워서 어쩌니." 그의 아내가 머리를 감싸 잡았고, "여보, 괜찮아. 내가 타봤는데 아무렇지도 않아." 서하원이 웃으며 아내의 팔을 붙들었다.

"아빠, 그런 최신 시설을 순전히 중국 기술로 했다구요?"

딸이 믿기 어렵다는 눈치를 보였다.

"그렇단다. 그건 틀림없는 사실이야. 중국을 한마디로 하기엔 아주 복잡하고, 곤란하고, 어려운 문젠데 말이지, 그 과학기술 수준에 대해서는 이렇게 말하면 될 것 같구나. 우리나라가 오늘날과 같이 발전한 것이 지난 70년대부터 40년이 걸렸지. 그런데 중국은 80년대부터 시작해 30년 만에 우리나라 수준과 같아진 거야. 왜 그런지 아니? 한 가지 분명한 이유가 있어. 과학 연구인력이 학부생 650만 명 정도, 대학원생 50만 명 정도가 확보되어 있는 거야. 이건 어느 나라도 따라올 수 없는 세계 1위지. 그리고 모든 분야의 최신 과학기술을 확보하기 위해서 정부가 총력 지원을 한단다. 또 기업은 기업들대로 눈에 불을 켜고 덤비고. 그러니 최신 기술이 발전하지 않을 수가 없지. 그리고 또 다른 게 있지. 중국은 우리가 엄두를 못 내는 두 가지 최첨단 기술을 가진 나라야. 원자폭탄 제조와 유인우주선 발사 성공. 무슨 말인지 이해가 되니?"

"아아니요. 머리가 아주 복잡해졌어요." 딸이 고개를 저었고, "그래, 아빠도 복잡하고 모르는 게 너무 많다. 그 정도로 알아둬라." 서하원이 딸의 어깨를 두들겼고, "당신 애들 위해서 미리 공부 좀 한 것 같아요." 그의 아내가 말했고, "안 그런 것도 아니지 뭐. 애비 노릇 하기가 어디 쉬워? 애들한테 무시당하지 않으려면 할 수 없지." 서하원은 아내에게 눈을 찡긋했다.

엘리베이터가 출발하자 준일이의 눈초리는 아빠 시계의 초침을 쫓기 시작했다. 소년다운 호기심이었다. 물속에서 숨을 멈추고 있는 것도 아닌데 40초란 얼마나 순식간에 지나가는 시간인가.

"우와, 진짜 40초다! 중국 완전 끝내준다. 누나도 놀랐지?" 엘리베이터가 멈춤과 동시에 준일이의 탄복이 터져 나왔고, "놀라긴 얘, 유인우주선 쏘아 올리는 것에 비하면 이까짓 건 웃기는 거지 뭐." 학년이 겨우 두 해 높을 뿐인데도 지연이는 동생 앞에서 어른이 다 된 것처럼 굴었다.

회전 레스토랑의 유리벽 밖으로는 어둠이 짙어짐에 따라 형형색색의 불꽃바다가 펼쳐지고 있었다. 제각기 크기와 모양이 다른 대형 빌딩들이 서로 다투듯이 온갖 색깔의 불빛으로 치장하고 있었다. 그 수많은 빌딩들은 저마다 사람들의 눈길을 끌기 위해서 특이하고 개성적인 형상을 꾸며내고 있었다. 어느 것 하나 호화롭지 않고 현란하지 않은 것이 없었다.

회전 레스토랑은 돌지 않는 듯 아주 느리게 돌며 상하이의 수천 개 초고층 빌딩들이 제각기 연출해 내는 눈부신 야경을 보여주고 있었다. 그 휘황찬란한 야경을 보기 위해 운동장 넓이의 회전 레스토랑에는 빈자리가 없을 지경이었다.

그 현란한 불빛의 향연에 취해 있는 딸과 아들을 서하원은 물끄러미 바라보고 있었다. 그동안 겪어온 몸고생 마음고생이 다 풀리는 기분이었고, 매일 쉴 틈 없이 일해 온 보람을 새삼스럽게 느끼고 있었다.

"애들아, 음식이 나오기 시작한다. 이게 중국식 코스요리니까 천천히 먹으면서 야경을 구경해라."

아빠의 말을 듣고 두 아이가 몸을 돌렸다.

"아유, 배고파." 준일이가 탁자로 바짝 다가앉으며 젓가락을 집어 들고는, "야경 아주 끝내줘요. 근사해요." 소년다운 단순한 감상을 토로했다.

"나 중국 다시 봤어. 안 좋은 소문하고는 많이 달라. 40초 엘리베이터도 쇼크고, 저 야경도 쇼크야."

지연이가 혼잣말하듯 하며 찻잔을 들어 올렸다.

서하원은 그런 딸을 유심히 바라보며, 아들과 딸이 보이는 차이는 단순히 나이 두 살 차이에서 비롯되는 차이가 아니라 초등학생과 중학생이라는 배움환경의 차이에서 생성된 차이라는 것을 느끼고 있었다. 학제에 따라 사람을 계속 가르쳐야 하는 이유였다.

"애들아, 여행을 할 때일수록 음식을 꼭꼭 씹어서 천천히 먹어야 한다." 서하원이 일렀고, "아빠, 또 저 소리." 아들이 뚱하니 말했고, "아빠가 좋아하시는 밥상머리 교육." 딸이 아빠를 보며 상큼 웃었다.

"이거 많이 비싸지요?"

유은선이 남편에게 귓속말을 했다.

"아이구 마나님, 걱정 마세요. 우리 식구들보다는 싸니까."

서하원이 아이들을 눈짓하며 미간을 찌푸렸다.

"알았어요……."

눈길을 떨구는 그녀의 눈시울이 붉어지고 있었다.

호텔에 돌아오니 10시가 가까워 있었다.

"너희들 안 싸우고 잘 잘 수 있지?"

애들 방문 앞에서 서하원이 물었다.

"아빠, 초등학생은 중학생의 싸움 상대가 아니에요." 딸이 불쾌하다는 듯 말했고, "한 방에 보낼 수 있지만 내가 봐주는 거예요. 침대가 따로따로니까 싸울 일 없어요." 아들이 안녕히 주무시라는 듯 손을 흔들었다. 그 눈에 졸음이 차 있었다.

"여보, 그 이자는 잘 들어오고 있어요?"

유은선은 남편 옆으로 누우며 물었다.

"응, 매달 은행으로 꼬박꼬박 잘 들어오고 있어. 왜 신경 쓰여?"

서하원이 한 팔로 아내를 안으며 물었다.

"아니요. 신경 쓰이는 건 아니고, 계속 잘되기를 바라는 마음이지요."

"그 회사가 날로 번창하고 있는 큰 회사니까 계속 잘될 거야. 당신은 맘 푹 놔도 돼."

"그분이 참 고마운 분이에요. 외국사람한테까지 그렇게 마음을 써주다니."

"그렇지. 고맙긴 한데 너무 마음 쓸 건 없어. 다 자기들 잇속 때문에 하는 일이기도 하니까."

"자기들 잇속?"

"응, 날 오래 붙들어두려면 그런 끈으로 묶어야 하거든. 상하이에도 성형외과가 많이 생기고 있지만 장사는 잘 안 되고 있어. 중국 의사들이 솜씨가 서툴거든. 그래서 나한테도 그동안 여러 군데서 접촉해 왔었어. 그런 눈치 다 아니까 날 붙들어두려면 그런 일로 잘해줄 수밖에."

"당신 솜씨 좋은 건 잘 알지만, 그렇게 인기 있으니 너무 좋아요."

"좋긴. 당신, 조금만 더 참아. 머잖아 고생 끝나게 돼 있으니까."

"당신이 고생이 많지만, 중국엔 잘 온 것 같아요."

"그래, 잘 왔어."

서하원이 두 팔로 아내를 감싸 안았다. 그녀도 남편을 품었다. 춘절 휴가 때 사흘 만나고 처음이니까 거의 6개월 만의 만남이었다.

"아빠, 어젯밤에 아주 이상한 꿈을 꿨어요."

뷔페 음식을 제각기 챙겨가지고 자리를 잡자 아들 준일이가 생기 있게 말했다.

"무슨……."

커피잔을 들며 서하원은 부드러운 눈길을 아들에게 보냈다.

"있잖아요, 어제 황푸 강에 똥이 가득 차서 둥둥 떠내려오는데 글쎄 제가 수영을 하는 거예요."

"어머머, 얘 좀 봐. 너 별 꿈을 다 꾸는구나. 드러, 아유 드러!"

딸 지연이가 마구 꼬집는 시늉을 하며 진저리를 쳤다. 사각형 식탁에 누나와 마주 앉았기에 망정이지 바로 옆에 앉았더라면 준일이는 틀림없이 꼬집혔을 기세였다.

"아 그래? 똥꿈을 꿨다고? 너 아주 좋은 꿈을 꿨구나. 똥꿈을 꾸면 돈이 생긴댔는데, 너 오늘 재수 좋은 날 되겠다."

서하원은 딸의 기분은 아랑곳하지 않고 아들에게 반색을 하며 '재수 좋은 날'을 축하라도 하듯이 키들키들 웃었다.

"정말 그래. 똥꿈은 용꿈만큼 좋게 치잖아. 우리 준일이가 똥꿈을 꿨으니 우리한테 오늘 무슨 좋은 일이 있을래나?"

어제의 피곤이 말끔히 가신 해사한 얼굴로 유은선까지 아들의 똥꿈에 말려들고 있었다.

"어머, 어머, 엄마까지 왜 그래요? 유치하고, 토악질 나게. 식탁에 음식 갖다 놓고 똥 얘기에 이렇게 신 나는 건 우리집뿐일 거예요. 아휴 더러워! 나 밥 못 먹겠어요."

지연이는 정말 토할 듯이 입을 가리고 욱욱거렸다.

"알았다, 알았다. 옛날부터 해몽이 그러니까 기분 좋자고 한 얘기 아니냐. 자아, 그럼 향기롭고 깨끗한 다른 얘기 하자."

서하원이 아들을 향해 왼쪽 눈을 찡끗하고는 토라진 딸애를 달랬다.

"넌 참 별나게도 군다. 재수 좋은 꿈이면 좋은 거지 그걸 뭐……."

유은선은 딸이 재수 좋은 꿈을 망치기라도 한 것처럼 마땅찮은 기색으로 중얼거렸다.

"아빠, 오늘은 어디 가요?"

밴에 오르며 준일이가 물었다.

"가자, 가보면 안다."

서하원의 대꾸는 이랬다.

아슬아슬한 곡예운전에, 요리조리 샛길운전을 해서 밴이 도착한 곳은 루쉰공원이었다.

"너희들, 윤봉길 의사 알지?"

차에서 내린 서하원이 두 아이에게 물었다.

"네, 알아요. 김구 선생두요." 아들이 얼른 대답했고, "여기가 홍구공원이에요?" 딸이 한 차원 다른 응답을 내놓았다.

"그래, 여기가 윤봉길 의사께서 일본놈들에게 도시락폭탄을 던진 홍구공원이다."

서하원은 애들의 막힘없는 반응에 더없이 기분이 좋아 기운차게 이렇게 말했다. 그러나 가슴 한쪽은 미리 가졌던 불안스러움이 그대로 남아 있었다. 윤봉길 의사를 '애들이 모르면 어쩌나' 하는 생각이 앞서 있었던 것이다.

바로 얼마 전의 일이었다. 아나운서가 종이에 '3·1절'을 써서 어느 학생에게 읽어보라고 내밀었다. 그 학생은 주저 없이 "삼 점 일 절" 하고 읽었다. 화면이 바뀌고, 좀 더 큰 학생에게 '8·15'가 적힌 종이를 내밀었다. 그 학생 역시 거침없이 "팔 점 일 오"라고 읽었다. 여자 아나운서가 기막힌다는 듯 물었다. "이 날이 무슨 날인지 몰라요?" "글쎄요, 잘 모르겠는데요. 무슨 경기 있는 날인가요?" "역사 안 배워요?" "예, 영어 시간 늘면서 역사 시간 팍 줄어든 지 오래됐어요." 또 화면이 바뀌고, 아나운서가 물었다. "일본이 독도를 자기네 땅이라고 하는데, 우리는 독도가 우리 땅인 걸 어떻게 주장해야 하지요?" "히히……, 그 전에……, 알았었는데 고3이라 입시공부 하느라고 정신없어서……. 그리고 역사는 필수가 아니고 선택이라서 잘 몰라요." 여학생은 우물쭈물 뒷걸음질 쳤다. 그건 뉴스 시간의 생생한 보도였다. 그리고 그 다음 화면은 미국, 프랑스, 독일, 일본의 학생들이 자기네 역사 시간이 일주일에 평균 3시간이라고 말하고 있었다.

그 뉴스는 못내 충격적이었다. 서하원은 가슴 한쪽이 답답하게 막힌 것 같기도 하고, 무언가가 목 아래 부분에 얹힌 것 도 같은 기분을 며칠이고 떼칠 수가 없었다. 자신은 전공 탓에 역사에 그다지 관심 갖고 살아오지 못했다. 그러나 중고등학생들이 그 지경인 것은 그냥 넘겨지지가 않았다. 새삼스럽게, 왜 사는가, 어떻게 살아야 하는가, 우리는 누구인가, 하는 근본적이고 본질적인 질문 앞에 서게 했다.

영어를 잘하기 위해서 자기네 역사 시간을 대폭 줄여버리고, 필수 아닌 선택과목으로 바꿔서 커나가는 아이들을 영혼이 없는 바보로 만들고 있는 나라……. 그런 나라가 이 지구상에 얼마나 될까……. 그 절망스러움은 가슴에서 쉽사리 가셔지지 않았다. 그래서 마음먹고 애들을 루쉰공원으로 데려온 것이었다. "너희들은 윤봉길 의사를 어떻게 알았지? 학교에서 배웠어?"

서하원은 이 점이 궁금하지 않을 수 없었다.

"아아니요, 엄마가 위인전 시리즈를 읽혔거든요." 딸애의 대답이었고, "저두 누나가 읽은 것 물려받아 읽었어요. 안 읽으려고 하면 엄마가 아빠 몰래 막 쥐어박아요." 아들놈이 제 엄마 상 탈 일인 줄 모르고 고자질하고 있었다.

"여보, 아주 잘했어. 앞으로는 더 많이 쥐어박어." 서하원은 힘주어 말했고, "우와아, 우리 아빠 배신 때린다아." 아들이 두 팔을 치뻗으며 소리 질렀다.

"이 공원 이름 말이다. 중국공산당이 지금의 중화인민공화국을 세우면서 홍구공원을 루쉰공원으로 바꾸었다."

서하원이 붓글씨로 쓴 세로간판을 가리켰다.

"루쉰? 그게 무슨 뜻이에요?"

딸이 간판을 유심히 쳐다보았다.

"신중국을 세운 최고권력자 마오쩌둥이란 사람이 제일 좋아했던 소설가 이름이란다."

"소설가요? 얼마나 소설을 잘 쓰면 공원 이름까지 바꿔줬지요? 아빤 그 사람 소설 읽어보셨어요?"

"응, 그분 대표작 『아큐정전』을 읽어봤지."

"재미있어요?"

"글쎄, 재미있다기보다는 뭐랄까……, 무언가 생각하게 하는 좀 무거운 소설이란다."

"무거운 소설……?"

지연이는 고개를 갸웃했다.

"담에 대학엘 가면 읽어보려무나. 오늘을 생각하면서. 그럼 무거우면서도 재미있는 소설이 되지 않겠니?"

"네, 그거 좋겠네요."

"자아, 안으로 들어가자. 그분 묘도 있고, 동상도 있다."

"아, 이제 알았어요. 그런 게 다 있으니까 이름까지 바꾼 거군요?"

지연이 간판 옆의 쪽문으로 들어가며 말했다.

"그래, 기념관도 있으니까 이 넓은 공원 전체가 소설가 루쉰을 위해 바쳐진 셈이지."

"우와, 좋겠다. 소설을 얼마나 잘 썼기에 이렇게 대접을 받을까요. 담에 루쉰 소설들 꼭 읽어볼 거예요."

"좋지, 그럼 좋지."

그런 소견을 갖는 딸이 대견해 서하원은 흥겨움이 넘쳐 딸의 머리를 쓰다듬었다. 딸의 의식 속에 중국 작가 루쉰을 심어주게 된 것은 뜻밖의 소득이었고, 아직도 어린애로만 여겨졌던 딸과 그런 대화가 된다는 것이 그렇게 흡족할 수가 없었다.

루쉰 동상 주변은 중국 같지 않게 말끔하게 관리되고 있었다. 루쉰에 대한 중국사람들의 마음을 잘 보여주고 있었다.

"……아주 무섭게 생기셨어요."

지연이가 루쉰 동상을 올려다보며 말했다.

"저런 모습은 무서운 게 아니라 엄하다고 하는 것이다."

서하원은 딸의 말을 정정해 주며 자신이 상당한 아버지라는 생각을 하다가 혼자 얼굴이 붉어졌다.

자연스럽게 길 따라 그다음에 다다른 곳이 매정(梅亭)이었다.

"여기가 윤봉길 의사의 기념관이다. 이 자리가 바로 윤봉길 의사께서 폭탄을 던진 현장이고. 자아, 여기서 모두 사진한 장 찍자."

그들 네 식구는 조그만 2층 한옥인 매정 앞에 서서, 지나가는 여자에게 부탁해 사진을 한 장 찍었다.

매정은 건물도 초라했고, 내부 전시물도 부실했다. 중국인 관리자는 입장료 받고 기념품 파는 데만 마음을 쓰는 눈치였다. 이런저런 기념품들도 조악하기 짝이 없었다.

서하원은 매정 건물과 윤봉길 의사의 모습이 합성된 동그란 플라스틱 문진을 아들과 딸에게 하나씩 사주었다.

"이게 문진이다. 공부할 때 책이나 노트 같은 걸 눌러놓는 것이다."

"영 시시해요." 기념관을 나서자마자 아들이 불쑥 말했고, "우리나라는 왜 이 모양이에요?" 딸이 눈꼬리를 세웠다.

"자존심 상해하지 마라. 여긴 중국이고, 우리나라 뜻대로 할 수 있는 게 아니다. 저것도 우리나라에서 여러 차례 교섭해서 1994년에 겨우 지어진 거야. 그전에는 아무 표시도 없었다니까 그나마 저것이 있는 걸 다행으로 생각해야 하지 않겠니?"

아들과 딸은 문진 상자를 하나씩 든 채 아무 대꾸도 없이 걸음을 옮겨놓고 있었다. 그 시무룩한 모습이 서하원은 그렇게 귀엽고 대견할 수가 없었다.

그다음 코스가 상해임시정부였다. 그 낡고 옹색한 건물 층

층을 돌아 나올 때까지 두 아이는 전혀 아무 말이 없었다. 매정보다도 더 볼품없고 초라한 '임시정부' 모습에 꽤나 충격을 받은 모양이었다. 교육 효과까지 충분히 거둔 것이어서 서하원은 적이 만족하고 있었다.

"이건 진짜 더 시시해요." 밖으로 나온 아들이 토해 낸 말이었고, "믿기지가 않아요. 정말 믿기지가 않아요. 저게 임시정부라는 게……." 딸이 독백하듯 했다.

"나라를 빼앗겼으니 저렇게 될 수밖에 없는 거란다. 저렇게라도 있었으니 윤봉길 의사가 찾아와 그런 통쾌한 일을 할 수 있었던 거야. 이것으로 오전 관광은 끝이다. 어디 가서 찬 것부터 좀 먹자."

서하원은 걸음을 서둘렀다.

오후에는 상하이박물관과 옥불사를 보여주었다. 옥불사에서 아이들이 신기해한 건 옥으로 된 부처님이 아니라 40~50센티 길이의 손가락만큼 굵은 향을 수많은 사람들이 태워대는 모습과, 독한 향을 내뿜으며 진하게 퍼지는 푸른 연기를 두 아이는 어이없는 듯 오래 바라보았다.

다음 날 오전에는 마지막으로 해양수족관을 보여주었다. 그 수족관은 크고 넓은 것 좋아하는 중국사람들의 기질을 충분히 발휘하여 규모로나 어종으로나 아시아의 으뜸이었다. 그래서 두 아이는 유감없이 흡족해했다.

서하원은, 만났을 때처럼 식구들을 호텔에서 이별했다. 오후 진료시간을 아끼기 위해서였다.

식구들은 북경으로 가서 우리나라의 패키지 여행팀과 합류하도록 되어 있었다.

"아빠, 안녕!"

"아빠, 건강하세요."

차가 사라지고 나서도 애들의 목소리는 쟁쟁히 남아 있었다. '그래, 나는 아빠지!' 서하원은 꼭 다문 입술을 훔치며 병원을 향해 발을 떼어놓았다.

질기고 질긴 생고무 기질

고속철은 3시간 30분 만에 승객들을 베이징에서 타이산(泰山) 역까지 데려다 놓았다. 버스로는 12시간이 걸리는 거리였다. 도로 95퍼센트 이상이 포장되었고, 버스들도 고속으로 달리지만 고속철의 속도 앞에서는 토끼와 거북이의 차이였다. 고속철의 그 확연한 존재감이 막대한 시설 투자에 대한 적자 시비에도 불구하고 기세 좋게 건설을 계속해 나갈 수 있게 만들고 있었다. 인민이 대환영하고 있고, 장기적 안목으로는 막대한 수익 창출이 보장된 건전한 투자다. 정부가 내세우는 당당한 명분과 이유였다.

그러나 그 이면에 가려져 있는 또 다른 이유도 크게 작용하고 있었다. 그 사업은 부동산 건설에 못지않게 빈 구석이 많은 토목공사였다. 상상을 초월하는 건설비가 투자되고, 그 과정에서 10퍼센트 정도가 누이 좋고 매부 좋고로 은밀하게 굿판을 벌이게 되니 그보다 쉽고, 알차고, 안전한 낚시터가 어디 있을 것인가. 떡밥도 미끼도 필요 없는 낚시터 아닌가…….

그러나 대부분 나라의 국민들이 그렇듯 중국의 인민들도 거의 그런 켯속은 모른 채 천지개벽한 속도에 취해 값이 비싸도 착한 승객 노릇을 할 뿐이었다.

기차가 정거하자 승객들 절반 이상이 왁자지껄 떠들어대며 서로 먼저 내리려고 다투고 있었다. 중국에서는 줄을 서면 시간이 갈수록 차례가 뒤로 밀린다는 말이 있다. 기차나 버스를 타고 내릴 때도 그 '새치기'와 '밀치기' 버릇은 극성스럽게 발휘되었다. 남의 일에는 잔인할 정도로 관심이 없는 것과는 정반대로 내 일은 누구보다 먼저 해야 직성이 풀리는 버릇이 체질화된 거였다.

"최신식 고속철과 저 난장판과, 참 잘 어울리는 풍경일세."

유 지사장이 아예 가방을 들 생각도 하지 않고 사람들이 뒤엉킨 먼 출입구 쪽을 보며 쩝쩝 입맛을 다셨다.

"중국다운 풍경이죠. 저거 안 고쳐지고 참 오래가네요."

김현곤이 떨떠름하게 웃었다.

"저거 15년 전이나 지금이나 똑같소. 이래서야 50년, 100년 간들 고쳐지겠소?"

유 지사장이 고개를 내둘렀다.

김현곤은 '15년……'을 뇌어보았다. 사회인으로서의 한 생애를 30년으로 잡는다면 그는 그 절반을 중국에서 보낸 것이었다. 그리고 올해 말로 정년퇴직을 하게 되어 있었다. 그는 중국의 변모 과정과 속내를 샅샅이 아는 사람이었다.

"예, 우리도 30여 년 전에는 중국과 별로 다르지 않았는데 지금은 최고의 문명국이 된 거지요."

"그래요, 우리도 참으로 엉망이었는데, 중국과는 좀 다른 점이 있소. 우리는 정부고 매스컴이 적극적으로 나서서 고쳐 나가려고 애를 썼는데 중국은 그 노력이 아주 부족해요."

"예, 그게 문젭니다. 그저 경제발전에만 정신을 팔고 있으니……."

"자기네 나라에서는 꿈에도 본 적이 없는 저런 무질서한 꼴을 본 서양 기자들이 어떻겠소. 중국을 가망 없는 미개사회라고 쓰는 건 당연해요."

"예, 어떤 기자가 그랬더군요. 이런 상태로 G2가 된 것이 기적이고, G1이 된다면 더 큰 기적이라고요."

"흠, 그 친구 말이 맞기도 하고, 틀리기도 해요. 중국이 G2가 된 것은 제조업에 무한정 투입된 값싼 노동력의 힘이지 문화수준과는 아무 상관이 없잖소. 서양 기자들이 자꾸 그 대목을 헛짚어요."

"예, 모두 자기네 기준으로만 보는 거지요. 민주화 안 되는 걸 놓고 야만국가라고 열을 올리는 것도 그렇고요."

"어쨌거나 여기 오는 사람들은 거의가 생활수준이 괜찮은 관광객들인데도 저 모양이니, 문제는 문제요. 갑시다, 우리 차례가 왔소."

유 지사장이 조그만 가방을 들었다.

"타이산이 명산은 명산인 모양입니다. 사람들이 이렇게 많으니."

사람들로 들끓는 대합실을 빠져나오며 김현곤이 한숨을 쉬었다.

"대대로 중국사람들 평생소원이 이 산에 한번 오르는 거라고 하지 않소. 요새는 마오 주석 시신을 알현하는 것이 추가되어 두 가지가 됐다지만. 중국사람들만으로도 미어터질 판인데 우리나라까지 이렇게 끼어들었으니 사람이 안 많을 수가 있소."

유 지사장이 멋쩍게 웃었다.

"사람 마음이란 게 이상하지요. 저는 황제며 왕이며 하는 존재들을 병적으로 싫어하면서도 역대 황제들이 이 타이산에서 하늘에 제사를 지냈다는 것 때문에 한번은 꼭 보고 싶었다니까요."

"난 한 가지가 더 있소. 그게 뭔지 알겠소?"

유 지사장이 어디 한번 맞혀보라는 듯 짓궂은 표정으로 웃었다.

"한 가지 더……?" 김현곤은 고개를 갸웃갸웃하더니, "아, 알았다! 타이산을 한 번 오르면 10년을 더 장수한다는 거지요?" 그는 손가락으로 딱 소리를 울렸다.

"허, 귀신이네. 허허허……."

유 지사장이 허탈하게 웃었다.

"왜 그렇게 웃으세요."

"생각해 보시오. 아무것도 이룬 것 없이 살아놓구선 그래도 덤으로 10년을 더 살기를 바라다니, 우습지 않소?"

그 얼굴이 그지없이 쓸쓸해 보였다.

"이루신 게 없긴요……."

김현곤은 너무나 당황스러웠다. 더 이상 이을 말이 없었다. 무슨 말을 해야 좋을지 알 수가 없었다. 퇴직을 앞두고 그는 지금 자신의 삶에 대해 허탈함과 허망함과 공허함에 빠져 있었다. 그와 함께 타이산 여행을 떠나오며 그의 심중이 그러리라고는 전혀 생각하지 못했던 것이다.

"이건 특별 보너스요. 유 지사장이 시안에서 기대보다 훨씬 큰 성과를 올렸기 때문이오. 본사에서 묵은 피로 풀어가면서 마무리 잘하라고 특별 조처를 취한 것이오."

베이징의 중국 총괄사장이 유 지사장에게 준 그야말로 특별 선물이었다. 그것은 여섯 달 동안의 유급휴가나 마찬가지였기 때문이다.

그러나 달리 생각하면 '정년퇴직'이라는 것은 직장인에게 있어서 일종의 '사형선고'였다. 그것은 조직과의 단절이고, 사회와의 격리이며, 인간으로서의 퇴물 선언이었다. 그런 것들은 남자로서 거세당하는 것과 다를 것이 없었다. 그런 감정에 함몰되어 헤어나지 못하면 심한 우울증에 시달리고, 건강을 상하는 사람들도 많다고 했다.

유 지사장은 지금 그 위기의 문턱을 밟고 있었다. 그런 선배에게 후배로서 무슨 위로의 말이 있을 수 있겠는가. 위로의 말이 마땅치 않으면서도 유 지사장의 복잡한 심중은 충분히 이해할 수 있었다. 그 막다른 길은 10년이 안 되어 자신의 앞에도 닥칠 길이었다. 월급쟁이 인생을 마감하며 회한에 싸이지 않은 사람이 있을까. 죽음 앞에서 두렵지 않은 사람이 없듯 퇴직을 앞둔 월급쟁이들치고 자신의 삶을 되돌아보며 허탈감과 허망감과 공허감에 빠지지 않을 사람이 몇이나 될까.

"저어……, 평소에 지사장님 정도 되면 성공한 샐러리맨의 인생이라고 생각했었는데……, 갑자기 지사장님의 그런 말씀 듣고 나니 무슨 말씀을 드려야 할지……, 이거 영 어떻게……."

김현곤은 옹색스럽게 말을 우물쭈물 궁얼거렸다.

"아니, 아니, 신경 쓸 거 없소. 말하자면 그렇다 그거지, 그거야 누구한테나 닥치는 일 아니겠소. 100살 산 사람도 죽기 싫어하더라고 퇴직이 70이고, 80으로 연장된다고 아쉽지 않겠소? 다 사람의 욕심 때문에 그런 맘이 드는 거지. 자아, 그런 생각 다 털어버리고 우리 둘의 처음이고 마지막 여행 멋떨어지게 합시다."

유 지사장이 쾌활한 목소리로 말했다.

김현곤은 문득 가슴이 뭉클해졌다. '마지막 여행'이라는 말이 야릇한 슬픔으로 감정을 자극했다.

"지사장님, 마지막 여행이라는 말을 듣고 문득 떠오른 생각입니다. 퇴직하시면 제가 모시고 다시 한 번 여행을 했으면 합니다. 중국은 구경할 데가 좀 많습니까. 허지만 지사장님이나 저나 업무 관계로 여러 도시들을 돌아다녔을 뿐 정작 가보고 싶은 곳은 가보지도 못하지 않았습니까."

"그 말로 대접받은 걸로 하겠소."

유 지사장의 망설임 없는 대꾸였다.

"아니 왜……."

김현곤은 어리둥절했다.

"말은 참 고맙소만……, 김 부장, 일단 퇴직한 회사엔 절대로 발걸음을 안 하는 게 상책이오. 몇 년 전에 실제로 있었던 일이오. 우리나라 어느 대기업 중국 지사장이 퇴직을 하고 나서 몇 달 만에 다시 중국엘 왔소. 그리고 자신이 근무했던 지사를 당당히 찾아갔소. 모두 반색을 하리라 생각하고 지사 문을 열었는데, 모두가 '당신 뭐하러 왔어?' 하는 식의 냉랭한 얼굴이었소. 그 사람이 당황해서 우물쭈물하고 있는데 누군가가 소리쳤소. "무슨 일로 왔는지 용건을 알아봐." 그 사람은 지난날 무슨 잘못으로 호되게 야단을 맞았던 과장으로, 이제 부장이 되어 있는 사람이었소. 그는 도망치듯 허둥지둥 사무실을 나왔소. 그리고 뒤늦게 자신의 어리석음을 깨달았소. 그는 순진하게도 옛날 업무와 연관된 무슨 일을 해볼까 하는 마음으로 지사를 찾아갔던 것이오. 한번 떠난 곳을 뒤돌아보는 것처럼 어리석고 비참한 일은 없소. 사람은 조직을 떠나는 순간 그 자리에는 딴 사람이 채워지고, 전임자의 모습은 흔적도 없이 깨끗하게 지워져 버리는 것이오."

"지사장님……."

김현곤은 고개를 떨구었다.

지사장의 냉정한 말은 곧 지사장이 겪어낸 고독의 덩어리였다. 지사장은 이미 오래전부터 퇴직 후까지를 정리해 오고 있었던 것이다. 그리고 그 말은 후배에 대한 일깨움이기도 했다.

"난 이미 김 부장 덕을 톡톡히 보았소. 시안으로 파견되면서, 아무에게도 말을 못한 채, 정년 앞두고 참 꼴사납게 되는구나 하고 속상하고, 비참하고 그랬소. 그런데 뜻밖에 행정업무가 쉽게 풀리고, 특히나 김 부장이 일을 척척 잘 해나가 상상도 못할 성과를 내는 바람에 그 덕을 내가 다 봐서 이렇게 본사로 들어가게 된 것 아니오. 말이 나와서 이제 하는 말인데, 김 부장한테 고마운 마음을 말로 다할 수가 없소. 그리고 이렇게 그 유명한 타이산을 함께 여행하게 됐으니 이 얼마나 좋소."

유 지사장이 김현곤의 손을 잡았다.

"예, 지사장님……."

김현곤도 지사장의 손을 꼬옥 맞잡았다.

얘기를 나누며 걷다 보니 타이산의 첫 번째 볼거리 대묘(岱廟) 앞에 이르러 있었다. 대묘는 타이산과 더불어 함께 빛나는 존재였다. 타이산이 있어서 대묘가 생긴 것이었고, 역대 황제들이 줄줄이 무릎 꿇어 하늘에 제사를 지낸 사당 대묘가 있어서 타이산은 더 유명해지는 것이었다. 넓디나 넓은 중국 천지에 산이 많고도 많은데 그중에서 으뜸으로 꼽힌 것이 타이산이었다. 그 으뜸 산에 최초로 자신의 치적을 고하며 제사를 지낸 것이 진시황이었다. 그 뒤로 36개 왕조의 수많은 황제들은 모두가 자신의 치적을 자랑하며 그 명당, 성스러운 곳에서 제사를 올릴 수 있기를 바랐다. 그러나 제사를 지낼 수 있는 황제는 겨우 75명에 지나지 않았다.

타이산 보기를 평생소원으로 간직한 중국사람들은 타이산을 오르려는 것일까, 아니면 역대 황제들이 무릎 꿇고 향을 피웠던 그 성스러운 곳에서 자기들도 머리 조아리며 복을 빌려는 것일까. 가장 확실한 답이 하나 있다. 시쳇말로 '꿩 먹고 알 먹고'가 그것이다.

"우와, 이건 참 대단하네."

유 지사장이 대묘 앞에 세워진 중국식 상징물인 대묘방을 올려다보며 감탄했다. 그 방(坊)이란 큰 사원이나 사당 앞에 세우는 세 쪽짜리 대형 문으로, 악귀와 액운을 막고, 그 시설물의 권위와 위용을 상징하는 것이었다.

"예, 이게 현존하는 중국 석방 중에 가장 웅장하면서도 아름다운 것이라고 돼 있습니다."

김현곤이 관광 안내 팸플릿을 보며 말했다.

"저 섬세하고 오밀조밀한 조각들 좀 봐. 그 단단한 돌에다 어떻게 저렇게 새길 수가 있지. 사람 솜씨라는 게 참……."

유 지사장은 뒤로 넘어지지 않을까 싶도록 고개를 뒤로 젖혀 대묘방을 올려다보고 있었다.

"예, 이런 기막힌 조각품을 보면 흔히 말하는 신기라는 것이 무엇인지 알 것 같아요. 참 기가 막히는 솜씨고, 뛰어난 예술품이에요."

김현곤도 있는껏 고개를 젖힌 채 말하고 있어서 그 목소리가 쉰 듯했다.

대묘방 앞에 세워진 네 마리의 사자상은 어찌나 생동감 있게 잘 새겨졌는지 곧 포효하며 뛰쳐 오를 것만 같았다. 그리고 그 뒤의 대묘방의 세로기둥과 가로기둥들이 쌍을 이루고, 겹을 이루며 쌓여 올라가고 있었는데, 그 기둥마다 온갖 형상의 조각들이 아로새겨져 있었다. 대묘방은 사람 키의 10배에 가까운 높은 지붕의 부분부분까지 가지가지 형상의 조각들로 빈틈없이 장식되어 있었다. 그런데 그 육중한 겹지붕의 조형물은 나무라고는 한 토막도 없이 전체가 돌로 이루어져 있었다. 그 거대한 돌문이 웅장하면서도 투박하거나 둔중하지 않고 호화로우면서도 날렵한 세련미를 뽐내며 감탄이 절로 나게 어찌 그리도 아름다울 수 있는가. 그건 돌을 나무 다루듯 한 섬세하고 생동감 넘치는 조각술이 부린 마술적 힘 때문이었다.

"이거 하나만 보아도 여기 온 보람이 있소."

유 지사장은 눈을 가늘게 뜨고 대묘방을 물끄러미 올려다보며 적이 만족을 표시했다.

"예, 저도 석방을 여럿 봤지만 이게 제일인 것 같습니다."

김현곤도 그 조각들의 신묘한 아름다움에 취해 말했다.

"김 부장, 퇴직 후의 내 꿈이 뭔지 아시오?"

지사장의 눈길을 느끼고 김현곤은 고개를 돌렸다.

"……."

"돈 모아둔 것 별로 없어 유럽 쪽 같은 데로 멀리는 못 가고, 이 가까운 중국이나 자주 오가며 이런 귀한 문화재들이나 구경하며 살고 싶었는데……, 글쎄, 그것도 어려울 것 같소."

지사장이 씁쓰레하게 웃었다.

"왜……."

"건강이 너무 좋은 게 탈이오. 내가 그 흔한 성인병 같은 게 하나도 없는데, 80을 훨씬 넘게 살게 되면 어쩔 것이오. 아무리 비용이 적게 드는 중국이라 해도 기분 내키는 대로 여행하다가는 말년에 굶어 죽기 딱 알맞지 않겠소? 여행처럼 돈이 많이 드는 게 없는데."

"아, 예에……."

김현곤은 아무 말도 할 수가 없었다. 지사장의 말이 돌덩이의 무게로 가슴에 얹혔다. 자신은 전혀 생각해 보지 않았던 비애스러움이었다.

"난 외국에도 잠깐 있어봤지만, 미국과 중국은 땅덩어리는 비슷한데 미국엔 이런 게 하나도 없지 않소. 내가 중국에서 매연 많이 마시고, 가짜 음식 많이 먹은 대신에 얻은 것이 중국 문화의 발견이오. 중국에 근무하기 전에는 중국의 문화가 깊다는 것이 무슨 소린지 잘 몰랐었소. 그런데 '서당 개 3년'이더라고 오래 중국물 먹다 보니 차츰 눈이 뜨인 것이오. 중국엔 넓고 넓은 대륙에 이런 빼어난 문화재들이 수도 없이 많으니, 중국은 함부로 볼 나라가 아니오."

"예, 저도 그렇게 생각합니다. 중국의 과거는 시안에 있고, 중국의 현재는 베이징에 있고, 중국의 미래는 상하이에 있다는 말이 있지 않습니까. 저는 시안에 가게 된 덕에 중국 문화에 급속히 가까워지기 시작했습니다. 그리고 이런 소중한 문화재들을 일구어내고도 천대받고 살았던 사람들의 소중함도 새롭게 깨닫게 됐구요."

"아, 그렇소? 김 부장이 그런 생각 가지고 살았다는 건 금시초문이오. 허 참, 우리들의 직장생활이란 게 이렇소. 날마다 얼굴 대하고 살면서도 그저 업무에 매달려 사무적으로만 살다 보니 언제 이런 속말을 할 기회가 있었었느냔 말이오. 참, 우리가 산다는 게 이런 식이오."

유 지사장이 허탈하게 헛웃음을 쳤다.

"예에……."

김현곤도 똑같은 기분이라 아무 할 말이 없었다. 그래서 직장에서 안 사람들은 직장 떠나면 친구가 될 수 없다는 말이 있는지도 모를 일이었다. 직장생활이란 한 목적지를 향해 달리는 열차를 타고 가다가 제각기 다른 역에서 내려 뿔뿔이 흩어져 가는 열차놀이 같은 것인지도 몰랐다.

"난 아무리 생각해도 진시황이란 존재가 수수께끼요. 그 옛날에 그 멀고 먼 시안에서부터 여기까지 오다니……. 얼마나 많은 사람들이 고통을 당했을지……."

제대로 말 상대를 찾았다는 듯 유 지사장이 갑자기 화제를 바꾸었다.

"예, 저도 아까부터 그 생각을 하고 있었습니다. 그 길 나쁘던 시절에 덜커덩거리는 마차를 타고 이 동쪽 끝까지 몇 천 리를 오는 동안 황제를 모신 수많은 사람들은 매일 걷고 또 걸으며 말로 다할 수 없는 고통을 겪었겠지요. 진시황이 저지른 수많은 폭정 중에 이것도 하나 넣어야 되지 않을까 싶은데요. 하여튼 그는 폭정 제조기예요." 쓴웃음을 짓는 김현곤의 야유였고, "그래야 옳은데 중국사람들은 오히려 칭송하고 있지 않소. 중국사람들이 이상한 게 한둘이 아니지만, 황제라 하면 왜 그렇게들 무작정 떠받드는지 모르겠단 말이오. 사회주의 혁명을 했다는 나라가 왜 그 모양인지 도무지 이해가 안 돼요. 황제 99퍼센트가 백성들을 핍박한 자들인데 어찌 그리 반감도 비판력도 없는지, 우리하고는 많이 달라요." 유 지사장이 뽑아 든 비판의 칼날은 예리했다.

"예, 수천 년에 걸친 황제 권력에 대한 절대주의, 신성주의가 중국인들의 영혼에 아로새겨져 그들만의 DNA가 되어 오늘날까지도 권력 순응주의, 권력 굴종주의가 되어버린 게 아닌가 싶어요."

"오늘날까지……?"

유 지사장이 문득 무언가 잡히는 듯한 반응을 보이며 김현곤을 쳐다보았다.

"예, 오늘날까지……."

김현곤이 고개까지 끄덕였다.

"그래요, 그런 면이 강해요. 어린애들까지도 다 아는 공무원들의 그 엄청난 부정부패도, 축첩 경쟁도 모르는 척 태연한 걸 보면 그들이 무슨 생각을 하며 사는지 답답하기도 하고, 으시시 무섭기도 하고 그렇소."

"예, 중국사람들의 속내야말로 그들이 흔히 쓰는 말로 '그걸 누가 알겠습니까'지요."

"바로 그거요. 내가 중국에서 15년 세월을 보내고 떠나면서 중국에 대해서 얼마나 아는가를 곰곰이 생각해 봤소. 그리고 내린 결론은 이렇소. 중국에 대해서 알려고 하는 것은 어리석은 일이고, 중국에 대해서 안다고 하는 것은 더욱 어리석은 일이다. 자아, 여기서 너무 오래 머물렀소. 안으로 들어갑시다."

유 지사장이 걸음을 떼어놓았다.

김현곤도 걷기 시작하며 지사장의 말을 뇌어보았다. '중국에 대해서 알려고 하는 것은 어리석은 일이고, 중국에 대해서 안다고 하는 것은 더욱 어리석은 일이다.' 지사장이 완전히 다른 사람으로 느껴졌다. 진작 그의 이런 내면을 발견하지 못한 게 아쉬웠다. 퇴직한 다음 그가 사양하더라도 그를 꼭 초청해 어디 좋은 곳을 함께 여행하리라고 마음먹었다.

대묘의 안쪽은 권력 막강한 황제들이 하늘에 제사를 올렸던 곳의 권위를 드높이느라고 막힌 데 없이 무한정 넓고 넓었다. 아무리 땅 넓은 나라라고 하지만 대묘가 깔고 앉은 평지는 자그마치 300여만 평이었다. 그곳의 건물들도 웅장하고 우람하게 그 위용을 뽐내고 있었다. 그리고 300여만 평을 에워싸고 있는 드높고 견고한 회색벽돌 성벽까지, 특별한 기계 없던 그 옛날에 모두 사람의 손으로 만드느라고 얼마나 많은 사람들이 강제로 동원되어 피땀을 흘렸을 것인지 상상하기가 어려웠다.

이 세상에 있는 모든 문화재는 선대의 피를 먹고 이루어져 후대에게 덕을 보인다.

김현곤은 어느 학자의 말을 떠올렸다. 그 명언은 모든 문화재에 점철되어 있는 전 시대 사람들의 피냄새와 신음소리를 바르게 느낄 수 있는 길잡이 역할을 해주었다.

여러 건물들을 거쳐 대묘의 본전인 천황전에 이르렀다. 스스로 '하늘의 아들'인 천자라 칭한 황제들이 줄줄이 무릎 꿇고 하늘을 향해 제사를 올린 이곳. 하늘을 숭상하는 도교 신자들에게 이곳보다 더 신성하고 거룩한 성지가 어디 있을 것인가.

역시 천황전 앞에는 동으로 기와지붕을 만든 커다란 중국식 야외향로가 자리 잡고 있었다. 어느 절이든 다 그렇듯이 이 향로에서도 수십 개의 향들이 푸른 연기를 '내뿜고' 있었다. 중국의 향들은 어찌나 큰지 향내음이 '그윽하지' 않았고, 연기도 '자욱하게' 퍼지는 것이 아니었다.

"아니, 저 향들 좀 보십시오."

김현곤이 문득 놀라며 손가락질했다.

"향……?"

천황전으로 가던 유 지사장이 고개를 돌렸다.

"예, 저 향들은 보통 것들하고는 영 다르게 엄청나게 큽니다." 김현곤이 향로 쪽으로 걸음을 옮겼고, "응, 그렇네. 보통 것보다 10배는 더 굵은 것 같소. 참 별일이네." 유 지사장이 뒤따르며 투덜대듯이 말했다.

"정말 10배는 더 굵은데요. 이거 좀 과장하자면 야구방망이를 거꾸로 세워놓은 것 같은데요." 김현곤이 어이없어했고, "맞소, 꼭 그런 모양이오. 얼마나 부자가 되고 싶으면 이렇게 큰 향을 피워대며 비는지 원. 이게 중국사람들 마음이오." 유 지사장이 얼굴을 잔뜩 찌푸린 채 질게 퍼지는 연기를 보며 혀를 찼다.

“이건 정말 유별난데, 이걸 만들어낸 자의 상술이 탁월하군요. 돈벌이가 10배로 될 거 아닙니까.”

“아, 그렇소. 김 부장 머리가 나보다 빨리 돈다니까요.”

유 지사장이 고개를 까딱까딱하며 웃었다.

그때 두 여자가 연기 피워내는 야구방망이를 거꾸로 받쳐 들고 와서 향로에 정성스럽게 꽂았다. 그런데 그들의 향은 색달랐다. 맹렬하게 연기를 내뿜고 있는 수십 개의 향들은 모두가 빨간색인데 두 여자의 것은 황금색이었다. 오성홍기의 빨간색 바탕 위에서 샛노란 다섯 개의 별들이 유난히 도드라져 보이듯 그 두 개의 황금색 향도 단연 돋보였다.

“실례합니다. 이건 왜 다릅니까?”

‘이건 용과 함께 황제를 상징하는 색깔인데……’ 생각하며 김현곤은 한 여자에게 물었다.

“그럼요, 이건 특별한 거지요. 보통 것보다 열 배는 더 비싼 걸요.”

여자가 으스대며 야죽거렸다. 살 오른 피부색이며 말쑥한 입성이 제법 돈냄새를 풍기고 있었다.

“열 배라니요? 그럼 얼마라는 겁니까?”

“저쪽에 계신 도사님이 특별히 불러 틀림없이 천복을 내리는 향이라고 권하며 800위안을 내라기에 사정사정해서 깎아

500위안에 샀어요. 왜 그러시죠?"

여자의 끝말 '왜 그러시죠?'에는 '네까짓 게 이 비싼 걸 살 수 있어?' 하는 거드름이 들어 있었다.

"아, 그래요? 500위안이면 싸군요. 틀림없이 천복을 내린다면 우리도 하나씩 사야지요. 지사장님, 가십시다."

김현곤은 능청스럽게 대거리하고는 유 지사장에게 손짓하며 돌아섰다.

"김 부장, 얼렁뚱땅 잘도 둘러붙이시오, 난 아무 대꾸도 못할 줄 알았는데."

유 지사장이 걸음을 옮기며 쿡쿡거렸다.

"영업직 세월이 얼맙니까. 밥값 하는 거지요."

"하여튼 중국사람들 상술에 앞발 뒷발 다 들었소. 향을 몽둥이처럼 키워 비싸게 팔아먹다 못해 금박 인쇄한 포장지만 바꿔 더욱더 비싸게 팔아먹고. 세속의 욕심 버려야 신선 된다고 가르쳐야 할 도사님께서 향 장사로 나서고 있으니, 어 참, 돈에 미친 중국답다."

유 지사장이 판소리 가락 읊듯 하며 걸음을 옮기고 있었다.

"예, 돈벌이에 약삭빠른 건 중국사람들 당하기 어렵지요. 500위안이면 가난한 농민공들에게는 500끼니를 때울 수 있는 어마어마한 돈이지만, 개혁개방 덕으로 돈 쉽게 번 졸부들에게는 푼돈일 뿐이죠 뭐. 어떤 약삭빠른 친구가 더욱 부자 되고 싶어 혈안이 되어 있는 졸부들의 약점을 아주 정확하게 노린 거예요." 김현곤이 쩝쩝 입맛을 다셨고, "그렇소. 어차피 자본주의란 서로서로 뜯어먹고 사는 것이고, 머리 빨리 쓰는 놈이 한술 더 뜨고, 그리고 결국에는 자본 큰 놈들이 다 쓸어먹게 되어 있는 장치니까. 아아, 피곤한데 우리 오늘 일정 그만 끝냅시다."

유 지사장이 중국에 오래 산 관록을 보여주듯이 사람들의 눈길을 아랑곳하지 않고 팔다리를 있는껏 내뻗으며 "으으으……" 소리도 요란하게 기지개를 켜댔다.

'아이고 저 양반, 광화문 네거리에서도 저러게 생겼네.'

김현곤은 지사장을 곁눈질하며 소리 없이 웃고 있었다.

이튿날 그들은 아침 일찍부터 움직였다. 오전 중에 타이산을 올라갔다 내려와 오후에는 떠나야 했기 때문이다.

"계단이 모두 몇 개라고 했소?"

호텔을 나서며 유 지사장이 물었다.

"예……, 총……, 7,412갭니다."

김현곤이 안내 팸플릿을 보며 대답했다.

"아휴, 시간이 충분했더라도 걸어서 올라가긴 글렀던 거요. 7천 개가 넘는 계단을 오르기에는 내 무릎은 이미 늙어버렸소."

"저도 별로 흥미 없습니다. 인조계단 밟고 산에 올라가는 것처럼 지루하고 짜증 나는 일이 없으니까요."

그들은 택시를 타고 천외촌으로 갔다. 거기서 버스를 타고 중천문까지 가고, 중천문에서 남천문까지 케이블카를 갈아타면 정상인 옥황봉까지는 2시간이 걸린다고 팸플릿은 안내하고 있었다. 만약 걷게 되면 올라가는 데만 6시간이 걸린다고 했다.

타이산은 온통 바위산이었다. 나무들은 그 바위들의 틈과 사이사이를 따라 다복다복하게 자라고 있었다. 진시황으로부터 시작된 대묘가 2,200여 년 세월인 것에 비하면 무성한 숲을 이루지 못한 그 나무들은 영 볼품이 없었다. 그러나 그 나무들이 바위투성이의 산에서 자라나고 있다는 것을 생각하면 그들의 존재는 금세 신비스럽게 변했다. 바위 틈새와 그 사이사이에 뿌리발을 하고 기나긴 세월을 살아오고 있는 그 강인하고 끈질긴 생명력. 식물들은 악조건을 이겨내고 고통을 견디어내는 생존의 길을 몸 전체로 유감없이 보여주고 있었다. 우리들에 비해 너희 동물들의 생명력이란 얼마나 허약하고 하잘것없는 것인가 하고 말하는 듯했다.

버스는 그 바위산을 위태롭게 오르고 있었다. 바위산을 깎아내고 다듬어 버스가 다닐 수 있는 길을 낸 것이 중국사람들이었다.

"이런 길을 낸 건 어찌 보면 단호하기도 하고, 어찌 보면 무모하기도 하고 그러네요."

버스가 올라갈수록 시야가 넓어지는 창밖을 내다보며 김현곤이 말했다.

"하여튼 중국사람들은 못하는 일이 없어요. 만리장성 쌓고, 대운하 뚫은 것 보시오. 그런 것에 비하면 이런 것이야말로 누워서 떡 먹기고, 식은 죽 먹기 아니겠소. 참 모를 사람들이오."

유 지사장이 고개를 내둘렀다.

버스는 아슬아슬한 곡예를 하며 거침없이 달려 올라가고 있었다. 운전수는 순간순간 부딪히고 굴러떨어질 것 같은 곡예운전을 하면서도 귀 아플 만큼 크게 틀어놓은 라디오의 노래에 맞추어 콧노래를 신명 나게 흥얼거리고 있었다.

중천문에서 케이블카로 갈아탔다. 버스의 위험운전에서는 벗어났지만 케이블카의 공포가 밀어닥쳤다. 온통 바위로 이루어진 산을 경사 급하게 케이블카가 치오르고 있어서 몸이 공중에 붕 뜬 것 같은 불안감은 시시각각 커져가고 있었다. 그건 단순히 높이가 주는 무서움만이 아니었다. '이게 제대로 설치되어 있을까……' 하는 중국에 대한 불신감이 자아내는 두려움도 겹쳐져 있었다. 사람의 건강과 목숨에 직결되는 먹거리들도 숱하게 가짜를 만들어내는 사람들인데……, 하는 불신감이 확대되고 있었다. 케이블카가 거침없이 치올라감에 따라 시야도 자꾸 넓어졌다. 끝없이 아득하게 펼쳐지는 대륙의 풍광이 그지없이 아름다웠다. 그 대자연의 광막한 아름다움 속에 턱없이 커 보였던 대묘의 자취도 가뭇없이 사라지고 없었다. 우주인들이 대기권 밖에서 지구를 보면 자연의 소산인 큰 강들은 보이는데 인간의 조형물은 단 하나도 안 보인다고 했다. 한때 인간의 조형물로 딱 한 가지가 보인다고 소란스러운 화제를 일으킨 일이 있었다. 그건 만리장성이었다. 그 왁자지껄함으로 중국은 세계를 향해 은근히 뻐기게 되었고, 세계인들은 중국을 다시금 보게 되었고, 진시황은 통일왕조를 15년 만에 엎어먹은 폭군이 아니라 우주에서도 보이는 유일한 인간 조형물을 만들어낸 성군으로 자리바꿈하게 되었다. 그러나 만리장성의 그 새로운 신화는 중국 우주인에 의해 깨졌다. "만리장성은 보이지 않는다." 그는 이 짧은 한마디로 과학도의 진실을 지켰다. 그러나 그 말을 하기 전에 얼마나 눈부릅뜨고 만리장성을 열심히 찾았을 것인가. 자연 앞에서 인간이나 인간의 문명이라는 것이 그렇게 하잘것없음을 타이산의 케이블카는 일깨워주고 있었다.

"아……, 그게, 그 시조가 있었는데……, 그게 어떻게 시작하더라……. 하도 오래돼서 가물가물하네."

유 지사장이 검지손가락 매듭으로 이마를 톡톡톡 치며 생각이 떠오르지 않아 안타까워하고 있었다.

"뭐……, 타이산과 관계된 시조입니까?"

"그래요. 그게 처음 시작이 태산이오."

"그럼 혹시……, 태산이 높다 하되 하늘 아래 뫼이로다, 아닙니까?"

"맞소! 바로 그거요."

유 지사장이 반색을 하며 소리치다가 놀라 재빨리 주위를 둘러보았다. 그러나 빡빡하게 들어찬 사람들은 과연 중국사람들답게 무표정한 채 아무런 내색도 하지 않았다.

"그 다음이 그러니까……."

김현곤이 머리를 짜내는 표정으로 어물거렸다.

"하아……, 떠오를 듯 떠오를 듯 하면서 이게……." 유 지사장도 얼굴을 잔뜩 찌푸린 채 고심을 하다가는, "알았소, 떠올랐소! 오르고 또 오르면 못 오를 리 없건마는, 사람이 제 아니 오르고 뫼만 높다 하더라." 종장 '뫼만 높다 하더라'는 김현곤도 함께 읊었다.

"하! 우리가 타이산에 와서 타이산이 들어간 시조를 읊게 되다니……. 이거 참 기분 그럴듯하지 않소?"

유 지사장이 아주 유쾌하게 웃었다.

"예, 아주 운치가 있는 게 좋은 추억이 될 것 같습니다."

김현곤도 상쾌한 기분으로 웃었다.

케이블카의 종착역 남천문에는 사람들이 북적거리고 있었

다. 어제 올라온 사람들이 남천문 근방의 숙소에서 자고 케이블카를 타고 내려가려는 것이었다. 그곳 숙소들의 잠자리가 비좁으면서도 값은 비싼데 굳이 거기서 하룻밤을 자는 이유는 무엇일까. 타이산에서 가장 높은 잠자리, 하늘과 가장 가까운 그곳에서 자면 하늘의 주인이신 옥황상제께서 내려주시는 도타운 복을 받을 수 있다고 믿기 때문이었다.

남천문에서 열리는 길이 그 이름도 그럴싸한 '하늘길[天街]'이었다. 얼마 안 남은 정상을 두고 시야가 막히는 것 없이 시원하게 트여 있어 하늘로 바로 이어진 것 같은 길이었다. 1,500미터를 헤아리는 지점이 막히는 데 없이 트였으니 그 풍광의 아름다움이야말로 선계(仙界) 같은 운치를 자아내고 있었다.

정상으로 이어진 하늘길 왼쪽은 식당과 가게들 그리고 숙소가 좁은 장소를 비집고 촘촘히 자리 잡고 있었다. 수없이 이어지는 발길들을 붙들고자 하는 사람살이 모습들이었다.

"쉬어 가세요, 쉬어 가세요. 시원한 거 뭐든지 다 있어요."

"우리 가게에서 쉬어 가면 천복을 받아요. 옥황상제께서 내리시는 천복을 받아요."

"우리 식당은 벽하신군(碧霞神君)의 법력이 내리시는 곳이에요. 들어오세요, 어서 들어오세요."

가게마다 식당마다 호객꾼들이 나서서 손님을 잡느라고

쉰 목소리로 온갖 소리를 다 외쳐대서 더욱 소란스러웠다. 벽하신군이란 옥황상제의 딸로 이 타이산의 여신이었다.

“아직 밥때는 이르고, 뭐 좀 마시며 잠깐 쉬었다 가시겠습니까?”

김현곤이 유 지사장에게 눈길을 돌렸다.

“그럽시다. 목도 마르고 시간도 넉넉하고 하니.”

유 지사장이 기다렸다는 듯 대꾸했다.

“어디로 들어갈까요?” 김현곤이 식당들을 둘러보았고, “다 그게 그거니까 아무 데나…….” 유 지사장이 심드렁하게 중얼거렸고, “기왕이면 옥황상제께서 내리시는 천복을 받도록 할까요.” 김현곤이 피식 웃었고, “그거 괜찮소. 그래서 역시 선전문구는 튀어야 한다니까요.” 유 지사장이 떨떠름하게 웃으며 고개를 끄덕끄덕했다.

“뭘로 드시겠어요?”

김현곤이 반들반들하도록 손때 절은 메뉴판을 넘겼다.

“날도 후덥지근하고, 가짜가 가장 적다는 칭다오 맥주로 합시다.”

“예, 그러시죠. 근데 이거……, 와하, 이 도둑놈들! 아무리 산꼭대기라고 하지만 이게 도대체 몇 배인 거야……?”

눈이 휘둥그레진 김현곤은 입까지 헤벌어져 있었다.

“기회 포착에 능한 중국 상술이 그 장기를 발휘할 절호의 기회를 잡은 것 아니겠소."

목 마른 놈이 샘 파더라고 유 지사장이 어서 맥주를 시키라고 손짓했다.

시원한 맥주맛은 상쾌하고도 부드러웠다. 그들은 맥주맛에 휘감기며 한참 동안 병나발을 불기에 정신이 없었다.

"옥황상제 천복이 바로 이거네." 입에서 병을 뗀 유 지사장이 말했고, "예, 중국에서 마신 맥주 중에서 젤 맛있는데요." 김현곤이 만족스럽게 웃으며 입을 훔쳤다.

그때 호객꾼이 식당 안으로 들어오며 활기차게 외쳐댔다.

"아, 아, 아저씨 오셨군요. 얼마나 기다렸다구요. 아저씨가 늦으면 오늘 점심 장사 망치는 거거든요."

"젠장……, 걱정은……, 언제……, 실수……, 하는 것……, 봤어."

등에 짐을 가득 지고 호객꾼의 뒤를 따르는 짐꾼은 가쁜 숨을 몰아쉬며 말이 토막토막 끊기고 있었다. 그리고 땀으로 흠빽 젖어버린 그의 몰골은 금방 물에서 나온 것 같았다.

"저거, 음식 재료들을 지고 올라온 모양이네." 유 지사장의 눈길이 짐꾼을 따라가고 있었고, "예, 그런 모양인데요. 도대체 돈을 얼마나 받길래 저 무거운 짐들을 져 나르지요?" 김현곤의 관심도 그쪽으로 쏠려갔다.

"글쎄……, 저 막노동꾼들이……, 받으면 얼마나 받겠소."

유 지사장이 고개를 저었고, "그래도 이 높은 곳까지 지고 올라온 건데……, 이 맥주가 괜히 비싼 게 아니었어요." 김현곤이 새삼스럽게 맥주병을 들어보았다.

"내일은 좀 더 빨리 오게. 자네가 늦어질수록 음식이 맛없게 되잖아. 자아, 20위안!" 배가 불룩 나온 주인남자가 던지듯 하는 손짓으로 돈을 내밀었고, "예, 예, 감사합니다." 온몸이 땀범벅인 짐꾼이 돈을 놓칠세라 허둥지둥 받아 들었다.

"20위안!"

유 지사장이 놀란 눈으로 김현곤을 쳐다보았다.

"예, 20위안!"

김현곤도 놀란 기색으로 복창하듯 했다.

"허! 이게 말이 되나." 유 지사장이 어이없어했고, "농민공들이 아무리 넘쳐나도 이건 너무 심한데요." 김현곤이 혀를 찼다.

그들은 맥주를 마저 마시고 식당을 나왔다. 정상을 향해 발을 옮기던 김현곤은 걸음을 멈추었다. 저쪽 난간에 아까 그 짐꾼이 몸을 부린 채 늘어져 있었다. 기진맥진한 그는 눈까지 감고 있어서 마치 죽은 것처럼 보였다. 김현곤은 자신도 모르게 그쪽으로 걸음을 옮겼다.

김현곤이 짐꾼을 질벅거렸다. 짐꾼의 눈꺼풀이 무겁게 밀려 올라갔다.

“아저씨, 난 한국사람이오. 여기 구경 왔다가 아까 그 식당에서 아저씨가 짐 지고 오는 것을 봤어요. 뭐 궁금한 거 몇 가지를 물어보고 싶은데, 어디 가서 아저씨 시원하게 뭘 좀 마시면서 잠깐 얘기할 수 있을까요?”

“한국사람이라고요? 헌데 중국말을 어떻게 그리 잘하지요?”

짐꾼은 이마의 땀을 훔치며 의아스럽게 김현곤을 쳐다보았다.

“아, 난 회사원으로 중국에서 10년 넘게 살았어요. 어떻게, 어디 가서 맥주라도 시원하게 한잔 하실까요?”

“이 꼴 해가지고 어딜…….”

짐꾼이 자기 몰골을 내려다보며 고개를 저었다.

“맥주값을 그냥 돈으로 주시오. 저 사람 눈치가 그렇잖소?”

언제 왔는지 유 지사장이 김현곤에게 나직하게 말했다.

“예, 좋아요. 맥주값을 드릴 테니 아저씨 혼자 편히 마시세요. 얘긴 저쪽에 가서 잠깐만 합시다.”

김현곤이 짐꾼의 팔을 끌었다.

“무슨 얘길…….”

짐꾼은 여전히 경계하는 눈빛으로 머뭇거렸다.

“예, 별것 아니구요, 아저씨가 아까 그 짐을 정말 저 밑에서부터 지고 올라온 거냐, 그런 것 몇 가지예요.”

“예에, 내가 틀림없이 계단 하나씩, 하나씩 딛고 올라온 거지요.”

짐꾼은 자기 증명을 하듯 뚜렷하게 말했다. 어느새 경계의 빛이 사라지고 없었다.

"7천 개가 넘는 그 많은 계단을……?"

김현곤이 입을 반쯤 벌린 놀란 얼굴로 유 지사장을 쳐다보았다.

"어쩌겠어요. 내가 새가 아니니 계단을 하나씩 디뎌야지."

짐꾼의 전형적인 중국식 언어 구사였다.

"그렇게 애를 쓰고 겨우 20위안을 받아요?"

"겨우 20위안? 이거 많이 좋아진 거예요."

"많이 좋아져? 무슨 소리요?"

"4~5년 전에는 10위안이었거든요."

"그렇게 애쓰는 것보다는 딴 벌이가 더 낫잖아요?"

"아니요. 우리같이 배운 것 없고, 별난 기술 없는 농촌 출신들은 매일 일거리 있는 이 짓이 제일이오. 큰 도시에 나가봤자 물가 비싸고, 며칠이고 일거리 잡지 못하면 굶어 죽기 딱 알맞아요."

"이거 하루에 몇 번이나 해요?"

"몇 번은요? 하루 한 번이지요. 오르면서 한나절, 내려가면서 한나절, 그러면 하루해가 저물지요."

"짐 지고 힘들게 올라오면서 무슨 생각을 해요?"

"무슨 생각……? 글쎄요……, 무슨 생각을 하는지……." 짐꾼은 고개를 갸웃갸웃하더니, "글쎄요……, 그저 그냥……, 아무 생각도 안 하는 것 같애요……" 하며 희멀건하게 웃었다.

"그래, 그저 그냥 발을 떼어놓을 거야. 무아지경으로. 마라톤 선수들이 그렇다고 하잖소. 숨 가쁜 어느 고비를 넘기고 나면 무아지경의 상태가 되면서 자기도 모르게 계속 뛰게 된다고 말이오."

유 지사장이 말했다.

"이 일 해서 먹고살 수 있어요?"

김현곤은 물을 것도 많았다.

"예, 하루 벌면 세 식구가 이틀 먹을 수 있고, 마누라도 잡일을 해서 조금씩 벌어요."

"너무 힘들지요?"

"그래도 죽는 것보다는 낫지요. 날마다 이 좋은 경치 구경하면서……."

짐꾼은 누런 이를 드러내며 씁쓰름하게 웃었다.

"여기서 아저씨처럼 일하는 사람들이 많아요?"

"예, 몇백 명 되지요."

"7천 개가 넘는 계단을 짐 지고 올라와 20위안 받으면 보수가 너무 적은 것 같은데, 그 사람들이 모두 뭉쳐 돈을 더 올려달라고 요구해야 되잖아요?"

"돈이 적더라도 영 안 주는 것보다는 한결 낫지요. 우리 할아버지 때만 해도 한 푼도 못 받고 배곯으며 일한 적도 있었다던데요."

또 희멀건하게 웃는 짐꾼을 김현곤은 물끄러미 바라보았다. 그 남자는 전형적인 중국인이었다. 삶의 고난과 고통스러움을 묵묵히 참아내고 끈질기게 견디어내는, 그 무서울 정도의 인내심. 그것이 중국인 특유의 기질이었다.

"아저씨, 고마웠어요. 자아, 약속한 맥주값."

김현곤은 40위안을 내밀었다.

"네에……? 이 많은 돈을!"

짐꾼은 소스라치며 주춤 물러섰다.

"많지 않아요. 아까 그 식당에서 한 병에 40위안씩 받았어요."

김현곤이 짐꾼의 손에 돈을 쥐어주려 했다.

"싫어요. 10위안도 많아요."

짐꾼이 고개를 저으며 물러섰다.

"아저씨와 우리가 여기서 만난 게 어떻게 된 일인 줄 알아요? 이건 옥황상제님께서 꼭 만나라 하고 맺어주신 인연인 거요. 그러니 이 돈은 옥황상제님이 주시는 것이고, 나는 심부름만 하는 것이니 아저씨는 옥황상제님께 고맙게 생각하고 받으세요."

김현곤은 짐꾼을 똑바로 쳐다보며 말했다.

"……"

짐꾼이 어리둥절해서 김현곤을 쳐다보고 있었다.

"갈 길이 먼데 어서 가세요."

김현곤이 짐꾼의 손에 돈을 쥐어주었다.

"가, 가, 감사합니다."

말을 더듬는 짐꾼의 눈에 눈물이 핑 돌았다.

"아아, 김 부장한테 정말 놀랐소. 지금이라도 늦지 않았으니 직업 바꾸시오."

유 지사장이 혀까지 내밀며 과장된 표정을 지었다.

"직업을……?"

김현곤이 지사장을 멀뚱히 쳐다보았다. "옥황상제님 끌어다 순식간에 이야기 꾸며대는 그 솜씨가 소설가 뺨치는 것 아니오? 그러니까 아예 소설가로 나서라 그거 아니오."

"아이고 참, 무슨 말씀인가 했네요. 지사장님도 아시다시피 영업을 하다 보니까 느는 게 임기응변 아니겠습니까."

김현곤이 뒷머리를 긁적이며 멋쩍게 웃었다.

"어쨌거나 오늘 또 좋은 경험했소. 단 돈 3,600원을 벌려고 매일 7천 개가 넘는 계단을 무거운 짐을 지고 오르내리는 중국사람들. 그 무한정 참고 견디는, 생고무처럼 질기고 질긴 그 기질이 징글징글하기도 하고, 가슴 서늘하기도 하고……. 세계에서 이 기질 당해낼 사람들이 또 어디 있겠소?"

유 지사장이 고개를 내둘렀다.

"저도 그 생각 때문에 얘기를 나눠보았던 겁니다. 그게 정말인지 믿을 수가 없었으니까요. 그런데 그 사람하고 얘기해보고 더 놀랐습니다. 그렇게 힘들게 고생해도 죽는 것보다는 낫고, 보수가 적더라도 안 주는 것보다는 낫다는 말이 꽤나 충격적이었거든요. 그런 낙관주의와 현실 순응주의가 어떻게 중국사람들의 의식 속에 그렇게 깊이 뿌리박히게 되었는지 수수께끼예요. 그게 중국의 여러 문제들을 풀 수 있는 열쇠 같기도 하구요."

김현곤은 평소부터 생각하곤 했던 것을 간추려 말했다.

"김 부장은 언제나 차분하고 진지해서 좋소. 난 어차피 떠날 몸이지만, 김 부장은 더 오래 남아 그 수수께끼를 풀어보도록 하시오. 갑시다, 다음 코스로."

그들이 타이산을 내려와 다시 기차역에 이르렀을 때는 오후 3시였다.

"김 부장하고 여행이 아주 즐거웠소. 이제 책임자가 됐으니 더 큰 성과 올리도록 근무 잘하고. 자아……."

유 지사장이 손을 내밀었다.

"지사장님, 부디 건강하시구요……."

김현곤은 지사장의 손을 맞잡으며 더 말을 못했다. 목이 메며 눈물이 솟구쳤던 것이다.

유 지사장은 돌아섰다. 그는 베이징으로 가는 사람들 속에

섞여 모습이 보이지 않을 때까지 끝내 뒤를 돌아보지 않았다. 김현곤은 지사장도 자신과 같은 심정일 거라고 생각했다.

그는 베이징으로 가서 중국을 떠날 것이다. 퇴직한 다음에 그는 무언가 할 일을 정했을까. 아직 반년이 남았으니까 급할 건 없다. 그런데……, 남자에게 퇴직이란 무엇인가……. 거기엔 상반된 의견이 맞서 있다. 퇴물, 퇴출, 소외……, 그와 반대로 제2의 인생, 창조적 휴식기, 진정한 자기 대접기……. 이럴 수도 있고, 저럴 수도 있는 개개인의 선택의 문제였다.

김현곤은 천천히 발길을 돌렸다. 뒤돌아보지 않고 사람들 속으로 사라져간 지사장의 모습은 머지않아 겪게 될 자신의 모습이었다. 그때 나는 퇴직 후의 인생에 대해 온전한 대비를 할 수 있을까……? 퇴직이라는 말 앞에서 서글픔이 앞설 뿐 스스로를 건강하게 부축할 수 있는 그 어떤 방책도 떠오르지 않았다.

'아직 먼 일이야. 눈앞의 일들이나 제대로 해!'

김현곤은 자신을 다그치며 상하이행 출구를 향해 걷기 시작했다. 그리고 핸드폰을 꺼냈다.

"지금 타이산 출발합니다."

김현곤이 말했다.

"아 예, 기다리고 있겠습니다."

전대광이 대꾸했다.

두 남자의 사무적인 전화는 이것으로 끝났다.

김현곤은 몸이 어딘가로 잠겨드는 듯한 피곤으로 의자 깊이 몸을 부리며 눈을 감았다. 잔물결 일듯이 잠이 밀려왔다.

유 지사장은 남루하기가 영락없이 거지꼴이었다. 그는 한사코 사무실로 들어오려고 발버둥치고 있었다. 그런데 사원들은 인정사정없이 그를 내몰았다. 지사장은 떠밀려 넘어지고, 다시 일어났다가 또 넘어졌다. 그러면서 목 터지게 "김 지사장, 김 지사장"을 외쳐대고 있었다. 그런데 자신은 못 들은 척 어떤 예쁜 여자와 키들거리며 술을 마시고 있었다. 안 찾아온다더니 뭐하러 찾아와. 꼴 참 좋다. 그러게 직장 다닐 때 제대로 대비를 했어야지. 속으로 이런 생각을 하면서.

내가 왜 이러지. 이건 내 진심이 아닌데. 이게 어떻게 된 거야. 이건 꿈인 거지? 내가 꿈을 꾸고 있는 거지? 이런 생각들이 뒤죽박죽되다가 김현곤은 잠이 깼다.

김현곤은 얼굴을 훔치며 밖을 내다보았다. 고속철은 용맹스러운 기세로 상하이를 향해 내달리고 있었다. 자신의 마음과는 정반대로 꿈이 어찌 그리 고약했는지 마음이 찜찜했다. 새삼스럽게 유 지사장이 노후대책을 제대로 세워두었는지 어쩐지 신경이 쓰였다. 어련히 잘 대비했으려고……, 그런 교육까지 미리 시키는 시대에……. 그는 유 지사장의 생각을 지우려고 했다. 그런데 마음 한구석에는 마치 자신이 밀어내기라도 한 것 같은 미안한 생각이 도사리고 있었다. 자신의 마음이면서도 도무지 이해할 수가 없는 마음이었다.

"우화아, 지사장! 승진을 축하합니다, 정말로 축하합니다."

김현곤의 말이 미처 다 끝나기도 전에 전대광은 이렇게 함성을 지르듯 했다.

"아직 지사장 아니에요. 그분 퇴직하기 전까지는 서리일 뿐이지요."

김현곤이 어색스러운 표정으로 손을 저었다.

"에이, 호랑이 없는 골에 뭐가 왕이지요? 중요한 건 왕이지요, 왕! 전에 말했던 대로 결국 전화위복이 됐군요. 인생은 더러 이렇게 살맛 날 때도 있다니까요. 잘됐어요, 정말 통쾌해요."

전대광은 엄지손가락을 세운 팔에 몇 번씩 힘을 주며 진정으로 기뻐했다.

"그때 전 부장님이 도와주신 게 결정타가 되었습니다. 베이징 총괄사장님도, 본사에서도 또 실수하는 게 아닌가 해서 처음엔 의심스러워했으니까요. 정말 그 고마움을……."

김현곤은 고마움이란 '고맙다'는 말로 다 표현되거나 전달되는 것이 아님을 다시금 깊이 느끼며 말끝을 흐렸다.

"고맙긴요. 내가 저지른 잘못 만회하려고 했던 것뿐이었죠. 내 실수로 김 부장님이 내륙으로 귀양 가듯 해버리자 얼마나

면목 없고 죄스러웠던지……. 다시 한 건 해서 시안으로 김 부장님 찾아갈 때, 그때처럼 출장길이 신 날 때가 없었어요. 그때 먹었던 진시황릉의 홍시 맛, 지금도 잊을 수가 없어요."

전대광은 마치 수학여행의 추억이라도 회상하는 것처럼 천진스러운 즐거움을 드러내고 있었다.

"근데 오늘 전 부장님 찾아온 건, 내가 서리 됐다는 소식 전하려는 게 아니에요."

김현곤이 앉음새를 고치며 말했다.

"아니, 무슨 다른 일이……?"

전대광이 금세 긴장했다.

"나쁜 일은 아닙니다. 다름이 아니라, 그동안 우리나라 대학에서 조용히 추진해 왔던 대학병원 문제가 이번에 결정되었습니다. 그리고 그 의료장비 납품의 절반을 나와 통하는 꽌시 친커가 확보했습니다. 친커는 자기 조카를 취직시켜 준 나한테 한 건 해주려는 것이었고, 대학병원 측에서는 현지 공무원 실세와 유대강화가 필요해서 이래저래 이루어진 일이지요. 100퍼센트가 아니라서 좀 서운하긴 하지만, 절반도 적은 액수는 아닙니다. 그 일을 전 부장님이 맡아주실 수 있습니까?"

"뭐, 뭐라구요? 나한테……?"

전대광은 너무 놀라 말을 하지 못했다. 이번 일은 김현곤과는 아무 잇속이 없는 업무다. 그런데 순전히 종합상사원인 자신을 위해서 일을 성사시킨 것이다. 그리고 종합병원 의료장비 절반이면 주먹구구로도 엄청난 액수다. 한순간에 이런 생각들이 뇌리를 스치니 말이 제대로 나올 리가 없었다.

"전 부장님, 곧 그쪽 만나러 떠나야 합니다."

김현곤이 용건 끝냈다는 듯 손바닥을 가볍게 털었다.

"김 부장님!"

전대광이 김현곤을 와락 끌어안았다.

〈3권에 계속〉

조정래 장편소설

정글만리 ❷

제1판 1쇄 / 2013년 7월 15일
제1판 17쇄 / 2013년 7월 23일

저자 / 조정래
발행인 / 송영석
발행처 / (株)해냄출판사

등록번호 / 제10-229호
등록일자 / 1988년 5월 11일(설립연도 | 1983년 6월 24일)

121-893 서울시 마포구 서교동 368-4 해냄빌딩 5·6층
대표전화 / 326-1600 팩스 / 326-1624
홈페이지 / www.hainaim.com

ISBN 978-89-6574-403-0
ISBN 978-89-6574-401-6(세트)